DR. DAVID PERLMUTTER
com Kristin Loberg

amigos da mente

Nutrientes e bactérias que vão curar e proteger seu cérebro

Tradução
ANDRÉ FONTENELLE

8ª reimpressão

A Editora Paralela é uma divisão da Editora Schwarcz S.A.

*Grafia atualizada segundo o Acordo Ortográfico
da Língua Portuguesa de 1990, que entrou em vigor
no Brasil em 2009.*

TÍTULO ORIGINAL Brain Maker: The Power of Gut Microbes
to Heal and Protect Your Brain — For Life

CAPA Claudia Espínola de Carvalho

PREPARAÇÃO Diogo Henriques

REVISÃO Thaís Totino Richter e Carmen T. S. Costa

ÍNDICE REMISSIVO Probo Poletti

Dados Internacionais de Catalogação na Publicação (CIP)
(Câmara Brasileira do Livro, SP, Brasil)

Perlmutter, David
   Amigos da mente : Nutrientes e bactérias que vão
curar e proteger seu cérebro / David Perlmutter com
Kristin Loberg ; tradução André Fontenelle. — 1ª ed. —
São Paulo : Paralela, 2015.

   Título original: Brain Maker : The Power of Gut Microbes to Heal and Protect Your Brain — For Life.
   ISBN 978-85-8439-014-4

   1. Cérebro — Doenças — Aspectos nutricionais —
Obras de divulgação 2. Sistema gastrointestinal — Microbiologia — Obras de divulgação I. Loberg, Kristin. II. Título.

15-07763   CDD-613.28

Índice para catálogo sistemático:
1. Cérebro : Curas naturais : Promoção da saúde   613.28

[2022]
Todos os direitos desta edição reservados à
EDITORA SCHWARCZ S.A.
Rua Bandeira Paulista, 702, cj. 32
04532-002 — São Paulo — SP
Telefone: (11) 3707-3500
editoraparalela.com.br
atendimentoaoleitor@editoraparalela.com.br
facebook.com/editoraparalela
instagram.com/editoraparalela
twitter.com/editoraparalela

Dedico este livro a você. Assim como você é sustentado pela infinidade de organismos que moram dentro de seu corpo, cada indivíduo influencia o bem-estar de nosso planeta. Num sentido extremamente real, você é um integrante ativo do microbioma da Terra.

Nenhum homem é uma ilha, isolado em si mesmo...

John Donne

Sumário

Introdução
Cuidado com os bichos: você não está sozinho

A morte começa no cólon.
Élie Mechnikov (1845-1916)

Durante toda a minha carreira, não se passou uma semana sem que eu tivesse que dizer a vários pacientes ou cuidadores que meu arsenal para o tratamento de uma grave doença neurológica que inevitavelmente daria cabo da vida do paciente havia se esgotado. Entrego os pontos quando a doença toma conta a tal ponto que não há remédio imediato ou droga capaz de sequer frear a célere marcha daquele mal rumo ao fim. Estar nessa posição é de partir o coração. Não há como se acostumar a ela, por mais que você a vivencie. O que me traz esperança, porém, é um campo de estudo promissor que finalmente tem trazido uma abordagem revolucionária ao alívio do sofrimento. *Amigos da mente* trata dessa nova e espantosa ciência e de como você pode tirar proveito dela em prol da sua saúde.

Detenha-se por um instante para refletir sobre a transformação do mundo no último século, graças à pesquisa em medicina. Não precisamos mais nos preocupar com a morte por varíola, disenteria, difteria, cólera ou escarlatina. Fizemos enormes progressos na redução dos índices de mortalidade por várias doenças potencialmente fatais, incluindo HIV/aids, alguns tipos de câncer e doenças cardíacas. Mas quando se trata das doenças e desordens relacionadas ao cérebro, o quadro é inteiramente diferente. Quase não há avanços na prevenção, no tratamento e na cura de condições neurológicas debilitantes que surgem em várias fases da vida — do autismo e do transtorno do déficit de atenção com hiperatividade (TDAH) à enxaqueca, depressão, esclerose múltipla, Parkinson e Alzheimer. E infelizmente estamos perdendo terreno com muita velocidade, à medida que aumenta a incidência dessas condições em nossa sociedade.

Vejamos alguns números. Nos dez países mais ricos do Ocidente, as mortes por doenças cerebrais em geral, reflexo em grande parte das mortes por demência, sofreram um grande aumento nos últimos vinte anos. E os Estados Unidos estão na liderança. Na verdade, um relatório publicado no Reino Unido em 2013 mostra que nos Estados Unidos, desde 1979, as mortes em razão de problemas no cérebro aumentaram espantosos 66% nos homens e 92% nas mulheres. Segundo o autor principal do estudo, o professor Colin Pritchard: "Essas estatísticas se referem a pessoas e famílias de carne e osso, e precisamos [reconhecer] a existência de uma 'epidemia' que tem clara influência de alterações sociais e ambientais". Os pesquisadores também observaram o forte contraste entre esse aumento, que afeta pessoas cada vez mais jovens, e uma importante redução no risco de morte por todas as demais causas.[1]

Em 2013, o *New England Journal of Medicine* publicou um relatório segundo o qual os americanos gastam 50 mil dólares por ano por paciente com demência que necessita de cuidados.[2] Isso representa aproximadamente 200 bilhões de dólares por ano, o dobro do que se gasta no cuidado a pacientes cardíacos e quase o triplo do que se gasta no tratamento de pacientes com câncer.

Transtornos de humor e ansiedade também estão em alta, e podem ter um efeito tão prejudicial na qualidade de vida quanto as demais condições neurológicas. Cerca de um em quatro americanos adultos — mais de 26% da população — sofre de um transtorno mental diagnosticável.[3] Transtornos de ansiedade afligem mais de 40 milhões de americanos, e cerca de 10% da população adulta americana tem um transtorno de humor para o qual se receitaram medicamentos poderosos.[4] A depressão, que afeta uma em cada dez pessoas (inclusive um quarto das mulheres na casa dos quarenta e cinquenta anos), passou a ser a principal causa de incapacidade no mundo inteiro, e o número de diagnósticos tem crescido a uma taxa alarmante.[5] Medicamentos como o Prozac e o Zoloft estão entre os mais receitados nos Estados Unidos. Veja bem, são drogas que tratam os *sintomas* da depressão, e não as causas, que são solenemente ignoradas. Em média, uma pessoa com um problema mental grave, como a desordem bipolar e a esquizofrenia, morre 25 anos mais cedo do que a população em geral[6] (em parte, isso se deve ao fato de que são indivíduos que, além desses problemas mentais, têm maior propensão ao fumo, ao alcoolismo, ao uso de drogas, ao sobrepeso e às doenças relacionadas à obesidade).

As cefaleias, entre elas a enxaqueca, estão entre as desordens mais comuns do sistema nervoso; cerca de metade da população adulta se vê às voltas com pelo menos uma dor de cabeça por mês. E elas são mais que um inconveniente; estão associadas a incapacidade, sofrimento pessoal, perda de qualidade de vida e custos financeiros.[7] Tendemos a pensar na dor de cabeça como um incômodo pouco dispendioso, sobretudo pelo fato de haver muitos medicamentos para tratá-la a um custo relativamente baixo e acessível (por exemplo, a aspirina, o acetaminofeno e o ibuprofeno), mas, segundo a Fundação Nacional para a Dor dos Estados Unidos, ela causa a perda de mais de 160 milhões de dias de trabalho por ano no país e resulta em despesas médicas da ordem de 30 bilhões de dólares anuais.[8]

Estima-se que a esclerose múltipla, uma doença autoimune incapacitante, que perturba a capacidade de comunicação do sistema nervoso, afete atualmente 2,5 milhões de pessoas no mundo inteiro, das quais quase 500 mil nos Estados Unidos, e sua prevalência só tem feito aumentar.[9] O custo médio total do tratamento de quem sofre de esclerose múltipla ultrapassa 1,2 milhão de dólares.[10] Segundo a medicina convencional, não há cura à vista.

Há ainda o autismo, que se multiplicou por sete ou oito nos últimos quinze anos, o que representa uma verdadeira epidemia contemporânea.[11]

É bem verdade que centenas de milhões de dólares têm sido gastos na luta contra estes e outros males que debilitam o cérebro. Mesmo assim, o progresso é mínimo.

Agora a boa notícia: novas descobertas de ponta da ciência, vindas de instituições das mais respeitadas no mundo, mostram que, em grande parte, a saúde do cérebro (e, do mesmo modo, suas doenças) depende daquilo que ocorre no intestino. É isso mesmo: o que está acontecendo nele agora é determinante do risco de diversas condições neurológicas. Sei bem que pode ser difícil reconhecer isso; se você pedir a seu médico uma cura conhecida para o autismo, a esclerose múltipla, a depressão ou a demência, ele vai balançar a cabeça e dizer que não existe nenhuma — e talvez nunca venha a existir.

É aí que eu discordo da maioria, mas felizmente não de todos os meus colegas. Nós, neurologistas, somos treinados para prestar atenção naquilo que ocorre no sistema nervoso, e mais especificamente no cérebro, de uma forma míope. Acabamos por enxergar outros sistemas do corpo, como o trato gastrointestinal, como órgãos à parte, totalmente desprovidos de relação com o que ocorre no cérebro. Afinal de contas, quando você sente dor de barriga, não procura um cardiologista nem um neurologista. Todo o campo da medicina se caracteriza por disciplinas separadas, divididas por partes do corpo ou sistemas individuais. A maioria dos meus colegas diria: "O que acontece no intestino fica no intestino".

É um ponto de vista completamente desconectado da ciência atual. O sistema digestivo está intimamente conectado àquilo que ocorre no cérebro. E talvez o aspecto mais importante relacionado ao intestino, aquele que tem *tudo* a ver com seu bem-estar e sua saúde mental, é sua ecologia interna — os diversos micro-organismos que vivem nele, e em especial as bactérias.

MICROBIOMA, MUITO PRAZER

Ao longo da história, sempre nos ensinaram que as bactérias são agentes da morte. A peste bubônica, afinal, dizimou quase um terço da população da Europa entre 1347 e 1352, e algumas infecções bacterianas ainda matam pessoas no mundo inteiro nos dias de hoje. Mas chegou a hora de conhecer o outro lado da história das bactérias em nossa vida. É preciso levar em conta a forma como alguns desses bichinhos não só não nos prejudicam, mas são fundamentais para a vida.

Hipócrates, o médico grego que é o pai da medicina moderna, foi o primeiro a afirmar, no século iii a.C., que "todas as doenças começam no intestino". Isso foi muito antes de a civilização dispor de qualquer prova ou teoria sólida que explicasse essa ideia. Desconhecíamos inclusive a existência das bactérias, até que no final do século xvii o comerciante e cientista holandês Antonie van Leeuwenhoek observou a própria placa bacteriana, com um microscópio de fabricação própria, e divisou um mundo oculto daquilo que batizou de "animálculos". Hoje ele é considerado o pai da microbiologia.

No século xix, foi o biólogo de origem russa Élie Mechnikov, ganhador do prêmio Nobel, que traçou um vínculo surpreendentemente direto entre a longevidade do homem e um equilíbrio saudável das bactérias no organismo, confirmando que "a morte começa no cólon". Desde suas descobertas, feitas no tempo em que a sangria ainda era um tratamento popular, a pesquisa científica tem dado cada vez mais crédito à ideia de que até 90% de todas as doenças humanas conhecidas remontam a um intestino adoentado. E podemos afirmar com segurança que, assim como as doenças começam no intestino, o mesmo vale para a saúde e a disposição. Foi o mesmo Mechnikov que disse que o número de bactérias boas tem que ser maior que o de bactérias ruins. Infelizmente, hoje em dia a maioria das pessoas porta um número indevidamente elevado de bactérias patogênicas ruins e lhes falta um universo microbiano diversificado e abundante. Não admira que ocorram tantas desordens cerebrais.

Se Mechnikov fosse vivo hoje, ele seria parte da mais nova revolução na medicina, aquela a que ele tentou dar início no século xix. Agora ela finalmente está ocorrendo.

Neste exato momento, seu corpo está sendo colonizado por uma infinidade de organismos, cujo número supera em aproximadamente dez vezes o de suas próprias células (por sorte, as nossas células são bem maiores; do contrário, esses organismos pesariam dez vezes mais que nós!). Esses cerca de 100 trilhões de criaturas invisíveis — micróbios — o recobrem por dentro e por fora. Vicejam na sua boca, no seu nariz, no seu intestino, nos seus órgãos genitais e em cada centímetro da sua pele. Se fosse possível isolá-las, encheriam uma garrafa de dois litros. Até agora os cientistas já conseguiram identificar cerca de 10 mil espécies de micróbios. Como cada um deles contém seu próprio DNA, isso representa mais de 8 milhões de genes. Em outras palavras, para cada gene humano em seu corpo existem pelo menos 360 genes microbianos.[12] A maioria desses organismos vive em seu trato digestivo. Embora aí se incluam os fungos e os vírus, as espécies bacterianas que o adotaram como lar dominam e ocupam um lugar central no suporte a todos os aspectos imagináveis de sua saúde. E você interage não apenas com esses organismos, mas também com o material genético deles.

Damos a essa complexa ecologia interna que prospera dentro de nós, e à sua pegada genética, o nome de "microbioma" (micro de "pequeno" ou "microscópico", e bioma em referência à ocorrência natural de uma flora num vasto habitat — no caso, o corpo humano). Embora o genoma humano que todos possuímos seja praticamente o mesmo, afora um punhado de genes que contêm o código de nossas características individuais, tais como a cor do cabelo ou o tipo sanguíneo, até mesmo em gêmeos idênticos o microbioma intestinal é completamente diferente. Pesquisas de ponta na medicina atual estão reconhecendo que o estado desse microbioma é tão vital para a saúde humana — com uma influência decisiva na sua chance de chegar com boa saúde à idade madura — que ele deve ser considerado um órgão do corpo à parte. E trata-se de um órgão que sofreu transformações radicais nos últimos 2 milhões de anos, ou mais. A evolução criou uma relação íntima, simbiótica, entre nós e esses habitantes microbianos, que tiveram uma participação ativa em nossa formação evolucionária desde o alvorecer da humanidade (e o fato é que eles já viviam no planeta bilhões de anos antes de nossa aparição). Ao mesmo tempo, eles se adaptaram e se modificaram, em resposta aos ambientes que criamos para eles dentro de nosso corpo. Até a expressão de nossos genes em cada uma de nossas células sofre, de alguma forma, a influência dessas bactérias e de outros organismos que nos habitam.

A importância do microbioma incentivou o Instituto Nacional de Saúde dos Estados Unidos (National Institutes of Health, NIH) a lançar em 2008 o Projeto Microbioma Humano, como uma extensão do Projeto Genoma Humano.[13] Alguns dos melhores cientistas americanos receberam a missão de investigar como as mudanças no microbioma se relacionam com a saúde e, do mesmo modo, com a doença. Além disso, estão estudando o que pode ser feito dessa informação para ajudar a reverter muitos de nossos problemas de saúde mais desafiadores. Embora o projeto esteja explorando diversas partes do corpo que abrigam micróbios, inclusive a pele, a área de pesquisa mais aprofundada se concentra no intestino, por ser ele o lar da maior parte dos micróbios de nosso corpo e, como você logo descobrirá, uma espécie de centro de gravidade para nossa fisiologia como um todo.

Não dá mais para negar que nossos órgãos intestinais tomam parte numa grande variedade de ações fisiológicas, entre elas o funcionamento do sistema imunológico, a desintoxicação, a inflamação, a produção de neurotransmissores e de vitaminas, a absorção de nutrientes, a sensação de fome ou saciedade e o aproveitamento de gordura e de carboidratos. Todos esses processos têm um enorme peso no risco de sofrer ou não de alergias, asma, TDAH, câncer, diabetes ou demência. O microbioma afeta o humor, a libido, o metabolismo, a imunidade e até nossa percepção de mundo e clareza de raciocínio. Ajuda a definir se estamos gordos ou magros, cheios de energia ou letárgicos. Resumindo, tudo que diz respeito à nossa saúde — tanto nossas sensações emocionais quanto físicas — depende do estado de nosso microbioma. Ele é saudável e dominado pelas bactérias chamadas "do bem", benéficas? Ou está doente e invadido por bactérias ruins, "do mal"?

Talvez nenhum outro sistema em nosso corpo seja tão sensível a mudanças em nossas bactérias intestinais quanto o sistema nervoso central, em particular o cérebro. Em 2014, o Instituto Nacional de Saúde Mental dos Estados Unidos gastou mais de 1 milhão de dólares num novo programa de pesquisa cujo alvo era a conexão entre o microbioma e o cérebro.[14] Embora muitas coisas contem para a saúde de nosso microbioma e, portanto, de nosso cérebro, nutrir um microbioma saudável nos dias de hoje é muito mais fácil do que se imagina. Com as recomendações apresentadas neste livro, elimino todo o trabalho de adivinhação.

Já testemunhei reviravoltas drásticas no estado de saúde de pacientes pelo emprego de alterações simples na dieta e, ocasionalmente, de técnicas mais agressivas destinadas a restabelecer um microbioma saudável. Tomemos o exemplo de um homem que sofria de um caso terrível de esclerose múltipla, que o mantinha em uma cadeira de rodas e com um cateter na bexiga. Depois de tratado, ele não apenas disse adeus ao cateter e recuperou a capacidade de caminhar sem assistência, como curou-se totalmente da esclerose múltipla. Ou o caso de Jason, um rapaz de doze anos que sofria de um autismo tão acentuado que mal conseguia pronunciar frases completas. No capítulo 5 você verá como ele se transformou fisicamente, passando a ser um rapaz fascinante, depois de seguir um poderoso protocolo probiótico. E mal posso esperar para compartilhar as inúmeras histórias de indivíduos com uma infinidade de condições de saúde debilitantes — de dores crônicas, cansaço e depressão a graves transtornos intestinais e doenças autoimunes — que tiveram uma melhora completa dos sintomas depois do tratamento. Essas pessoas passaram de uma baixíssima qualidade de vida a uma segunda chance. Algumas até deixaram de lado pensamentos suicidas e passaram a se sentir contentes e animadas pela primeira vez em muito tempo. Esses casos não são exceções para mim, mas, pelo padrão do que se costuma esperar, parecem quase milagrosos. Vejo histórias como essas todos os dias e sei que você também pode alterar para melhor o destino de seu cérebro por meio da saúde do seu intestino. É o que lhe mostrarei neste livro.

Mesmo que você não sofra de problemas de saúde graves e crônicos, que exijam terapia intensiva ou medicação, uma disfunção no microbioma pode estar na origem de incômodos como dores de cabeça, ansiedade, dificuldade de concentração ou negatividade em relação à vida. Com base em estudos clínicos acadêmicos e laboratoriais, assim como nos extraordinários resultados que testemunhei ou de que fiquei sabendo em simpósios médicos que congregam os melhores médicos e cientistas do mundo, vou contar aquilo que já se sabe e como tirar partido desse conhecimento. Também apresentarei instruções abrangentes e altamente práticas para transformar a saúde de seu intestino e, por tabela, sua saúde cognitiva, de modo que você possa ganhar alguns anos de uma vida mais vibrante. E os benefícios não são só esses. As descobertas mais recentes podem ajudar em todas as áreas abaixo:

- TDAH
- asma
- autismo
- alergias e intolerâncias alimentares
- fadiga crônica
- transtornos do humor, inclusive depressão e ansiedade
- diabetes e vício em açúcar e carboidratos
- sobrepeso e obesidade, assim como dificuldade para perder peso
- problemas de memória e de concentração
- prisão de ventre ou diarreia crônica
- resfriados ou viroses frequentes
- transtornos intestinais, entre eles doença celíaca, síndrome do intestino irritável e doença de Crohn
- insônia
- inflamações doloridas nas articulações e artrite
- pressão alta
- aterosclerose
- infecções crônicas por fungos
- problemas dermatológicos, como acne e eczemas
- mau hálito, gengivite e problemas odontológicos
- síndrome de Tourette

- sintomas acentuados no período menstrual e na menopausa

- e muitos outros

Na verdade, esses novos conhecimentos podem contribuir para o tratamento de praticamente todas as condições inflamatórias ou degenerativas.

Nas próximas páginas vamos examinar aquilo que produz um microbioma sadio e aquilo que prejudica um bom microbioma. O teste da página 26 lhe dará uma ideia das características de estilo de vida que têm relação direta com a saúde e o funcionamento do microbioma. E se há uma coisa que você vai notar rapidamente é que a alimentação de fato faz diferença.

DIGA-ME O QUE COMES E TE DIREI QUEM ÉS

Não é nova a noção de que a alimentação é a variável mais importante na saúde humana. Como diz um antigo adágio, "Que teu remédio seja teu alimento, e teu alimento seja teu remédio".[15] Mudar a condição de nosso microbioma — e o destino de nossa saúde — está ao alcance de todos, por meio de escolhas alimentares.

Há não muito tempo, tive a oportunidade de entrevistar o dr. Alessio Fasano, que atualmente exerce o cargo de professor visitante na Faculdade de Medicina de Harvard e é chefe do serviço de nutrição e gastroenterologia pediátrica do Hospital Geral de Massachusetts. Ele é respeitado como um líder do debate global sobre a ciência do microbioma. Conversamos sobre fatores que afetam a flora intestinal, e ele me disse com todas as letras que, de longe, o fator mais significativo relacionado à saúde e à diversidade do microbioma é aquilo que comemos. E o que colocamos em nossa boca representa o maior desafio ambiental a nosso genoma e nosso microbioma.

Que imenso incentivo à ideia de que a alimentação importa, passando por cima de outras circunstâncias de nossa vida que não somos totalmente capazes de controlar.

Como expliquei em meu livro anterior, *A dieta da mente*, os dois mecanismos-chave que levam à degeneração do cérebro são os processos inflamatórios crônicos e a ação dos radicais livres. Você pode considerá-los subprodutos dos processos inflamatórios que "enferrujam" o cérebro. *Amigos da mente* revê esses mecanismos e como eles sofrem a influência da flora intestinal e da saúde intestinal como um todo. Na verdade, a flora intestinal tem tudo a ver com os processos inflamatórios e com a capacidade de combater, ou não, os radicais livres. Em outras palavras, o estado do seu microbioma determina se seu corpo está insuflando as chamas dos processos inflamatórios ou combatendo-as.

Processos inflamatórios crônicos e danos aos radicais livres são conceitos centrais na vanguarda da neurociência atual, mas nenhuma abordagem farmacêutica sequer chega aos pés da prescrição de uma dieta que permita administrar as bactérias de seu intestino. Apresentarei essa prescrição passo a passo. Felizmente, a comunidade microbiótica do intestino é tremendamente receptiva a programas de reabilitação. As instruções detalhadas neste livro transformarão a ecologia interna de seu corpo, estimulando o crescimento do tipo certo de organismos benéficos ao cérebro. É um regime altamente prático, com seis chaves essenciais: prebiótica, probiótica, alimentos fermentados, alimentos de baixo carboidrato, alimentos sem glúten e gorduras saudáveis. Vou explicar como cada um desses fatores atua na saúde do microbioma, em prol do cérebro.

O melhor de tudo é que em questão de semanas você começa a colher os benefícios do protocolo Amigos da mente.

PREPARE-SE

Não tenho absolutamente nenhuma dúvida de que, ao aderirmos aos novos conhecimentos, vamos provocar uma revolução total no tratamento dos males neurológicos. E não tenho palavras para expressar a honra que sinto ao poder apresentar ao público essas revelações e expor todas as informações que vêm circulando silenciosamente na literatura médica. Em breve você vai se dar conta de como seu microbioma é o amigo decisivo da mente.

Os conselhos que darei neste livro foram elaborados no sentido de tratar e prevenir transtornos cerebrais; mitigar as oscilações de humor, a ansiedade e a depressão; fortalecer seu sistema imunológico e reduzir os problemas autoimunes; e tratar transtornos metabólicos, inclusive o diabetes e a obesidade, que pesam na saúde do cérebro a longo prazo. Farei a descrição de aspectos de sua vida que você nunca imaginou serem capazes de afetar a saúde de seu cérebro. Discutirei a importância de sua história pessoal desde o nascimento, da dieta e dos remédios que lhe deram na infância e de seus hábitos de higiene pessoal (por exemplo, se você usa antissépticos para as mãos). Explorarei as variações da flora intestinal em diferentes partes do mundo e como elas são provocadas por diferenças de dieta. Voltarei milhares de anos para mostrar o que nossos antepassados comiam e como isso se relaciona com os estudos recentes sobre nosso microbioma. Refletiremos sobre nosso conceito de urbanização: como ele transformou nossa comunidade ecológica interior? O saneamento das cidades teria levado a um índice mais elevado de doenças autoimunes? Tenho certeza de que você vai achar esse debate ao mesmo tempo esclarecedor e inspirador.

Mostrarei como a prebiótica baseada na comida — fontes nutritivas de combustível para as bactérias do bem que vivem em seu intestino — desempenha um papel fundamental na conservação da saúde, ao manter o equilíbrio e a diversidade da flora bacteriana intestinal. Alimentos como o alho, o tupinambo, a jicama e até o dente-de-leão, assim como comidas fermentadas como o chucrute, o kombucha e o kimchi, abrem caminho para níveis mais elevados de saúde, em geral, e de proteção e funcionamento do cérebro, em particular.

Embora a prebiótica já tenha se tornado um lugar-comum em muitos produtos alimentícios e possa ser encontrada em qualquer mercado comum, é sempre bom saber se orientar entre todas as opções — principalmente quando a publicidade diz que algo é "bom para o intestino". Vou ajudá-lo nisso, explicando as bases científicas da prebiótica para que você faça a melhor escolha.

Evidentemente, outros hábitos cotidianos também pesam nessa conta. Além de examinar a interação entre o microbioma e o cérebro, vamos travar contato com uma nova disciplina: a medicina epigenética. É a ciência que estuda como decisões cotidianas, como a dieta, os exercícios físicos, o sono e a gestão do estresse, influenciam a expressão do nosso DNA e afetam direta e indiretamente a saúde do cérebro. Também compartilharei o papel das mitocôndrias nos transtornos cerebrais, do ponto de vista do microbioma. As mitocôndrias são minúsculas estruturas internas de nossas células que possuem DNA próprio, separado do DNA do núcleo. As mitocôndrias podem, na verdade, ser consideradas a terceira dimensão do nosso microbioma; elas têm uma relação singular com o microbioma de nosso intestino.

As partes I e II darão as bases necessárias para aderir a meu programa de reabilitação dos amigos da mente, que apresento na parte III. Nesta introdução já forneci diversas informações. Espero ter despertado seu apetite para conhecer melhor e embarcar nesta área inteiramente nova da medicina, uma abordagem renovada da manutenção da saúde do cérebro. Um futuro mais sadio, mais forte e mais vivo está te esperando.

Vamos começar.

Autoavaliação
Quais são os seus fatores de risco?

Embora não exista hoje nenhum teste único disponível para medir com precisão o estado de seu microbioma, é possível encontrar algumas pistas ao responder perguntas simples. São perguntas que também podem ajudá-lo a descobrir quais vivências pessoais — do nascimento aos dias de hoje — podem ter tido um impacto em sua saúde intestinal.

Veja bem: embora kits de teste microbiano tenham começado a aparecer no mercado, considero que a pesquisa existente ainda não é suficiente para compreender o significado real dos resultados (sadio ou não sadio) e os fatores de risco que você carrega. Não tenho dúvida de que no futuro conseguiremos estabelecer parâmetros baseados em evidências e correlações bem definidas entre certas "assinaturas microbianas" e certos problemas de saúde. Mas, por ora, trata-se de um terreno pantanoso: é cedo demais para dizer se certos padrões no microbioma intestinal, ainda sob estudo, relacionados à doença X ou ao transtorno Y, são parte da causa ou a consequência dessas mesmas condições. Dito isso, os kits podem ser úteis na avaliação da diversidade e da composição geral de seu microbioma. Apesar disso, nem sempre é fácil afirmar que uma determinada configuração microbiana significa que você é "saudável". E não me parece aconselhável que você tente interpretar os resultados desses testes por conta própria, sem a orientação apropriada de um profissional da área médica com a devida formação e experiência nessa área. Então, por enquanto, eu apertaria o botão de "pausa" até segunda ordem, no que diz respeito a esses kits. As perguntas abaixo levantam dados pessoais suficientes para lhe dar uma ideia de seus fatores de risco.

Não se assuste caso a resposta à maioria das perguntas seja "sim". Quanto mais "sim" você tiver, maior o risco de possuir um microbioma adoentado ou não funcional, suscetível de impactar sua saúde mental. Mas isso não é uma sentença. Ao escrever este livro, minha única intenção é permitir que você assuma o controle da saúde do seu intestino e, por tabela, da saúde do seu cérebro.

Caso você não saiba responder alguma pergunta, pule-a. E se alguma pergunta deixá-lo particularmente assustado ou der origem a outras perguntas, esteja certo de que eu as responderei nos capítulos seguintes. Por enquanto, apenas responda-as da melhor maneira possível.

1. Sua mãe tomou antibióticos quando estava grávida de você?

2. Sua mãe tomou corticoides, como a prednisona, quando estava grávida de você?

3. Você nasceu de cesariana?

4. Você mamou no peito por menos de um mês?

5. Você teve otites ou infecções de garganta constantes na infância?

6. Você usou tubo de ventilação na orelha na infância?

7. Suas amígdalas foram retiradas?

8. Você já teve que usar remédios corticosteroides durante mais de uma semana, como gotas para o nariz ou inaladores descongestionantes?

9. Você toma antibióticos a cada dois ou três anos?

10. Você toma antiácidos (para má digestão ou refluxo)?

11. Você tem sensibilidade ao glúten?

12. Você sofre de alergias alimentares?

13. Você tem sensibilidade excessiva às substâncias químicas comumente encontradas em produtos do dia a dia?

14. Você já teve alguma doença autoimune diagnosticada?

15. Você sofre de diabetes tipo 2?

16. Você está mais de dez quilos acima do peso?

17. Você sofre de síndrome do intestino irritável?

18. Você sofre de diarreia ou cólicas intestinais todo mês?

19. Você toma algum laxante todo mês?

20. Você sofre de depressão?

Tenho certeza de que você está curioso para saber o significado de tudo isso. Este livro vai lhe contar tudo o que você quer — e precisa — saber, e muito mais.

PARTE I

CONHECENDO SEUS 100 TRILHÕES DE AMIGOS

Eles não têm olhos, nariz, orelhas nem dentes. Não possuem membros, coração, fígado, cérebro nem pulmões. Não respiram nem se alimentam como nós. A olho nu nem dá para vê-los. Mas não os subestime. Se por um lado as bactérias são incrivelmente simples, compostas por apenas uma célula, por outro são extraordinariamente complexas, até mesmo sofisticadas, de certo ponto de vista, e representam um grupo de criaturas fascinante. Não se deixe enganar por seu tamanho infinitesimal. Existem bactérias capazes de viver sob temperaturas que ferveriam seu sangue e outras que prosperam em lugares congelados. Há até uma espécie capaz de suportar níveis de radioatividade milhares de vezes mais altos que aqueles que você aguentaria. Essas microscópicas células vivas se alimentam de tudo, de açúcar e amido a luz do sol e enxofre. As bactérias são a base da vida na Terra. São as primeiras e provavelmente serão as últimas formas de vida do planeta. Por quê? Porque absolutamente nada que vive pode existir sem elas. Nem mesmo você.

Embora já não deva ser novidade para você o fato de que certas bactérias podem causar doenças e até a morte, talvez você não esteja tão consciente do outro lado da história — que cada batida de nosso coração, cada respiração e cada conexão dos neurônios ajuda as bactérias a sustentar a vida humana. Não apenas essas bactérias coexistem conosco — recobrindo-nos por dentro e por fora —, como ajudam nosso corpo a realizar uma impressionante série de funções necessárias à nossa sobrevivência.

Na parte I, vamos examinar o microbioma humano — o que é, como funciona e qual a incrível relação entre sua comunidade microbiana intestinal e seu cérebro. Você vai descobrir como condições tão diferentes, como o autismo, a depressão, a demência e até o câncer, têm muito em comum graças às bactérias intestinais. Também vamos examinar os fatores-chave para o desenvolvimento de um microbioma sadio, assim como os fatores que podem comprometer esse desenvolvimento. Em linhas breves, você verá como provavelmente nossas epidemias modernas, da obesidade ao Alzheimer, devem-se em grande parte a um microbioma disfuncional. Ao terminar esta parte, você verá de outra forma sua flora intestinal, e se sentirá mais no controle do futuro de sua saúde.

1. Bem-vindo a bordo

Seus amigos microbianos, do nascimento à morte

Em algum ponto de uma bela ilha grega no mar Egeu, nasce um menino de parto normal, em casa. Durante os primeiros anos de vida, ele é amamentado no peito. Na fase de crescimento, não desfruta da maioria dos confortos da vida americana moderna. Fast-food, sucos de frutas e refrigerantes são quase desconhecidos para ele. Suas refeições consistem, basicamente, em legumes colhidos na horta da família, peixes e carnes da região, iogurte caseiro, nozes e sementes e muito azeite de oliva. Ele passa a infância indo à escola do bairro e ajudando os pais no sítio, onde plantam verduras, ervas para o chá e uvas para o vinho. O ar é limpo, sem poluição.

Quando ele adoece, os pais lhe dão uma colher de mel de produção local, pois nem sempre há antibióticos à disposição. Ele nunca terá diagnóstico de autismo, asma ou transtorno de déficit de atenção e hiperatividade. Ele se mantém esguio e em boa forma, uma vez que a atividade física é constante. À noite, as famílias não ficam sentadas diante do sofá; o tempo todo interagem com os vizinhos e saem para dançar. Trata-se de um menino que provavelmente nunca sofrerá nenhum transtorno cerebral grave, como depressão ou Alzheimer. Na verdade, é provável que ele viva muitos anos, porque sua ilha, Ikaria, abriga o mais alto índice de nonagenários do planeta — lá, cerca de um em cada três habitantes chega à décima década de vida em robusta saúde física e mental.[1] Lá também há 20% menos casos de câncer, metade do índice de problemas cardíacos e quase nenhum caso de demência.

Vamos agora para uma cidade qualquer dos Estados Unidos, onde nasce uma menina. Decidiu-se que ela virá ao mundo por cesariana e que não será amamentada no peito. Na infância, ela sofre múltiplas infecções — de otites crônicas a sinusite e amigdalites —, para as quais se receitam antibióticos; até para resfriados comuns ela toma antibióticos. Embora ela tenha acesso ao que de melhor existe no mundo para a nutrição, sua dieta é invadida por alimentos processados, açúcares refinados e gorduras vegetais que fazem mal. Aos seis anos de idade ela sofre de sobrepeso e tem um diagnóstico de pré-diabetes. Ela cresce sabendo tudo de aparelhos eletrônicos e passa a maior parte da infância numa escola exigente. Mas a essa altura toma remédios contra a ansiedade, sofre de transtornos de comportamento e passa por dificuldades cada vez maiores na escola, devido à incapacidade de se concentrar. Na idade adulta, terá alto risco de sofrer de graves condições relacionadas ao cérebro, entre as quais transtornos de humor, ansiedade, enxaquecas e problemas autoimunes, como a esclerose múltipla. E na velhice ela pode se ver diante das doenças de Parkinson e Alzheimer. Nos Estados Unidos, as maiores causas de óbito estão relacionadas a doenças crônicas, como a demência, raramente observadas na ilha grega anteriormente citada.

O que está acontecendo? Nos últimos anos, novos estudos nos proporcionaram uma compreensão muito mais aprofundada da relação entre aquilo a que somos expostos desde os primeiros anos de vida e nossa saúde em longo prazo. Os cientistas vêm destrinchando os elos entre o estado do microbioma humano e o destino de nossa saúde. A resposta a essa pergunta mora na diferença entre a vivência precoce dessas duas crianças, e uma parte dessa experiência, falando em termos genéricos, tem tudo a ver com o desenvolvimento de seus microbiomas pessoais, as comunidades microbianas que habitam nossos corpos desde o nascimento e que desempenham um papel decisivo na saúde e no funcionamento do cérebro ao longo da vida.

É claro que, nesse cenário hipotético, tomei algumas liberdades. Existe uma constelação de fatores que atua na longevidade de qualquer pessoa específica e no risco de desenvolver determinadas doenças ao longo da vida. Mas vamos nos concentrar, por um instante, apenas no fato de que a vivência precoce daquela menina a colocou numa rota inteiramente diferente da do menino, em termos de saúde do cérebro. E essa ilha grega existe, sim. Ikaria fica a cerca de cinquenta quilômetros do litoral turco. Também é conhecida como Zona Azul, um local onde é mensurável a maior longevidade das pessoas, assim como uma existência mais sadia que a da maioria de nós, no Ocidente desenvolvido. Em geral, elas bebem vinho e café diariamente, mantêm-se ativas muito além dos oitenta anos e até o fim da vida conservam a mente afiada. Um importante estudo concluiu que os homens de Ikaria têm uma probabilidade quase quatro vezes maior de chegar aos noventa anos que os americanos, e frequentemente o fazem com mais saúde.[2] Esse estudo também mostrou que eles vivem até uma década a mais antes de desenvolver cânceres e doenças cardiovasculares, e nem de longe têm os mesmos níveis de depressão. Os índices de demência naqueles com mais de 85 anos são uma fração diminuta dos índices no mesmo grupo de idade nos Estados Unidos.

Não tenho dúvida de que, quando a ciência chegar a uma conclusão em relação a esses lugares inteiramente diferentes e formos capazes de atacar as causas profundas dos problemas de saúde nos Estados Unidos, o microbioma humano terá um papel central. Vou provar que, para o nosso bem-estar, isso é tão importante quanto a água e o ar. O que os bichinhos do seu intestino têm a ver com o cérebro e as doenças relacionadas a ele?

Mais do que você poderia imaginar.

QUEM ESTÁ NO COMANDO? SEUS BICHINHOS

Talvez não exista termo mais apropriado para os micro-organismos que moram no seu intestino e auxiliam sua digestão que super-heróis. Embora se estime que pelo menos 10 mil diferentes espécies coabitam o intestino humano, alguns especialistas afirmam que esse número pode passar de 35 mil.[3] Tecnologias recentes são agora capazes de ajudar os cientistas a identificar todas essas espécies, muitas delas impossíveis de criar em culturas de laboratório com os métodos tradicionais.

Para os fins desta discussão, vamos nos concentrar especificamente nas bactérias; elas compõem a maior parte dos micróbios de seu intestino, ao lado de fungos, vírus, protozoários e parasitas eucarióticos que também desempenham papéis importantes na saúde. Em grande parte, as bactérias são os protagonistas na colaboração com sua fisiologia — e sobretudo sua neurologia. Juntas, as bactérias no seu intestino pesariam um ou dois quilos, aproximadamente o mesmo peso do seu cérebro (nada menos que metade do peso de suas fezes é composta de bactérias descartadas).[4]

Se você pensar nos seus tempos de ensino médio, nas aulas sobre o sistema digestivo, lembrará que aprendeu como ele "quebra" os alimentos em nutrientes, que são absorvidos. Você estudou os ácidos estomacais e as enzimas, assim como os hormônios que ajudam a controlar esse processo. Talvez tenha tido que decorar o passo a passo de um naco comum de comida, da boca ao ânus. Talvez até tenha aprendido como a glicose — a molécula do açúcar — entra nas células e é usada como forma de energia. Mas talvez nunca tenha ouvido falar desse verdadeiro ecossistema que mora dentro de seu trato digestivo e praticamente comanda todas as funções corporais. Você não fez prova sobre as bactérias do intestino, cujo DNA pode ter um impacto muito maior sobre a sua saúde do que o seu próprio DNA.

Sei que é quase impossível de acreditar. Soa maluco, como ficção científica. Mas as pesquisas são claras: os bichinhos do seu intestino podem muito bem ser considerados um órgão propriamente dito. E são tão vitais para a sua saúde quanto o seu coração, seus pulmões, seu fígado e seu cérebro. As descobertas científicas mais recentes nos mostram que a flora intestinal que adotou como lar as delicadas dobras de suas paredes intestinais

- auxilia a digestão e a absorção de nutrientes

- cria uma barreira física contra invasores em potencial, como as bactérias do mal (a flora patogênica), vírus nocivos e parasitas prejudiciais à saúde. Alguns tipos de bactéria têm filamentos capilares que as ajudam a nadar; estudos recentes mostraram que os "flagelos", nome dado a esses filamentos, são capazes de deter a ação de um rotavírus estomacal fatal[5]

- atua como uma máquina desintoxicante. Os bichinhos do intestino desempenham um papel na prevenção de infecções e servem como linha de defesa contra diversas toxinas que alcançam o intestino. Na verdade, por neutralizarem muitas toxinas presentes nos alimentos, podem ser considerados uma espécie de "segundo fígado". Por isso, ao reduzir o número de bactérias do bem em seu intestino, você sobrecarrega o fígado

- influencia profundamente a resposta do sistema imunológico. Ao contrário do que se poderia crer, o intestino é o *principal* órgão do sistema imunológico. Além disso, as bactérias são capazes de educar e apoiar o sistema imunológico, ao controlar determinadas células imunológicas e prevenir problemas autoimunes (aquela situação em que o corpo ataca os próprios tecidos)

- produz e libera importantes enzimas e substâncias que colaboram com a sua biologia, assim como substâncias químicas para o cérebro, inclusive vitaminas e neurotransmissores

- ajuda a lidar com o estresse, através dos efeitos da flora sobre o sistema endócrino (hormonal)

- ajuda a ter uma boa noite de sono

- ajuda no controle dos processos inflamatórios no organismo. Estes, por sua vez, influenciam o risco de praticamente todas as formas crônicas de doenças

Fica claro que as bactérias do bem num intestino saudável não são invasoras que desfrutam de alojamento e boa alimentação. Elas influenciam não apenas o risco de transtornos cerebrais e doenças mentais, mas também o de câncer, asma, alergias alimentares, condições metabólicas como diabetes e obesidade, e doenças autoimunes provocadas por sua influência direta ou indireta sobre vários órgãos e sistemas. Em poucas palavras, elas estão no comando da sua saúde.

Algumas bactérias são moradoras mais ou menos permanentes; formam colônias de longa duração. Outras são passageiras, mas mesmo essas exercem importante influência. As bactérias passageiras viajam através do trato digestivo humano e, conforme seu tipo ou suas características próprias, também atuam sobre o estado geral de saúde. Mas, em vez de estabelecer residência fixa, criam pequenas colônias durante breves períodos, antes de serem eliminadas ou de morrerem. Durante essa residência temporária, porém, realizam um grande número de tarefas necessárias; algumas das substâncias que produzem são cruciais para a saúde e o bem-estar das bactérias residentes — e, por extensão, de nossa saúde e bem-estar.

O AMIGO DEFINITIVO DA MENTE

Embora adquirir uma compreensão plena da conexão entre o intestino e o cérebro exija o estudo ativo de imunologia, patologia, neurologia e endocrinologia, farei aqui algumas simplificações. Você aumentará e reforçará sua base de conhecimento com a leitura dos próximos capítulos.

Lembre-se da última vez em que você sentiu mal-estar estomacal por estar nervoso, ansioso, amedrontado ou talvez até extremamente empolgado. Pode ter sido antes de fazer uma prova importante, de falar em público ou de se casar. Os cientistas estão começando a descobrir que a relação íntima entre o intestino e o cérebro é, na verdade, de mão dupla: assim como o cérebro pode lhe provocar um aperto no estômago, seu intestino pode transmitir ao sistema nervoso estados de tranquilidade ou de alarme.

O nervo vago, o mais longo dos doze nervos cranianos, é o canal de informação primário entre centenas de milhões de células nervosas no nosso sistema nervoso intestinal e no nosso sistema nervoso central. Também chamado de nervo craniano X, estende-se do tronco cerebral ao abdome, comandando diversos processos orgânicos que não controlamos conscientemente. Eles incluem tarefas importantes, como manter o batimento cardíaco e controlar a digestão. Ocorre que a população de bactérias no intestino afeta diretamente o estímulo e o funcionamento das células ao longo do nervo vago. Alguns dos micróbios do intestino podem até liberar mensagens químicas, da mesma forma que os neurônios, que se comunicam com o cérebro numa linguagem própria por meio do nervo vago.

Quando se pensa em sistema nervoso, provavelmente a imagem que se forma é a do cérebro e da medula espinhal. Mas esse é apenas o sistema nervoso central. Também é preciso levar em conta o sistema nervoso intestinal ou entérico, intrínseco ao trato gastrointestinal. Os sistemas nervosos central e entérico são formados a partir do mesmo tecido durante o desenvolvimento do feto e conectados por meio do nervo vago. "Vago" vem de "vaguear", nome apropriado para esse nervo, que vagueia pelo sistema digestivo (a palavra "vagabundo" tem a mesma raiz).

Os neurônios no intestino são tão inumeráveis que muitos cientistas passaram a chamá-los, globalmente, de "segundo cérebro". Não apenas esse segundo cérebro controla os músculos, as células imunológicas e os hormônios, mas também é responsável pela fabricação de algo verdadeiramente importante. Antidepressivos populares como o Paxil, o Zoloft e o Lexapro aumentam a disponibilidade da serotonina — substância química do "bem-estar" — no cérebro. Você ficaria surpreso ao saber que cerca de 80% a 90% de toda a serotonina em seu corpo é fabricada pelas células nervosas do intestino![6] Na verdade, o "cérebro intestinal" fabrica mais serotonina — a grande molécula da felicidade — que o cérebro da sua cabeça. Muitos neurologistas e psiquiatras estão se dando conta de que pode ser essa uma das razões por que os antidepressivos são, muitas vezes, menos eficazes que mudanças na dieta. O fato é que pesquisas recentes têm mostrado que nosso segundo cérebro talvez nem seja tão "segundo" assim.[7] Ele pode atuar de forma independente do cérebro principal e controlar muitas funções sem ordens ou ajuda do cérebro.

Explicarei mais, ao longo do livro, sobre a interação biológica entre o intestino e o cérebro. Você descobrirá nos próximos capítulos muitas funções biológicas que envolvem o microbioma como um todo. Enquanto muitas podem parecer completamente diferentes de outras — por exemplo, o que fazem suas células imunológicas e a quantidade de insulina produzida pelo seu pâncreas —, você logo chegará à conclusão de que elas têm um denominador comum: os habitantes do intestino. Sob formas variadas, são eles os controladores e ditadores do seu corpo. Eles compõem o quartel-general do seu corpo. São heróis ignorados e parceiros de sua saúde. E os orquestradores de sua fisiologia, de maneiras que você talvez nunca tenha imaginado.

Ao ligar os pontos do intestino até o cérebro, convém levar em conta a resposta geral do corpo ao estresse, tanto físico (por exemplo, fugir de um invasor armado dentro da sua casa) quanto mental (por exemplo, evitar uma discussão com o chefe). Infelizmente, o corpo não é esperto o suficiente para distinguir entre as duas situações, razão pela qual seu coração pode bater com a mesma velocidade tanto quando você se prepara para fugir de um ladrão quanto ao entrar na sala do chefe. Os dois cenários são sentidos pelo corpo sob a forma de estresse, embora apenas um — fugir do invasor — seja uma ameaça real à sobrevivência. Portanto, nos dois casos, seu corpo será inundado de adrenalina e esteroides produzidos pelo corpo, e seu sistema imunológico liberará mensageiros químicos, chamados citocinas inflamatórias, que deixam em alerta máximo esse sistema. Isso funciona bem em situações eventuais de pressão, mas o que ocorre quando o corpo é constantemente submetido ao estresse (ou acha que está sendo)?

É raro que alguém se veja constantemente fugindo de assaltantes, mas o estresse físico também inclui encontros com toxinas e patógenos potencialmente fatais. Só nas nossas decisões alimentares já podemos nos deparar diariamente com eles. Embora o corpo não precise chegar a um estado de lutar ou correr, com o coração acelerado, ao encontrar uma substância ou um ingrediente que não aprecia, é quase certo que ele terá uma resposta imunológica. E a atividade imune crônica e o processo inflamatório resultantes desse encontro podem levar a doenças crônicas, de problemas cardíacos e cerebrais, como Parkinson, esclerose múltipla, depressão e demência, a transtornos autoimunes, colite ulcerativa e câncer. Vamos explorar em maiores detalhes esse processo no próximo capítulo, mas por enquanto basta saber que todas as formas de doenças encontram suas raízes em processos inflamatórios fora de controle e que seu sistema imunológico controla os processos inflamatórios. Mas onde o microbioma entra nisso? Ele regula ou gerencia a resposta imunológica. Ao fazê-lo, participa da história do processo inflamatório em seu corpo. Vou explicar um pouco mais esse ponto.

Embora todos nós estejamos sob a constante ameaça de substâncias químicas e germes prejudiciais à saúde, dispomos de um ótimo sistema de defesa: a imunidade. Quando o sistema imunológico está comprometido, nos tornamos presas fáceis de um grande número de possíveis agentes causadores de doenças. Sem um sistema imunológico que opere apropriadamente, uma ocorrência tão banal quanto uma picada de mosquito pode, em teoria, ser fatal. E para além de eventos externos, como picadas de insetos, cada parte de nosso corpo é colonizada, a cada instante, por um certo número de organismos potencialmente perigosos que, não fosse o funcionamento adequado do nosso sistema imunológico, poderiam facilmente nos levar à morte. Ao mesmo tempo, é importante entender que o sistema imunológico opera de maneira ideal quando está em equilíbrio.

Um sistema imunológico hiperativo pode levar a complicações, como as alergias; em casos graves, pode reagir de forma tão violenta que leva a um choque anafilático — uma reação extrema que pode ser fatal. Além disso, quando o sistema imunológico é enganado, pode não reconhecer proteínas normais do corpo como parte de si e rebelar-se contra elas. Esse é o mecanismo básico das doenças autoimunes, que costumam ser tratadas com pesadas drogas imunossupressoras, que podem ter efeitos colaterais importantes. Um deles, e não dos menos importantes, é alterar a variedade de bactérias no intestino. Quando um transplantado rejeita um órgão que deveria salvar sua vida, a culpa é do sistema imunológico. E é o sistema imunológico que ajuda o corpo a reconhecer e eliminar células cancerosas, processo que está ocorrendo neste exato momento dentro do seu corpo.

O intestino tem seu próprio sistema imunológico, o "tecido linfoide associado ao intestino" (GALT, na sigla em inglês). Ele representa

70% a 80% de todo o sistema imunológico do corpo humano. Isso diz muito a respeito da importância — e da vulnerabilidade — do intestino. Se aquilo que ocorre no intestino não fosse tão crucial à existência, não haveria necessidade da presença da maior parte de seu sistema imunológico para vigiar e proteger a vida.

A razão pela qual a maior parte de seu sistema imunológico atua no intestino é simples: a parede intestinal é a fronteira com o mundo exterior. Além da pele, é nela que seu corpo tem a maior probabilidade de encontrar materiais e organismos estranhos. E ela está em comunicação permanente com as demais células do sistema imunológico no corpo. Caso encontre no intestino uma substância problemática, alerta o restante do sistema imunológico para que fique em prontidão.

Um dos temas gerais que você encontrará ao longo deste livro é a importância de manter a integridade da delicada parede intestinal, cuja espessura é de apenas uma célula. Ela precisa permanecer intacta ao atuar como condutor de sinais entre as bactérias do intestino e as células do sistema imunológico, que ficam logo ali, do outro lado. Como disse o dr. Alessio Fasano, de Harvard — que deu uma palestra sobre o assunto em uma conferência de 2014, à qual compareci, dedicada integralmente à ciência do microbioma —, essas células imunológicas que recebem sinais das bactérias do intestino dão a "primeira resposta" do corpo. Por sua vez, as bactérias do intestino mantêm o sistema imunológico vigilante, mas não em modo de defesa total. Elas monitoram e "educam" o sistema imunológico. Isso acaba ajudando a prevenir que o sistema imunológico do intestino reaja de forma inadequada a alimentos e desencadeie reações autoimunes. Nos próximos capítulos, veremos o papel crucial do tecido linfoide associado ao intestino na preservação da saúde geral de seu corpo. Ele é o exército do corpo, em guarda contra quaisquer ameaças que entram pelo tubo intestinal e podem ter um impacto negativo sobre o corpo, até chegarem ao cérebro.

Pesquisas feitas tanto com animais quanto com seres humanos mostram que bactérias intestinais nocivas ou patogênicas podem provocar doenças, mas não apenas por estarem associadas a condições específicas. Sabemos, por exemplo, que a *Helicobacter pylori* é responsável pelo aparecimento de úlceras. Mas ocorre que as bactérias patogênicas também interagem com o sistema imunológico no intestino, provocando a liberação de moléculas inflamatórias e hormônios do estresse, o que basicamente liga o interruptor do sistema de resposta ao estresse em nosso corpo, fazendo-o crer que há um leão querendo nos fazer de presa. Novas descobertas científicas também têm revelado que as bactérias do mal podem alterar nossa percepção da dor; na verdade, pessoas com um microbioma doente podem ter uma sensibilidade maior à dor.[8]

As bactérias do bem fazem o contrário. Elas buscam minimizar o número de vilãs e seus efeitos, ao mesmo tempo que interagem de forma positiva tanto com o sistema imunológico quanto com o endócrino. Isto é, as bactérias do bem podem desligar a resposta crônica do sistema imunológico. Também podem controlar o cortisol e a adrenalina — dois hormônios associados ao estresse que podem baratinar o corpo quando em fluxo constante.

Cada grande grupo de bactérias intestinais é composto por muitas cepas diferentes, e os efeitos de cada cepa podem variar. Os dois filos de organismos mais comuns no intestino, que representam mais de 90% da população bacteriana no cólon, são as Firmicutes e as Bacteroidetes. As Firmicutes são conhecidas como as bactérias que "adoram gordura", pois foi demonstrado que as bactérias dessa família dispõem de um número maior de enzimas que digerem carboidratos complexos. Isso as torna muito mais eficientes na obtenção de energia (isto é, calorias) a partir dos alimentos. Também foi descoberto recentemente que elas são decisivas no aumento da absorção de gordura.[9] Pesquisadores concluíram que os obesos têm níveis elevados de Firmicutes na flora intestinal se comparados aos magros, majoritariamente dominados pelas Bacteroidetes.[10] Na verdade, a proporção relativa desses dois grupos, a relação Firmicutes-Bacteroidetes (ou F/B), é crucial para medir a saúde e o risco de contrair doenças. Além disso, descobriu-se recentemente que, na verdade, níveis elevados de Firmicutes acionam os genes que aumentam o risco de obesidade, diabetes e mesmo de doenças cardiovasculares.[11] Pense nisto: alterações na proporção dessas bactérias podem mudar a expressão efetiva do *seu* DNA!

As duas cepas de bactérias mais estudadas atualmente são a *Bifidobacterium* e a *Lactobacillus*. Não se preocupe em decorar esses nomes compridos. Ao longo deste livro, você vai se deparar com muitos tipos de bactéria com nomes complicados em latim, mas prometo que até o final será capaz de distinguir entre muitas cepas diferentes. Embora eu não possa afirmar com certeza absoluta quais são as melhores cepas e a proporção ideal entre elas para a sua saúde, o raciocínio geral é que o principal está na variedade.

Também devo mencionar que a fronteira entre bactérias "do bem" e "do mal" não é tão evidente quanto se poderia supor. Uma vez mais, a diversidade geral e a proporção entre as cepas são fatores importantes. Na proporção errada, certas cepas que teriam efeitos positivos sobre a saúde podem se transformar em vilãs. A famosa bactéria *Escherichia coli*, por exemplo, produz vitamina K, mas pode causar doenças graves. A *Helicobacter pylori*, bactéria que, como mencionei há pouco, provoca úlceras pépticas, também ajuda a regular positivamente o apetite, impedindo que você coma demais.

Para citar mais um exemplo, pense na *Clostridium difficile*, uma cepa de bactérias que, ao crescer desordenadamente, pode levar a infecções perigosas à vida. Trata-se de uma doença caracterizada por intensa diarreia, que ainda mata cerca de 14 mil americanos todos os anos; nas duas últimas décadas, os casos de infecção por *C. difficile* tiveram um grande aumento.[12] Entre 1993 e 2005, triplicou o número de casos entre adultos hospitalizados; entre 2001 e 2005, esse número mais que dobrou.[13] Os índices de mortalidade também dispararam, em grande parte devido ao surgimento de uma cepa mutante, altamente virulenta.

Normalmente, todos nós, quando bebês, possuímos numerosas colônias de bactérias *C. difficile*, sem que isso nos cause qualquer problema. Elas se encontram no intestino de pelo menos 63% dos recém-nascidos e ainda subsistem em um terço dos bebês. Mas uma alteração no ambiente intestinal — por exemplo, o uso excessivo de certos antibióticos — pode desencadear o crescimento excessivo dessas bactérias, provocando uma doença grave. A boa notícia é que hoje dispomos de maneiras eficazes de tratar esse tipo de infecção, por meio do uso de outras cepas de bactérias para recuperar o equilíbrio.

Nos próximos capítulos, você vai saber mais a respeito do microbioma e de sua relação com o sistema imunológico e o cérebro. Mas é um bom momento para passar à seguinte pergunta: qual a origem de nossos irmãos microbianos? Em outras palavras, como eles se tornaram parte de nós?

VOCÊ NASCEU COM ELE! POR ASSIM DIZER...

Muito daquilo que sabemos a respeito do microbioma provém do estudo dos chamados "camundongos assépticos". Trata-se de roedores que sofreram alterações de modo a não possuir nenhuma bactéria no intestino, o que permite aos cientistas estudar os efeitos da falta de micróbios nesses animais, ou, inversamente, expô-los a certas cepas e ver o que acontece. Estudos mostraram, por exemplo, que os ratos de laboratório assépticos sofrem de ansiedade aguda, incapacidade de lidar com o estresse, inflamações crônicas generalizadas e do intestino e níveis mais baixos de um importante hormônio de crescimento cerebral chamado BDNF (fator neurotrófico derivado do cérebro).[14] Mas esses sintomas podem ser revertidos quando os ratos são alimentados com uma dieta rica em *Lactobacillus helveticus* ou *Bifidobacterium longum*, dois probióticos comuns — isto é, bactérias benéficas.

Acredita-se que houve um momento em que nenhum de nós tinha germes, quando estávamos no útero materno, um ambiente relativamente estéril (creio que essa ideia será contestada em breve, pois novos estudos sugerem que o feto pode ser exposto *in utero* aos micróbios através da placenta, e que o microbioma, na verdade, já tem início aí.[15] Fique atento a estudos mais conclusivos a esse respeito). O conhecimento atual afirma que, no momento em que passamos pelo canal de parto e somos expostos aos organismos da vagina, nosso microbioma começa a se desenvolver. E embora muitos nem gostem de pensar nisso, até mesmo o material fecal na área perianal da parturiente ajuda a inocular o recém-nascido com micro-organismos benéficos à saúde.

Em relação ao desenvolvimento precoce de um sistema imunológico saudável, um fator significativo na definição de um "nível pessoal" para os processos inflamatórios talvez seja o método usado no parto de cada um. É um dos eventos de maior influência na definição do destino funcional do microbioma. Entendo como "nível pessoal" o nível básico, ou médio, que desencadeia um processo inflamatório no corpo. Pense nesse nível pessoal como um termostato embutido no corpo e programado para uma determinada temperatura. Quando esse nível pessoal é alto, como um termostato regulado para 25 graus, seu nível básico para processos inflamatórios é mais alto do que numa pessoa cujo nível pessoal seja inferior. Embora possa haver variações, em geral um nível pessoal mais elevado representa um grau mais elevado de temperatura (processo inflamatório). E, como acabei de afirmar, o método usado no seu parto afeta o desenvolvimento inicial de seu microbioma, que, por sua vez, influencia seu nível pessoal inato para processos inflamatórios.

É possível mudar esse nível pessoal? Sim, definitivamente. Da mesma forma que você pode mudar o nível pessoal de seu peso corporal e de seu índice de massa corporal (IMC) por meio de dieta e exercícios, é possível alterar o nível pessoal para processos inflamatórios por meio de intervenções básicas no estilo de vida. Mas, antes de entrar nisso, é importante que você entenda o poder das vivências precoces e como o método de parto molda os riscos à saúde na vida de uma pessoa.

Vários estudos de prestígio compararam as diferenças entre crianças nascidas por meio de cesarianas e aquelas que tiveram parto vaginal.[16] Além de comparar as características dominantes entre os microbiomas desses dois grupos, os estudos avaliaram as consequências relacionadas à saúde, chegando a diversas conclusões alarmantes. Mostrou-se uma correlação clara entre as bactérias que colonizam o intestino de um bebê e aquelas encontradas no canal vaginal materno. Um estudo particularmente interessante, realizado em 2010 por uma equipe de cientistas, mostrou que, ao usar sequenciamento genético para traçar o perfil de tipos bacterianos em mães e seus recém-nascidos, os bebês com parto natural ganhavam colônias bacterianas semelhantes ao microbioma vaginal materno, dominado por *Lactobacillus* benéficos, enquanto os bebês nascidos de cesariana ganhavam colônias similares àquelas encontradas na superfície da pele, dominadas por uma abundância de *Staphylococcus* potencialmente nocivos.[17]

Em 2013, o *Canadian Medical Association Journal* publicou um estudo que colocava esses fatos em termos crus, mostrando como o rompimento da flora microbiana natural do intestino do bebê está ligado a diversos problemas imunológicos e inflamatórios, como alergias, asma e até câncer.[18] Os pesquisadores ressaltaram o impacto do tipo de parto do bebê e se ele ou ela foi amamentado no peito ou com leite em pó. Corretamente, fizeram referência à flora microbiana intestinal como um "superórgão" com "diversos papéis na saúde e na doença". Em um comentário sobre o estudo, o dr. Rob Knight, do renomado Knight Lab, da Universidade do Colorado, em Boulder, afirmou: "Crianças que nascem de cesariana ou não são amamentadas no peito têm um risco elevado de sofrer de diversas condições na vida adulta; os dois fatores alteram a flora microbiana intestinal de um bebê saudável, o que pode ser o mecanismo desse risco mais elevado".[19]

O que torna o *Lactobacillus* tão superior é o fato de ele criar um ambiente ligeiramente acidificado, que reduz o crescimento de bactérias potencialmente nocivas. As bactérias *Lactobacillus* conseguem utilizar o açúcar contido no leite, a lactose, como combustível. Isso permite que os bebês utilizem a lactose do leite materno. Em sua grande maioria, os bebês nascidos de cesarianas não receberam uma quantidade abundante de *Lactobacillus*; em vez disso, tiveram uma exposição maior àquilo que espreita nas salas de cirurgia e nas mãos dos médicos e das enfermeiras — bactérias cutâneas em que tendem a prevalecer as espécies que não proporcionam muitos benefícios. Além disso, como conta o dr. Martin Blaser em seu esplêndido livro *Missing Microbes* [Micróbios desaparecidos], praticamente todas as mulheres americanas recebem antibióticos ao passar por cesarianas, o que faz com que os bebês nascidos de parto cirúrgico já comecem a vida expostos a um antibiótico poderoso — um duplo infortúnio.[20]

O dr. Blaser, diretor do Programa do Microbioma da Universidade de Nova York, acrescenta que um terço dos bebês que nascem atualmente nos Estados Unidos vêm ao mundo por meio de cesarianas, o que significa um aumento de 50% desde 1996. A continuar essa tendência, em 2020 metade dos bebês americanos nascerá cirurgicamente. Aprecio a forma eloquente como Blaser coloca o problema: "Os nomes chamativos das bactérias importam menos do que a ideia de que as populações microbianas iniciais encontradas nos bebês de cesariana não são as mesmas selecionadas por centenas de milhares de anos, ou talvez mais, de evolução do homem".[21]

As pesquisas também provaram que bebês nascidos de parto normal têm níveis muito mais altos de bifidobactérias, um grupo de bactérias intestinais benéficas que ajudam as paredes do intestino a atingir a maturidade mais rapidamente.[22] Bebês nascidos em cirurgias, por sua vez, não têm esse tipo de bactéria do bem. Pode-se considerar o processo do parto como aquele que dá ao recém-nascido um conjunto de instruções para um início de vida saudável. É a última transmissão importante que o bebê recebe da mãe depois do período *in utero*. Ao bebê que chega via cesariana faltam algumas dessas instruções. E talvez ele nunca venha a recebê-las com precisão, seja de maneira artificial, por meio da amamentação materna ou da dieta.

As estatísticas relativas às consequências do parto abdominal ou vaginal para a saúde são absolutamente espantosas. Eis um pequeno retrato do que pode representar o nascimento por cesariana, com base em uma extensa amostra populacional e estudos rigorosamente controlados:

- Risco cinco vezes maior de alergias[23]

- Risco três vezes maior de TDAH[24]

- Risco duas vezes maior de autismo[25]

- Risco 80% maior de doença celíaca[26]

- Risco 50% maior de obesidade na idade adulta (e, como veremos adiante, a obesidade tem relação direta com um risco maior de demência)[27]

- Risco 70% maior de diabetes tipo 1[28] (e o diabetes mais que duplica o risco de demência)[29]

Sejamos claros: cesarianas salvam vidas e são uma necessidade médica em certas situações. Mas a maior parte dos especialistas, inclusive parteiras domésticas e obstetras especializados em partos de alto risco, concorda que apenas uma fração dos partos exige cirurgia. Mesmo assim, essas operações muitas vezes são uma *opção* que vem sendo feita por mulheres americanas.[30] Em 2014, um novo estudo de abrangência nacional mostrou que 26% das mães americanas deram à luz via cesariana em 2001, e em 45% desses partos a cesariana não era considerada uma indicação médica.[31] Portanto, minha inquietação gira simplesmente em torno da tendência a optar pela cesariana por razões que não atendem necessariamente aos interesses do bebê nem da mãe. Dito isso, uma mulher grávida pode ter a ótima intenção de ter um parto normal e se deparar com circunstâncias imprevistas que exigem uma cesariana. De modo algum ela deve, nesse caso, sentir-se culpada ou recear estar comprometendo a saúde futura do filho. Mais adiante, neste livro, darei instruções claras, tanto para as gestantes quanto para aquelas que já deram à luz, sobre como compensar um parto cirúrgico. Pode-se fazer muita coisa para auxiliar o desenvolvimento do microbioma do recém-nascido, contrabalançando efeitos potencialmente negativos de intervenções médicas realizadas durante o parto.

Embora seja natural supor que essa transferência de micróbios da mãe para o filho, pelo canal vaginal, seja exclusiva dos mamíferos, existem evidências de que outras espécies também transmitem seu legado microbiano aos descendentes, embora isso ocorra por meio de outros mecanismos.[32] Entre essas espécies estão as esponjas marinhas (que surgiram 600 milhões de anos atrás como os primeiros animais multicelulares), mariscos, pulgões, baratas, moscas brancas, percevejos-do-mato, galinhas e tartarugas. A ideia é que a transmissão de micróbios de uma geração a outra é um processo fundamental para a vida.

AS TRÊS FORÇAS QUE ATUAM CONTRA OS BICHINHOS NA SUA BARRIGA

Não há como mudar a forma como você nasceu, foi amamentado e que tipo de microbioma desenvolveu-se dentro (e em cima) de você quando bebê. Mas a boa notícia é que você ainda tem como mudar, curar e nutrir seu microbioma por meio daquilo que come, a que se expõe no ambiente e do seu estilo de vida. A esta altura, é provável que você já tenha uma ideia do que pode prejudicar a saúde dos bichinhos do bem no seu intestino. Vou detalhar mais adiante todas as causas e gatilhos de um microbioma adoentado. Mas, para começar, vamos percorrer brevemente as três forças mais poderosas em ação.

- Força número 1: a exposição a substâncias que matam ou afetam de forma adversa a composição das colônias bacterianas. Entre elas estão substâncias de todo tipo, de produtos químicos do ambiente a determinados ingredientes de alimentos (por exemplo, açúcar e glúten), da água (por exemplo, cloro) e drogas como os antibióticos.

- Força número 2: a falta de nutrientes que auxiliam os diversos grupos de bactérias sadias, favorecendo a proliferação de bactérias ruins. Vou apresentar uma lista de alimentos e suplementos que asseguram a boa saúde do microbioma e, por extensão, do cérebro.

- Força número 3: o estresse. Pode parecer um lugar-comum dizer que o estresse é nocivo à saúde, mas vou explicar por que isso é ainda pior do que se imaginava antes.

É claro que é impossível evitar todos esses fatores o tempo todo. Haverá, por exemplo, situações em que os antibióticos são necessários e salvam vidas. Mais adiante, darei algumas instruções sobre como lidar com situações do gênero, de modo a conservar a saúde do seu intestino (ou do seu filho, como no caso de uma receita médica de antibióticos contra uma infecção durante a gravidez) o máximo possível. Isto, por sua vez, ajudará a preservar a saúde e o funcionamento do seu cérebro.

O SEGREDO "SUJO" SOBRE AS PRAGAS CONTEMPORÂNEAS

Um dos temas deste livro é, por assim dizer, o poder da poeira. Em outras palavras, ser anti-higiênico tem um imenso valor. Novas e surpreendentes pesquisas indicam uma relação entre nosso ambiente vital cada vez mais estéril e a incidência de doenças crônicas — de problemas cardíacos e transtornos autoimunes ao câncer e à demência.

Na Faculdade de Medicina da Universidade de Stanford, um casal de pesquisadores, Erica e Justin Sonnenburg, cuida de um laboratório no departamento de microbiologia e imunologia. O trabalho deles se concentra na compreensão das interações no interior do microbioma intestinal e entre as bactérias intestinais e seu hospedeiro humano. Eles estudam, especificamente, como a perda de diversidade e de espécies microbianas na civilização ocidental — devido à dieta, ao uso de antibióticos e a ambientes excessivamente assépticos — pode explicar os índices crescentes de doenças "ocidentais", que nem de longe são encontradas na mesma proporção em sociedades tradicionais e preponderantemente agrárias.

Em um artigo recente, eles afirmam, de modo convincente, que podemos estar vivenciando uma "incompatibilidade" entre nosso DNA, que se manteve relativamente estável ao longo da história da humanidade, e nosso microbioma, que passou por alterações radicais em resposta a nosso estilo de vida contemporâneo.[33] Eles também chamam atenção para o fato de que nossa dieta ocidental, pobre em fibras vegetais que servem de combustível para as bactérias intestinais, resulta numa variedade menor de micróbios e subprodutos benéficos à saúde produzidos por essas bactérias ao metabolizar ou fermentar os alimentos. Estamos, em outras palavras, "matando de fome nosso eu microbiano", o que pode ter consequências dramáticas para a saúde. A propósito, os subprodutos que nossas bactérias intestinais liberam ajudam a controlar tanto os processos inflamatórios quanto a resposta de nosso sistema imunológico — dois fatores-chave em diversos tipos de doenças crônicas. Segundo os Sonnenburg, "é possível que a microbiota ocidental seja, na verdade, 'disbiótica' e predisponha os indivíduos a uma variedade de doenças".[34]

A DIETA OCIDENTAL CRIA UM MICROBIOMA OCIDENTAL

Ao comparar o microbioma de crianças africanas com o de crianças europeias, pode-se notar uma grande diferença. Há uma falta significativa de diversidade no microbioma "ocidental", que tem mais bactérias do grupo Firmicutes que do grupo Bacteroidetes, os dois tipos que imperam na ecologia intestinal. As Firmicutes são reconhecidamente eficientes para ajudar o corpo a extrair mais calorias dos alimentos, auxiliando a ingestão de gorduras; daí estarem associadas ao ganho de peso quando são dominantes no intestino. As Bacteroidetes, por sua vez, não têm a mesma capacidade. Por isso, um padrão com níveis elevados de Firmicutes e níveis reduzidos de Bacteroidetes está associado a um risco maior de obesidade.[35] É o que se observa em regiões urbanas, enquanto o oposto é mais comum nas populações de áreas rurais.

Outra maneira de enxergar a conexão entre o estilo de vida limpo, pobre em fibras, do Ocidente e a incidência de doenças crônicas é levar em conta o fator riqueza. Nações mais ricas e mais limpas teriam índices mais altos, por exemplo, de Alzheimer? Isso foi demonstrado por um excelente estudo realizado na Universidade de Cambridge e publicado em 2013.[36] A dra. Molly Fox e sua equipe pesquisaram 192 países à procura de duas coisas. Primeiro, avaliaram os índices de infestação por parasitas e a diversidade da flora intestinal em pessoas de cada país. Depois, conferiram o índice de Alzheimer.

O que encontraram é algo verdadeiramente notável. Nos países com menos saneamento, a prevalência de Alzheimer era muitíssimo menor. Mas em países com grau elevado de saneamento e, portanto, níveis mais reduzidos de parasitas, assim como uma diversidade menor de organismos no intestino, a prevalência de Alzheimer disparou. Em países onde mais de 75% da população reside em áreas urbanas, como o Reino Unido e a Austrália, os índices de Alzheimer eram 10% maiores que nos países onde menos de 10% da população vive em áreas urbanas, como o Nepal e Bangladesh. Os autores concluem:

Com base em nossa análise, nota-se que a higiene tem uma associação positiva com o risco de doença de Alzheimer [...] Variações na higiene podem, em parte, explicar os padrões globais nas taxas de Alzheimer. A exposição a micro-organismos pode estar inversamente relacionada ao risco de doença de Alzheimer. Esses resultados podem ajudar a prever o fardo que o Alzheimer provocará nos países em desenvolvimento, onde a diversidade microbiana vem sofrendo rápida diminuição.

Nas imagens da página 54, note como os países com índices mais altos de parasitas no primeiro gráfico, como o Quênia, aparecem no segundo gráfico como aqueles com os índices mais baixos da doença de Alzheimer.

Pois bem, correlações (como a encontrada nesse estudo) não indicam necessariamente relação de causa e efeito. O fato de a atenção à higiene estar fortemente associada a um risco maior de Alzheimer não quer dizer necessariamente que os índices de Alzheimer aumentam. Há muitas variáveis em jogo quando se trata do desenvolvimento de uma determinada doença ou da incidência de certas doenças em diferentes países. Mas, dito isso, é preciso reconhecer que as evidências aumentam continuamente, a ponto de tornar difícil ignorar correlações tão fortes e consistentes. É empírico, mas um raciocínio dedutivo nos leva a pelo menos avaliar a possibilidade de que nosso microbioma tem um grande peso no risco de diversas doenças crônicas. Isso também nos obriga a fazer a mesma pergunta que o dr. Justin Sonnenburg: "Até que ponto as bactérias têm influência sobre nós? Os seres humanos não passariam de simples veículos sofisticados para a propagação de micróbios?".[37]

Boa pergunta, sem dúvida.

O fato inelutável é que evoluímos durante milhões de anos com esses micro-organismos. Eles são parte integrante de nossa sobrevivência, tanto quanto nossas próprias células. Nossa vida e nossa saúde necessitam deles. Infelizmente, temos desrespeitado a flora intestinal. Ela desempenha um papel vital, sob condições complicadas. É hora de lhe dar o devido reconhecimento e cuidar dela como merece. Só então seremos capazes de progredir de forma séria e significativa na luta contra os males modernos que nos afligem.

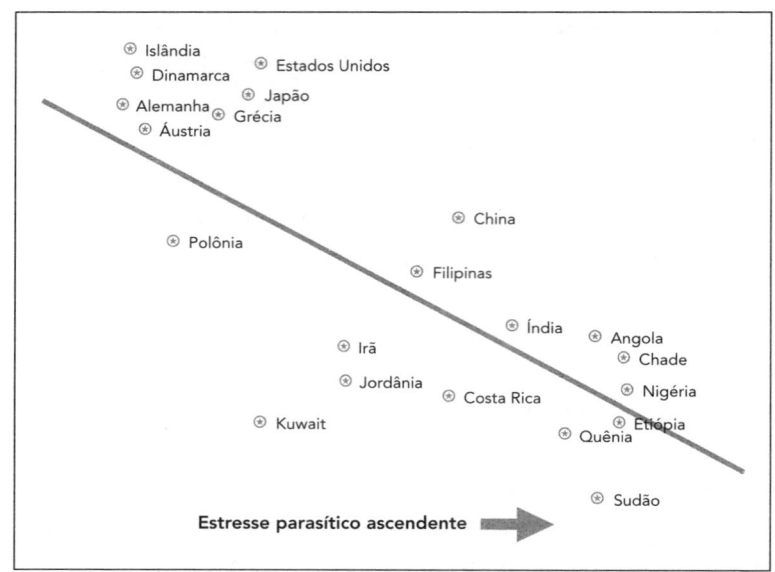

Estresse parasítico ascendente →

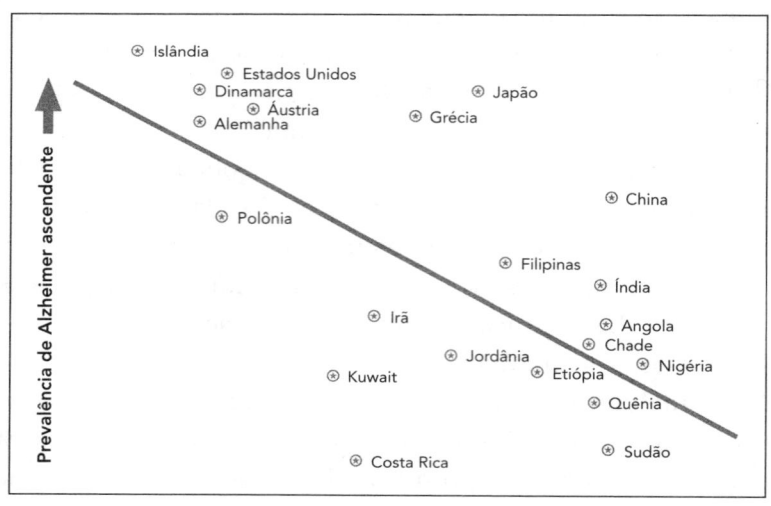

Prevalência de Alzheimer ascendente

2. Estômago e cérebro em chamas
As novas descobertas sobre os processos inflamatórios

Sabendo o que sei hoje a respeito da relação entre a dieta e o risco de contrair e agravar doenças, sinto uma tristeza profunda ao pensar em meu pai. Outrora um brilhante neurocirurgião, formado na renomada Lahey Clinic, em Massachusetts, hoje ele vive numa casa de assistência social em frente ao estacionamento do meu consultório. Seu cérebro foi devastado pela doença de Alzheimer. Na maior parte do tempo ele não me reconhece e ainda acha que exerce a medicina, embora tenha se aposentado há mais de 25 anos.

Às vezes eu me pergunto: o que poderíamos ter feito diferente para fugir desse destino? O que *qualquer* um dos meus pacientes poderia fazer para fugir desse destino? As perguntas que passam pela minha cabeça são as mesmas das famílias a que dou aconselhamento e que estão lutando contra esse diagnóstico trágico em pessoas amadas: *Por que isso aconteceu? O que ele, ou ela, fez de errado? Quando começou? Haveria alguma forma de impedir?* E aí eu me lembro do processo-chave, em nosso corpo, que tem tudo a ver com os problemas cerebrais: os processos inflamatórios.

O que as inflamações têm a ver com o microbioma? É isso que vamos explorar neste capítulo. Vou situar essa discussão no contexto da doença de Alzheimer, provavelmente o mais temido mal neurológico de todos, que afeta cerca de 5,4 milhões de americanos. Isso vai ajudá-lo a compreender a relação indelével entre o estado de sua comunidade microbiana intestinal e o destino do seu cérebro.

Em 2014, publiquei na internet um artigo intitulado "Por que podemos e devemos focar na prevenção do Alzheimer", depois que o *New York Times* anunciou a formação de uma nova parceria entre o National Institutes of Health, dez indústrias farmacêuticas e sete organizações sem fins lucrativos.[1, 2] A missão dessa parceria é desenvolver drogas que tratem a doença de Alzheimer, entre outras doenças. Indiscutivelmente, essa empreitada de cinco anos e 230 milhões de dólares é, à primeira vista, uma causa nobre, mas ainda assim afirmei em meu artigo: "A motivação final desse acontecimento aparentemente ecumênico é suspeita".

A doença de Alzheimer é cara. A fatura anual de 200 bilhões de dólares, que citei na introdução, não inclui o custo emocional enfrentado pelos parentes cujas vidas são toldadas e comprometidas por essa doença, às vezes por um longo período. Como divulgado pela matéria do *Times*, a indústria farmacêutica "investiu somas impressionantes de dinheiro no desenvolvimento de drogas para tratar a doença de Alzheimer, por exemplo, mas a cada vez os medicamentos fracassaram nos testes". Naquele mesmo ano, o *New England Journal of Medicine* noticiou que duas das mais promissoras drogas candidatas a tratar o Alzheimer não conseguiram proporcionar qualquer benefício significativo.[3, 4]

A essa notícia perturbadora somou-se outra, publicada no *Journal of the American Medical Association*, mostrando que a memantina, droga atualmente autorizada pela Food and Drug Administration (FDA) — a agência americana de controle de alimentos e medicamentos — para o tratamento de casos de Alzheimer de moderados a graves, não apenas era ineficaz como também estava associada a um declínio *maior* das funções dos pacientes, quando comparada a um placebo.[5]

A razão pela qual devemos abrandar nosso apoio a essa colaboração é que ele representa uma "perversão de prioridade". Como escrevi no artigo, "aqueles mais entusiasmados com essas relações e despesas aparentemente claras podem estar focados no desenvolvimento de uma bala mágica para o tratamento do Alzheimer por razões que têm menos a ver com o alívio do sofrimento que com os resultados financeiros".

Sei que é uma afirmação forte. Mas minha intenção era que soasse como um alarme para que se mude de direção e se explorem outras opções.

Em vez de dar tanta atenção (e gastar tanto dinheiro) ao desenvolvimento de tratamentos contra o Alzheimer (ou, já que falamos disso, qualquer outro mal neurodegenerativo), deveríamos focar na educação pública no que diz respeito a formas de prevenção. São estratégias preventivas que já estão bem documentadas na literatura científica de maior prestígio e que podem ter um impacto radical na redução da incidência de doenças neurodegenerativas. Pesquisadores da área médica já dispõem de conhecimentos que, se implementados, poderiam reduzir em mais da metade o número de novos pacientes de Alzheimer nos Estados Unidos. E quando se leva em conta a previsão de que o número de pessoas atingidas pelo Alzheimer deve dobrar até 2030, divulgar essa informação deveria ser a prioridade número 1.[6]

As realidades econômicas e de mercado, infelizmente, são enormes barreiras a superar. Existe pouca ou nenhuma oportunidade de transformar em dinheiro atitudes que não se pode patentear, como dieta e exercícios, que, entre outras decisões de hábitos cotidianos, são sabidamente importantes tanto na degeneração quanto na conservação do cérebro.

Eis um exemplo interessante de um fator fundamental nos hábitos cotidianos: as principais revistas de medicina estão repletas de estudos rigorosos e de prestígio mostrando uma correlação impressionante entre taxas elevadas de glicose e o risco de demência. Como publicado no *New England Journal of Medicine* em 2013, até mesmo pequenas elevações da glicose no sangue, muito abaixo do nível do diabetes, revelaram-se causadoras de um aumento significativo do risco de desenvolvimento de demência sem tratamento.[7] Pesquisadores da Universidade de Washington avaliaram um grupo de mais de 2 mil indivíduos com idade média de 76 anos. No início do estudo, eles mediram os níveis de glicose sob jejum; depois, acompanharam durante cerca de sete anos esses indivíduos. Ao longo desse período, alguns desenvolveram demência. O que os pesquisadores descobriram foi a existência de uma correlação direta entre os níveis de glicose no sangue no início do estudo e o risco de desenvolver demência. É importante compreender que esses indivíduos não eram diabéticos; eles tinham níveis de glicose no sangue bem abaixo do limite para o diagnóstico de diabetes.

A glicose no sangue reflete as escolhas alimentares; quem come açúcares refinados e carboidratos em excesso terá dificuldade em controlar o açúcar no sangue. Um pouco mais adiante, descreverei o elo entre o equilíbrio da glicose no sangue e o risco de demência, mas por ora basta dizer que esse tipo de conhecimento proporciona um ponto de apoio importante para quem quer mover o ponteiro na direção da maior saúde cognitiva.

Além disso, em 2013, o *Journal of Neurology, Neurosurgery and Psychiatry* publicou um estudo segundo o qual idosos que adicionaram mais gordura — sob a forma de azeite de oliva e castanhas — a suas dietas preservaram suas funções cognitivas, ao longo de um período de seis anos, muito melhor do que aqueles que mantinham uma dieta pobre em gordura.[8] As implicações potenciais de tais estudos devem revolucionar a medicina que conhecemos hoje. Mas, infelizmente, falta à prevenção de doenças por meio de opções cotidianas simples e não invasivas a aparência de heroísmo das intervenções arriscadas de origem farmacêutica. Já é hora de trilharmos outro caminho e promovermos a medicina preventiva, sobretudo em relação à saúde do cérebro. Não podemos nos dar ao luxo de fazer de outra forma. Em vez de despender enormes recursos tentando encontrar a boiada depois que a porteira foi aberta, talvez devêssemos pensar em fechar a porteira, antes de tudo. E essa porteira metafórica tem muito a ver com o estado do seu microbioma. Para compreender essa ligação, vamos primeiro examinar o papel dos processos inflamatórios, para em seguida fechar o círculo com o poder recôndito da sua flora bacteriana.

PROCESSOS INFLAMATÓRIOS: O DENOMINADOR COMUM

Todo mundo sabe o que é uma inflamação. A palavra propriamente dita vem do verbo latino *inflammare*, que significa "acender" ou "atear fogo". A carne inflamada é a carne que queima — e não é uma queima boa. Uma "cascata inflamatória" típica inclui a vermelhidão, o aquecimento e o inchaço que acompanham uma picada de inseto ou a dor que você sente com uma garganta inflamada ou uma torção no tornozelo. Costumamos aceitar a ideia de que uma picada ou um arranhão na pele dói por causa da inflamação. Mas inflamações são parte de muitos mais processos patológicos do que se pode imaginar. É, de fato, o cerne do processo de cura do corpo, aportando mais atividade imunológica à região de uma lesão ou infecção. Mas quando o processo inflamatório persiste ou não serve para nada, atingindo o corpo em profundidade e por meio de suas rotas sistêmicas, ele provoca doenças. Na verdade, está envolvido em condições tão diversas quanto obesidade, diabetes, câncer, depressão, autismo, asma, artrite, doenças coronarianas, esclerose múltipla e até Parkinson e Alzheimer.

Vamos observar especificamente o Alzheimer. O que ocorre com o cérebro de um paciente com Alzheimer é exatamente um processo inflamatório. Sei muito bem que pode ser uma inflamação difícil de localizar, porque quando o cérebro está inflamado não notamos aquilo que consideramos os sintomas típicos de uma inflamação, como dor e inchaço. Embora o cérebro seja capaz de perceber a dor em qualquer parte do corpo, ele próprio não dispõe de receptores de dor. Por isso, não tem como registrar o fato de estar em chamas. No entanto, nas últimas décadas, pesquisadores demonstraram claramente em diversos estudos que a inflamação é um processo fundamental por trás do desenvolvimento da doença de Alzheimer.[9]

Uma série enorme de substâncias bioquímicas está relacionada aos processos inflamatórios, tanto no cérebro quanto no resto do corpo. Em pacientes com Alzheimer, essas substâncias que indicam a ocorrência de uma inflamação — os marcadores inflamatórios — estão em níveis elevados e podem ser usadas até para *prever* o declínio cognitivo e o desenvolvimento da demência. Dentre essas substâncias, as mais famosas são as citocinas, pequenas proteínas liberadas pelas células que afetam o comportamento de outras células e são, muitas vezes, personagens importantes nos processos inflamatórios. Tanto a proteína C-reativa quanto a interleucina-6 (IL-6) e o fator de necrose tumoral-alfa (TNF-α) são citocinas. Hoje em dia somos capazes de obter tomografias do cérebro que nos permitem ver em ação essas substâncias inflamatórias, de modo a identificar correlações diretas entre o grau de inflamação e o grau de comprometimento cognitivo.

O TNF-α, em especial, parece desempenhar um papel importante nos processos inflamatórios em todo o corpo e, além de ser encontrado em níveis elevados no sangue dos pacientes com Alzheimer, também é encontrado em níveis elevados em diversas outras condições inflamatórias, entre elas a psoríase, a artrite reumatoide, doenças cardiovasculares, doença de Crohn e asma.[10, 11] O papel do TNF-α é tão importante nessas condições que a indústria farmacêutica tem investido enormes quantidades de dinheiro na tentativa de desenvolver formas de reduzi-lo. Hoje em dia, o mercado global de inibidores de TNF-α ultrapassa 20 bilhões de dólares por ano.[12]

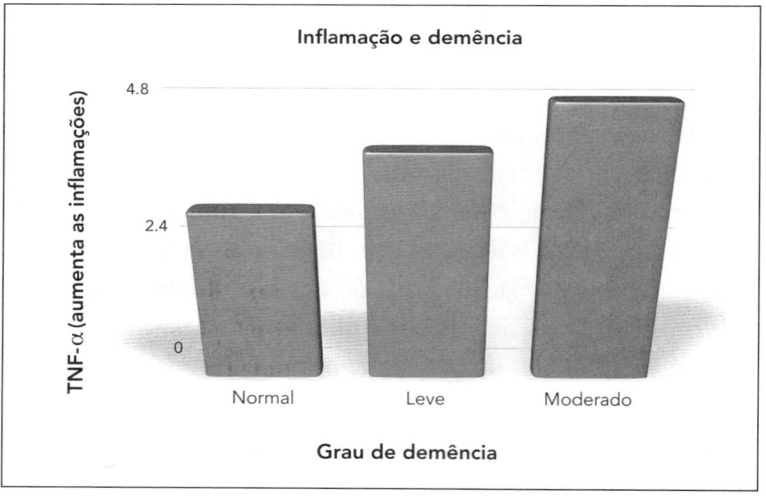

Em certas pessoas, há genes específicos que podem agravar naturalmente os processos inflamatórios e aumentar ainda mais o risco desse indivíduo de desenvolver doenças cuja raiz está na inflamação.[13] Mas os fatores genéticos não explicam tudo. Você pode fazer muito para influenciar sua expressão genética, desligando ou suprimindo genes "do mal" ao virar a chavinha dos genes "do bem" que vão ajudá-lo a preservar a saúde.

Em A dieta da mente, investiguei em profundidade uma das maneiras mais benéficas e fundamentais de auxiliar a expressão dos genes do bem, suprimindo os do mal, de forma a impedir os processos inflamatórios quando eles não são indispensáveis à sobrevivência: manter níveis saudáveis de glicose no sangue. A glicose alta estimula inflamações na corrente sanguínea, já que o excesso de glicose pode ser tóxico quando não é absorvido e utilizado pelas células. Ela também desencadeia uma reação chamada de "glicação" — o processo biológico pelo qual a glicose se conecta a proteínas e certas gorduras, resultando em moléculas deformadas, que não funcionam direito. Essas proteínas "açucaradas" recebem o nome técnico de produtos finais de glicação avançada (AGES, na sigla em inglês). O corpo não reconhece os AGES como normais. Por isso, dá início a reações inflamatórias. No cérebro, as moléculas de açúcar e as proteínas do cérebro se combinam para produzir estruturas novas e letais que contribuem para a degeneração do cérebro e de seu funcionamento.

É tão forte a relação entre um controle deficiente da glicose no sangue e o Alzheimer que alguns pesquisadores passaram a chamar o Alzheimer de "diabetes tipo 3".[14] Embora os estudos que documentam esse fenômeno já remontem a dez anos, novos estudos vêm cristalizando essa ideia geral. Estamos descobrindo que alterações na microbiota intestinal preparam o terreno para o desenvolvimento do diabetes e a proliferação de AGES, aumentando assim o risco da doença de Alzheimer. No capítulo 4 entrarei em detalhes sobre como isso é possível, mas eis aqui algumas lições básicas.

Em 2012, a revista Nature publicou um estudo segundo o qual portadores do diabetes tipo 2 sofrem de desequilíbrios bacterianos (disbioses) no intestino.[15] Esses desequilíbrios fazem com que careçam de importantes subprodutos da flora bacteriana, necessários para manter a saúde das células do sistema digestivo. Lembre-se de que aqueles que sofrem de diabetes tipo 2 passam por um forte estresse metabólico, pelo fato de seus corpos não conseguirem transportar corretamente a glicose da corrente sanguínea para as células. E nas regiões do corpo que carecem de um sistema de transporte de glicose, como os nervos e o cérebro, os cientistas identificaram outras formas de estresse metabólico, como os tais AGES, o que pode levar a condições como neuropatias periféricas (fraqueza, dormência e dor provocadas por danos aos nervos) e problemas nos vasos sanguíneos e nas funções cerebrais.

Na minha área, essa descoberta foi revolucionária. A compreensão de que por trás dos eventos em cascata que levam ao diabetes e a doenças cerebrais está uma ruptura na comunidade intestinal é, pelo menos a meu ver, espantosa. Um grupo de pesquisadores chineses expressou de maneira muito feliz a realidade dos fatos em um relatório publicado na respeitada revista *Food Science and Human Wellness*:[16]

> Enormes progressos foram feitos, nos últimos anos, no campo da microbiota residente no diabetes tipo 2. A microbiota contribui não apenas para processos inflamatórios de grau reduzido no início do diabetes tipo 2, mas também para o desenvolvimento posterior do diabetes tipo 2, através de componentes inflamatórios. Isso também se estende a diversas complicações relacionadas ao diabetes tipo 2, entre elas retinopatia diabética, toxicidade renal, aterosclerose, hipertensão, úlceras de pé diabético, fibrose cística e doença de Alzheimer. Reunidos, esses estudos reforçam o papel crucial da microbiota na manutenção da integridade da barreira intestinal, sustentando uma homeostase metabólica normal, protegendo o hospedeiro de infecções patogênicas, reforçando seus sistemas de defesa e mesmo influenciando o sistema nervoso no diabetes tipo 2.

Os autores prosseguem discutindo a influência das escolhas alimentares na melhoria da microbiota e na redução do risco dessas condições. Também apontam que diversas ervas e suplementos reconhecidamente antidiabéticos ajudam a controlar a glicose no sangue *através do microbioma*. Em outras palavras, podem não afetar diretamente a insulina e a glicose; em vez disso, afetam positivamente o microbioma. Por exemplo, a berberina e o ginseng, tradicionais ingredientes chineses à base de plantas, assim como compostos encontrados no chá, no café, no vinho e no chocolate, têm propriedades antidiabéticas através dos efeitos que exercem na flora intestinal. Esses compostos ou alteram para melhor a composição da flora intestinal ou são metabolizados pelas bactérias intestinais antes de serem absorvidos pelo organismo. Foram necessários milhares de anos para que as antigas práticas fitoterápicas chinesas finalmente recebessem a merecida explicação. São os bichinhos do intestino que aproveitam esses componentes à base de plantas de modo que possamos deles tirar proveito.

O dr. James M. Hill é pesquisador científico sênior e professor de neurociência na Faculdade de Medicina da Universidade Estadual da Louisiana. Seu laboratório é um dentre diversos de alta tecnologia que estão ligando os pontos entre o microbioma intestinal e o risco de doenças cerebrais. Recentemente, ele publicou um estudo relacionando as diversas formas pelas quais o cérebro e seu funcionamento são afetados pelo que ocorre no intestino.[17] Em estudos empregando ratos de laboratório, ele investigou como as bactérias intestinais do bem são capazes de produzir importantes substâncias químicas para o cérebro, como BDNF, ácido gama-aminobutírico (GABA) e glutamato. E os níveis dessas importantes substâncias químicas refletem diretamente o que ocorre no âmbito das bactérias intestinais: quando os pesquisadores destroem as bactérias intestinais nos ratos, observam não apenas as alterações de comportamento como também calculam as alterações nas quantidades dessas substâncias químicas.

Anteriormente, mencionei o fator neurotrófico derivado do cérebro como uma proteína crucial para o crescimento cerebral. O BDNF participa da neurogênese, o processo pelo qual são criados novos neurônios, assim como protege os neurônios existentes, garantindo sua sobrevivência e estimulando as conexões entre eles, ou sinapses. A formação de sinapses é essencial para o pensamento, a aprendizagem e níveis mais elevados de funções cerebrais. Quedas nos níveis de BDNF são observadas numa série de condições neurológicas, incluindo o Alzheimer, a epilepsia, a anorexia nervosa, a depressão, a esquizofrenia e o transtorno obsessivo-compulsivo. Embora saibamos que o BDNF pode aumentar com exercícios aeróbicos, assim como pelo consumo da gordura ômega 3 DHA, só agora estamos descobrindo que essa substância química crucial do cérebro depende fundamentalmente do equilíbrio das bactérias que vivem no intestino.

Um estudo fascinante realizado por uma equipe da Faculdade de Medicina da Universidade de Boston e publicado em novembro de 2013 na revista *JAMA Neurology*, da Associação Médica Americana, revelou como os níveis de BDNF no sangue estão relacionados ao risco de desenvolver demência.[18] O estudo peneirou informações do já famoso Estudo Cardíaco de Framingham, uma das maiores pesquisas epidemiológicas já realizadas, em busca dos níveis de BDNF no sangue em um grupo de 2131 adultos. Inicialmente sem sofrer de demência, esses indivíduos foram acompanhados por mais de dez anos.

O que os pesquisadores da Universidade de Boston descobriram foi que os indivíduos que no início do estudo apresentavam níveis mais elevados de BDNF tinham menos da metade do risco de demência se comparados àqueles com níveis mais baixos de BDNF. Segundo eles, o BDNF "também pode ser reduzido nas pessoas saudáveis que virão a desenvolver demência ou doença de Alzheimer". Os pesquisadores chegaram a uma conclusão óbvia: "Nossas descobertas sugerem que o BDNF desempenha um papel na biologia e, possivelmente, na prevenção da demência e da doença de Alzheimer".[19]

O GABA, outra importante substância química fabricada pelas bactérias intestinais, é um aminoácido que atua como neurotransmissor no sistema nervoso central. É o principal mensageiro químico no cérebro, acalmando a atividade nervosa ao inibir transmissões e normalizar as ondas cerebrais. Em outras palavras, o GABA faz o sistema nervoso voltar a um estado mais estável, para que você suporte melhor o estresse. Em 2012, pesquisadores do Baylor College of Medicine e do Hospital Infantil do Texas identificaram uma cepa de bifidobactérias que expele grandes quantidades de GABA, indicando que talvez desempenhem um papel na prevenção e no tratamento não apenas de transtornos cerebrais, mas de doenças inflamatórias intestinais, como a doença de Crohn.[20] Como o GABA silencia a atividade neuronal, ele contém a ansiedade — que é, evidentemente, causa constante de transtornos gastrointestinais cuja base são os processos inflamatórios.

O glutamato, outro neurotransmissor fundamental produzido pelas bactérias do intestino, participa dos principais aspectos do funcionamento normal do cérebro, como a cognição, a aprendizagem e a memória. Existe em grande quantidade no cérebro sadio. Uma série de problemas neurológicos, da ansiedade e dos déficits de comportamento à depressão e à doença de Alzheimer, foi atribuída à carência de GABA e de glutamato.

Uma das lições mais importantes a tirar das novas pesquisas sobre a relação entre os micróbios e a saúde do cérebro é que por "ruptura" não se entende apenas um desequilíbrio no microbioma, em que os vilões estão em maior número e esmagam os mocinhos, desencadeando processos inflamatórios e privando o corpo de substâncias vitais produzidas pelos caras do bem. Hoje em dia, o intestino de milhões de pessoas sofre uma ruptura provocada pelo aumento da permeabilidade do intestino, que insufla um leve mas constante estado inflamatório. Vou esmiuçar os pormenores para você.

OS PERIGOS DE UM INTESTINO PERMEÁVEL

Seu trato gastrointestinal, do esôfago até o ânus, é revestido por uma camada simples de células epiteliais. Essa camada epitelial representa uma interface crucial entre você e seu meio ambiente ("dentro" versus "fora"). Na verdade, todas as mucosas superficiais do corpo, inclusive dos olhos, nariz, garganta e trato gastrointestinal, representam uma enorme porta de entrada para diversos patógenos. Por isso, o corpo precisa defendê-las bem (essas superfícies são revestidas por uma membrana mucosa, um tipo de tecido que libera muco; daí o termo *mucosa*). O revestimento do intestino, a maior superfície mucosa, tem três funções básicas. A primeira é servir de veículo ou mecanismo de obtenção de nutrientes dos alimentos que você ingere. A segunda é bloquear a entrada na corrente sanguínea de partículas, substâncias químicas, bactérias e outros organismos potencialmente nocivos, que representem uma ameaça à sua saúde. A terceira é conter substâncias químicas chamadas imunoglobulinas, que aderem às bactérias e às proteínas exógenas, evitando que estas adiram ao revestimento do seu intestino. Essas substâncias são anticorpos liberados pelas células do sistema imunológico, do outro lado do revestimento intestinal, e transportados para dentro do intestino através da parede intestinal. Isso acaba por permitir que os organismos patogênicos e as proteínas se desloquem e sejam excretados.

O corpo emprega duas rotas de absorção de nutrientes do intestino. Pela rota transcelular, os nutrientes são transportados através das células epiteliais; e pela rota paracelular, eles passam *entre* as células epiteliais. A conexão entre as células, chamada de "junção de oclusão", é algo complexo e altamente controlado. Quando discutimos questões de permeabilidade no intestino, ou o chamado "intestino permeável", estamos nos referindo a problemas de qualidade nessas junções de oclusão, que medem de 10 a 15 Å (Å é o símbolo do *angstrom*, unidade tão minúscula que a única forma de imaginá-la é pensar em um espaço microscópico milhões de vezes menor que a cabeça de um alfinete; é muito menor que bactérias ou vírus comuns). Quando as junções não funcionam adequadamente, deixam de policiar apropriadamente aquilo que está autorizado a passar (os nutrientes) ou deve ficar do lado de fora (ameaças potenciais). Como guardas, essas junções determinam, em grande parte, o nível pessoal de inflamação — o nível básico que desencadeia processos inflamatórios em seu corpo num dado momento. Já está bem documentado, hoje, que quando nossa barreira intestinal está comprometida, ficamos suscetíveis — devido ao aumento dos processos inflamatórios — a um leque de problemas de saúde, entre eles artrite reumatoide, alergias alimentares, asma, eczemas, doença celíaca, síndrome do intestino irritável, HIV, fibrose cística, diabetes, autismo, Alzheimer e Parkinson.[21]

É difícil imaginar situações em que seria desejável ter um intestino permeável, mas há momentos em que isso de fato pode ser benéfico. Certas infecções do intestino, como o cólera, causado pela bactéria *Vibrio choleræ*, se caracterizam por uma porosidade maior do intestino *no outro sentido*, basicamente permitindo que mais fluidos entrem no intestino a partir da corrente sanguínea, em tese para ajudar a diluir a proporção desse organismo e de sua toxina. Isso acaba por auxiliar o corpo a purgar o germe nocivo, por meio da forte diarreia que é característica dessa doença.

É interessante notar que é exatamente esse o modelo — a maior permeabilidade do revestimento intestinal que ocorre no cólera — que permitiu ao dr. Alessio Fasano, de Harvard, identificar a relação, hoje comprovada, entre o consumo de glúten, o aumento da permeabilidade do intestino e processos inflamatórios generalizados em todo o corpo.[22] Tive a oportunidade de assistir a algumas palestras do dr. Fasano sobre esse tema. Muitos anos atrás, ele falou da influência de acasos felizes em sua carreira. Ele estava pesquisando uma forma de desenvolver uma vacina contra o cólera quando, de forma acidental, deparou-se com essa surpreendente correlação, que acrescentou um novo capítulo aos manuais científicos sobre intestino permeável, glúten e processos inflamatórios. É uma prova de que as pesquisas podem levar a revelações inesperadas.

A dimensão dos riscos relacionados a um intestino permeável começa a parecer cada vez mais monumental, pois novos estudos afirmam que os processos inflamatórios acarretados pela perda da integridade intestinal podem levar a cérebros permeáveis. Durante muito tempo, supusemos que o cérebro estava, de alguma maneira, isolado e protegido daquilo que ocorre no resto do corpo, como se estivesse em um santuário intocável. Você provavelmente já ouviu falar de um portal fortificado, altamente protetor, que mantém tudo que é ruim longe do cérebro: a "barreira hematoencefálica". No passado, costumávamos pensar nessa barreira como uma parede impenetrável, que deixa de fora tudo que possa representar uma ameaça. Só recentemente, porém, ficou claro que muitas substâncias podem ameaçar a integridade dela, deixando entrar diversas moléculas que podem causar problemas, entre as quais proteínas, vírus e até mesmo bactérias que normalmente seriam barradas.[23] Reflita sobre isto: alterações no seu ambiente intestinal podem solapar a capacidade do cérebro de se proteger contra invasores potencialmente tóxicos.

Ainda mais alarmante é a descoberta recente do dr. Fasano de que não apenas a permeabilidade do intestino aumenta quando este é exposto à gliadina, uma proteína encontrada no glúten, como na verdade a barreira hematoencefálica também se torna mais permeável em resposta à exposição à gliadina.[24] É como se uma porta aberta por engano levasse à abertura de outra porta. Os invasores fazem a festa.

A esta altura você deve estar se fazendo uma pergunta: como saber se seu intestino é permeável? Diariamente, realizo exames de sangue simples em meus pacientes, o que me ajuda a ter uma ideia da integridade de seu revestimento intestinal. Utilizo o chamado Cyrex matriz 2, o mais sofisticado teste de rastreio disponível no mercado. Essa matriz da Cyrex Labs (www.CyrexLabs.com) mede os anticorpos produzidos pelo sistema imunológico quando se vê diante de uma molécula chamada LPS, sigla de *lipopolissacarídeo*. Nenhuma discussão a respeito do microbioma, dos processos inflamatórios e da saúde do cérebro pode deixar de lado o impacto dessa molécula.

LPS: UM ARTEFATO INCENDIÁRIO

Se existe um evidente vilão biológico que atua nas rotas inflamatórias do corpo, ele é o lipopolissacarídeo. Ele é uma combinação de lipídios (gordura) e açúcares, e um importante componente da membrana externa de certas bactérias. Além de garantir muito da integridade estrutural das bactérias, os LPS também evitam que elas sejam digeridas pelos sais biliares da vesícula. Bactérias protegidas pelos LPS, também chamadas de bactérias Gram-negativas — isto é, que não fixam o violeta de genciana usado no método de coloração de Gram para diferenciação de bactérias —, existem naturalmente em abundância no intestino, chegando a representar 50% a 70% da flora intestinal. Sabe-se há muito que o LPS (classificado como uma "endotoxina", isto é, uma toxina que vem de dentro das bactérias) provoca uma violenta reação inflamatória nos animais ao passar para a corrente sanguínea.

Os LPS são usados de forma experimental em pesquisas, para criar processos inflamatórios em estudos de laboratório. Estudos com animais para condições tão diferentes quanto Alzheimer, esclerose múltipla, síndrome do intestino irritável, Parkinson, esclerose lateral amiotrófica (ELA), artrite reumatoide, lúpus, depressão e mesmo autismo usam os LPS, devido à sua capacidade de apertar rapidamente o "botão inflamatório" do corpo. Isso acaba permitindo aos pesquisadores estudar essas doenças e avaliar que relação elas têm com os processos inflamatórios. Estudos com seres humanos mostram que em várias dessas condições os marcadores de LPS têm níveis elevados.

Em geral, os LPS são barrados da corrente sanguínea pelas junções de oclusão entre as células que revestem o intestino. Mas, como você pode imaginar, quando essas junções ficam comprometidas e o revestimento se torna permeável, os LPS entram na circulação e podem estimular processos inflamatórios e causar danos. Por isso, os níveis de LPS no sangue são indicadores não apenas de inflamações, mas também de permeabilidade do intestino.

Em um dos estudos mais preocupantes já feitos a respeito dos LPS, a pós-graduanda Marielle Suzanne Kahn e seus colegas da Universidade Cristã do Texas mostraram que injeções de LPS no corpo (e não no cérebro) de animais de laboratório provocaram déficits de aprendizagem maciços.[25] Além disso, esses animais adquiriram níveis elevados de beta-amiloides no hipocampo, o centro da memória no cérebro. Beta-amiloides são proteínas fortemente relacionadas à patologia do Alzheimer. Agora, os pesquisadores estão investigando maneiras de reduzir ou até impedir a formação de beta-amiloides no cérebro.

Moral da história: níveis elevados de LPS no sangue podem ser um importante fator no aumento de beta-amiloides no cérebro, como é tão característico na doença de Alzheimer. Outros estudos demonstraram que camundongos submetidos a injeções de LPS no abdome tiveram sérios problemas de memória.[26, 27] Também se demonstrou que os LPS reduzem a produção de BDNF.[28] Além disso, existem agora evidências de que há *três vezes mais* LPS no plasma de pacientes de Alzheimer que em grupos de controle saudáveis.[29] Essa é uma informação de alta relevância que, mais uma vez, indica a correlação entre o intestino e o cérebro e o impacto dos processos inflamatórios e da permeabilidade do intestino. Que todos nós temos LPS no intestino é um fato, uma vez que eles são componentes estruturais importantes de boa parte das bactérias intestinais; não deve ser um fato, porém, que eles acabem na corrente sanguínea, onde podem ter um efeito bastante destrutivo.

A esclerose lateral amiotrófica, conhecida nos Estados Unidos como doença de Lou Gehrig, é uma condição devastadora e quase inevitavelmente fatal para a qual não existe cura e para cujo tratamento existe apenas uma droga (de eficácia apenas modesta) aprovada pela Food and Drug Administration. Ela afeta mais de 30 mil americanos. Estudos vêm analisando o papel dos LPS e da permeabilidade do intestino nessa doença. Pacientes com ELA não apenas têm níveis mais altos de LPS no plasma, mas o nível de LPS tem uma correlação direta com a gravidade da doença. Essas novas informações levaram alguns especialistas a especular se não haveria um catalisador da ELA não no cérebro ou na medula espinhal, e sim no intestino. Em outras palavras, os pesquisadores estariam procurando no lugar errado anos a fio. As evidências que incriminam os LPS nos processos inflamatórios são tão fortes que, para os cientistas da Universidade de San Francisco, esse conhecimento pode "representar um novo alvo para a intervenção terapêutica em pacientes com ELA".[30]

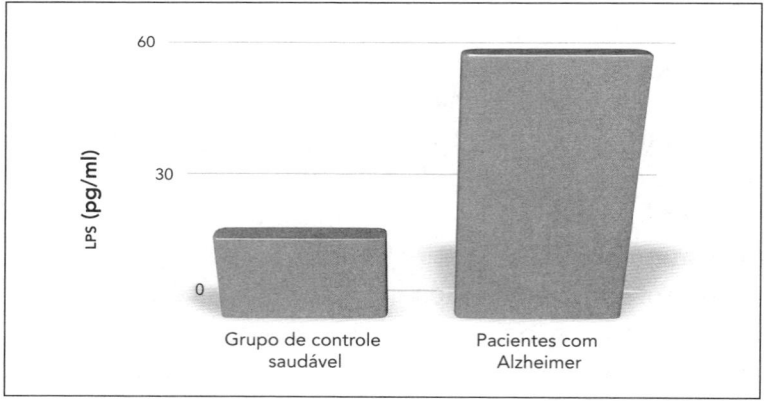

Outro exemplo que demonstra o poder dos LPS: o dr. Christopher Forsyth e seus colegas do Centro Médico da Universidade Rush, em Chicago, analisaram os LPS e a permeabilidade intestinal relacionada à doença de Parkinson e de fato encontraram correlações diretas.[31] Pacientes com Parkinson apresentaram níveis muito mais elevados de

LPS que o grupo de controle saudável. No próximo capítulo, veremos como as descobertas científicas mais recentes sobre a depressão mostram que o LPS elevado está entre os mais abomináveis suspeitos pelo surgimento de transtornos de humor.

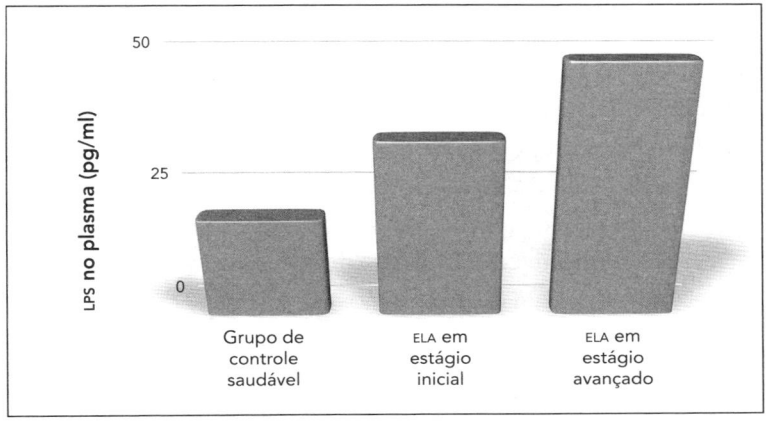

A SAÚDE DO CÉREBRO COMEÇA NO INTESTINO

Assim, você deve ser capaz de chegar à mesma conclusão a que eu vou chegar. Temos que prestar muita atenção à forma como alimentamos e nutrimos nossa tribo intestinal. Também temos que garantir a integridade do revestimento do intestino. Em meu livro anterior, relacionei os instigadores básicos dos processos inflamatórios no organismo, que podem interferir nas funções neurológicas e na saúde do cérebro — ingredientes onipresentes, como o glúten e o açúcar, e a falta de antídotos como gorduras saudáveis, exercícios e um sono reparador. Mas agora dispomos de mais conhecimentos científicos, que mostram que a história não começa simplesmente com uma reação inflamatória ao pão ou ao crepe. Começa com um microbioma enfraquecido e o efeito desastroso de moléculas como o LPS, que, ao entrar na circulação, se transformam em vilãs.

Como você verá em maiores detalhes nos próximos capítulos, fatores como os antibióticos e outros medicamentos, água clorada, certos alimentos e até mesmo o estresse desempenham, todos, um papel na definição da diversidade e do equilíbrio das bactérias intestinais e, por conseguinte, no nível pessoal de inflamação. Não apenas os micróbios intestinais influenciam o ambiente interno do seu corpo, como contribuem para esse ambiente ao produzir certas substâncias químicas que afetam a saúde do cérebro e de todo o sistema nervoso. Eles determinam a força e a resistência da sua parede intestinal. E podem até produzir vitaminas diversas, essenciais para a saúde do cérebro, inclusive a B12. Já está estabelecido que níveis reduzidos de B12 são um elevado fator de risco de demência, para não falar de outros problemas neurológicos, como a depressão.[32] Impossível dizer quantas vezes vi melhoras notáveis em casos de depressão clínica apenas com suplementação de B12. Pesquisas mostram que a deficiência de B12, nos Estados Unidos, afeta 10% a 15% das pessoas acima de sessenta anos,[33] e pode muito bem ter algo a ver com alterações nas bactérias intestinais, em consequência de uma dieta pobre e de medicamentos tomados na esperança de conservar a boa saúde. A conexão é direta: a síntese de B12 no corpo ocorre primordialmente no intestino delgado, onde as bactérias intestinais a fabricam usando cobalto e outros nutrientes. Embora seja possível obter vitamina B12 por meio da dieta, especialmente de peixes, carnes, aves e ovos, parte da B12 que é absorvida no intestino, para atender suas exigências diárias, vem dessas fábricas bacterianas.

Nunca é demais reiterar: a saúde e a variedade dos bichinhos na sua barriga dependem dos alimentos que você ingere. Alimentos ricos em fibras, que proporcionam combustível às bactérias do intestino, e pobres em açúcares refinados ajudam uma mistura robusta de espécies bacterianas, o que ajuda a manter a integridade da parede intestinal, controlar a glicose no sangue, reduzir os processos inflamatórios e produzir todas as substâncias e moléculas importantes que são cruciais na saúde e no funcionamento do cérebro. Além disso, há uma grande diferença entre as gorduras que promovem processos inflamatórios e as gorduras que ajudam a controlá-los. As gorduras ômega 6 predominam na dieta ocidental dos dias de hoje; são gorduras pró-inflamatórias, encontradas em diversos óleos vegetais, e têm sido associadas a um risco maior de transtornos cerebrais, assim como de problemas cardíacos. Por outro lado, as gorduras ômega 3 — como aquelas encontradas no azeite de oliva, em peixes, linhaça e animais criados soltos — melhoram as funções cerebrais, ajudam a coibir os processos inflamatórios e podem até contrabalançar os efeitos negativos das gorduras ômega 6. Estudos antropológicos revelam que nossos ancestrais caçadores-coletores consumiam gorduras ômega 6 e ômega 3 numa proporção aproximada de 1:1.[34] Hoje, consumimos de dez a 25 vezes mais gorduras ômega 6 do que eles, uma cifra estratosférica.

Vamos rever rapidamente o conceito do café como protetor do cérebro, para convencê-lo ainda mais do poder de suas opções alimentares em relação às bactérias intestinais. Um artigo recente do *Journal of Alzheimer's Disease* revelou uma redução impressionante do risco da doença em pessoas que tomam café. O estudo, realizado na Finlândia em colaboração com o Instituto Karolinska, acompanhou 1409 indivíduos, com idades entre 65 e 79 anos, por 21 anos em média.[35] Aqueles que bebiam de zero a duas xícaras diárias foram considerados bebedores "fracos" de café. Aqueles que bebiam de três a cinco xícaras foram considerados "moderados", e os que consumiam mais de cinco xícaras diárias foram classificados na categoria "alta". Os bebedores moderados apresentaram na meia-idade incríveis 65% a menos de risco de desenvolver Alzheimer em comparação com os bebedores fracos (embora aqueles que bebiam mais de cinco xícaras por dia também apresentassem um risco menor de demência, não havia nesse grupo um número de pessoas suficiente para tirar conclusões estatisticamente significativas). A dra. Miia Kivipelto, chefe do estudo e professora de epidemiologia geriátrica clínica no Karolinska, comentou assim seu estudo:

> Considerando o grande consumo global de café, os resultados podem ter importantes consequências na prevenção ou no retardo do surgimento da demência ou da doença de Alzheimer. As conclusões precisam ser confirmadas por outros estudos, mas isso abre a possibilidade de intervenções na dieta que podem modificar o risco de demência ou da doença de Alzheimer.[36]

Eu daria um passo adiante. Os pesquisadores estão apenas começando a destrinchar os poderes protetores do cérebro que o café possui, e estudos mais recentes demonstraram de forma clara que isso ocorre no nível do microbioma. Hoje, na verdade, existem inúmeras pesquisas de laboratório mostrando que — graças à faina dos bichinhos da barriga — o café reduz o risco de diabetes tipo 2, derrames, Alzheimer, Parkinson e até câncer e doenças cardiovasculares.[37, 38] Isso ocorre através de uma série de mecanismos que inclui as bactérias do intestino.[39] Para início de conversa, as bactérias intestinais têm facilidade para digerir as fibras dos grãos de café que permanecem no líquido filtrado, extraindo delas energia para seu próprio crescimento e saúde. Também já se demonstrou que o café reduz a proporção de bactérias Firmicutes em relação às Bacteroidetes, e veremos mais adiante como uma alteração nessa proporção está associada a um risco menor de diabetes e obesidade, e também, portanto, a menos processos inflamatórios. Além disso, também se descobriu que o café é uma rica fonte de polifenóis, moléculas que sabidamente possuem propriedades saudáveis, sendo os antioxidantes mais comuns na dieta humana. Estima-se que nós consumimos até um grama de polifenóis por dia, o que representa dez vezes mais que o consumo diário de vitamina C e cem vezes mais que o nosso consumo diário de vitaminas E e A. Os polifenóis não estão presentes apenas no café; eles permeiam o vinho tinto, assim como outros alimentos, e se tornaram um dos principais temas de pesquisa.

Mas eis o cerne da questão: a capacidade que seu corpo possui de extrair e fazer uso dos polifenóis que você consome é ditada, em grande parte, pelas bactérias do intestino. Mais uma vez, são esses bichinhos que assumem o papel principal na coordenação da sua biologia, em benefício da sua saúde. Para aproveitar integralmente os benefícios dos polifenóis nos alimentos que você ingere, é necessário estar com um microbioma saudável.

**AS TRÊS PRINCIPAIS MANEIRAS PELAS QUAIS
OS AMIGOS DO SEU INTESTINO REDUZEM
O RISCO DE DOENÇAS NO CÉREBRO**

1. Eles ajudam a controlar os processos inflamatórios. O equilíbrio e a diversidade das bactérias intestinais regulam o nível de inflamação que ocorre no organismo. Níveis sadios de bactérias variadas "do bem" limitam a produção de substâncias químicas inflamatórias no corpo e no cérebro. Os processos inflamatórios, como você já sabe, estão na base de doenças degenerativas do corpo humano, como diabetes, câncer, doenças cardíacas coronarianas e Alzheimer.

2. Eles ajudam a manter a integridade da parede intestinal e previnem a permeabilidade do intestino. Um intestino permeável, provocado por um desequilíbrio das bactérias intestinais, permite que diversas proteínas que normalmente são encontradas no intestino passem pela parede intestinal e ataquem o sistema imunológico. Essa situação desencadeia uma resposta imunológica que, por sua vez, leva a um processo inflamatório. Hoje se sabe que diversos fatores aumentam a permeabilidade do intestino, entre eles certos medicamentos, bactérias patogênicas, estresse, toxinas encontradas no meio ambiente, nível alto de glicose no sangue e ingredientes como o glúten.

3. Eles produzem substâncias químicas importantes para a saúde do cérebro, entre elas o BDNF, diversas vitaminas, como a B12, e até mesmo neurotransmissores, como o glutamato e o GABA. Também fermentam certos compostos presentes nos alimentos, como os polifenóis, transformando-os em anti-inflamatórios menores que podem ser absorvidos na corrente sanguínea e, por fim, proteger o cérebro.

O INTESTINO, AS INFLAMAÇÕES E AS PODEROSAS MITOCÔNDRIAS

Para fechar o círculo em nossa conversa sobre os processos inflamatórios, precisamos observar mais de perto como nossas mitocôndrias estão a nosso serviço. As mitocôndrias são minúsculas organelas encontradas em todas as células, à exceção das hemácias, que geram energia química sob a forma de trifosfato de adenosina (ATP). Elas possuem seu próprio DNA, e hoje se acredita que tenham se originado das bactérias — teriam sido um dia bactérias livres que acabaram se radicando em nossas células, proporcionando-lhes o benefício da produção de energia. Assim como o DNA das bactérias, o DNA das mitocôndrias se dispõe em forma de círculo, bem diferente do material genético encontrado no núcleo da célula.

Hoje sabemos que essas organelas intracelulares fazem muito mais do que simplesmente produzir energia. As mitocôndrias exercem um controle significativo sobre o DNA nuclear. Por sua origem bacteriana e seu DNA singular, as mitocôndrias devem ser consideradas parte do microbioma humano. Um microbioma sadio leva a um ser humano sadio. E hoje em dia sabemos, por exemplo, que elas desempenham um papel-chave em doenças degenerativas como Alzheimer e Parkinson, e até no câncer.

Observadas pela primeira vez pelo microbiologista alemão Carl Benda em 1897, essas partículas intracelulares apareciam como minúsculos grãos em forma de filamento. Daí o nome *mitocôndrias*, derivado do grego *mitos* ("fio") e *chondrin* ("grão") (a propósito, enquanto o núcleo da célula contém exatamente duas cópias de DNA, as mitocôndrias podem ter de cinco a dez cópias de seu DNA).

Mas foi preciso esperar até 1949 para que o papel das mitocôndrias como usinas celulares fosse integralmente explicado por dois cientistas americanos, Eugene Kennedy e Albert Lehninger. Basicamente, essas organelas conseguem usar carboidratos como combustível e convertê-lo em energia para a maior parte das funções celulares. A energia produzida por essa reação é chamada de metabolismo oxidativo, porque nesse processo se gasta oxigênio, como num incêndio. Mas a diferença entre a respiração mitocondrial e um incêndio é que, em vez de liberar energia numa reação fora de controle, a energia mitocondrial é armazenada sob uma forma molecular própria, chamada ATP. Rico em energia, o ATP pode então ser fornecido a toda a célula, liberando energia conforme a necessidade, na presença de enzimas específicas. Células individuais do cérebro, músculos esqueléticos, coração, rins e fígado podem conter milhares de mitocôndrias, a tal ponto que em algumas células até 40% do material é composto por elas. Segundo o professor Enzo Nisoli, da Universidade de Milão, eu e você possuímos, cada um, mais de 10 trilhões de mitocôndrias, que respondem por nada menos que 10% do nosso peso corporal.[40]

Um fato fundamental que deve ser compreendido aqui é que o uso de oxigênio no processo de produção de energia leva a um alto índice de eficiência. Embora as células sejam capazes de utilizar outros métodos químicos para produzir ATP na falta de oxigênio, esse processo, chamado de metabolismo anaeróbico, tem apenas $\frac{1}{18}$ da eficiência do metabolismo oxidativo. Mas o uso de oxigênio tem um preço.

Um subproduto importante do trabalho realizado pelas mitocôndrias é a produção de substâncias químicas ligadas ao oxigênio, identificadas como espécies reativas de oxigênio (ROS, na sigla em inglês). As ROS são mais conhecidas como radicais livres (num sentido estritamente científico, o termo "radicais livres" se refere não apenas às espécies reativas de oxigênio, mas também a uma família de radicais reativamente semelhantes, as espécies reativas de nitrogênio. Para fins de simplificação, e como se tornou norma nas publicações não científicas, usaremos o termo "radicais livres" ao fazer referência às espécies reativas de oxigênio).

Hoje em dia quase todos conhecem esse termo, tão exaustivamente usado em textos para leigos, das revistas de beleza à publicidade de produtos antienvelhecimento para a pele. Embora em geral sejam tratados como vilões por causa dos efeitos negativos que têm sobre o corpo, sob diversos aspectos os radicais livres têm um papel positivo na fisiologia humana. Eles participam da regulagem da apoptose, o processo pelo qual as células sofrem uma autodestruição (suicídio). À primeira vista, talvez pareça intrigante que o suicídio celular possa ser visto como um acontecimento positivo. Mas a apoptose é uma função celular crucial e necessária. O primeiro uso do termo *apoptose* é atribuído a Hipócrates, e seu significado inicial era "a queda das folhas". Mas foi só quando Alastair R. Currie publicou um artigo no *British Journal of Cancer*, em 1972, que o termo ganhou popularidade na comunidade científica. Desde então, os pesquisadores usam a palavra para descrever o processo pelo qual as células são eliminadas intencionalmente.

Sem a apoptose, por exemplo, não teríamos dedos separados, pois é exatamente por esse processo que os dedos adquirem forma, a partir do brotar dos membros durante o desenvolvimento embriológico, permitindo, assim, a formação das mãos a partir do que inicialmente parecem luvas sem dedos. A apoptose é de importância crucial, por permitir que nosso corpo se livre de inúmeras células cancerosas que aparecem de maneira espontânea dentro de nós. Diariamente, 10 bilhões de células são destruídas para dar lugar a novas células sadias. E os radicais livres criados pelas mitocôndrias durante o processo de produção de energia desempenham um papel-chave nesse processo.

Como ocorre com tantas coisas na vida, a apoptose também tem seu lado negro. Embora em muitas situações a ativação dos genes destruidores de células seja uma coisa boa, quando a função mitocondrial se torna deficiente o suicídio celular pode ocorrer em células normalmente sadias. Na verdade, esse é um mecanismo fundamental que leva à destruição de neurônios em condições neurodegenerativas como Alzheimer, esclerose múltipla, Parkinson e esclerose lateral amiotrófica. A apoptose das células cerebrais não se limita, porém, a esses processos patológicos. Ela ocorre dentro de cada um de nós ao longo da vida inteira e é responsável pelo declínio geral de nossas funções cerebrais à medida que envelhecemos.

Até muito recentemente, os cientistas assinavam embaixo do paradigma de que todas as funções celulares, inclusive a apoptose, eram dirigidas pelo núcleo das células. Mas, como observa o bioquímico britânico Nick Lane em seu convincente livro *Power, Sex, and Suicide* [Poder, sexo e suicídio],

> houve uma mudança no paradigma, que representa uma revolução, virando de cabeça para baixo o paradigma nascente. O paradigma era que o núcleo era o [centro] operacional da célula, controlando seu destino. Sob muitos aspectos, é claro, isso é verdade, mas no caso da apoptose

não é. É de notar que mesmo células às quais falta o núcleo ainda assim conseguem realizar a apoptose. A descoberta radical foi o controle das mitocôndrias sobre o destino da célula: elas determinam se a célula deve viver ou morrer.[41]

Portanto, as mitocôndrias são muito mais que simples organelas que transformam combustível em energia. Elas brandem a espada de Dâmocles. E não deve causar surpresa que sejam muito facilmente danificadas por processos inflamatórios — sobretudo aqueles originados por um comportamento desordenado da comunidade microbiana do intestino. Afinal de contas, o intestino é uma das origens dos processos inflamatórios, em função da interação complexa entre seus habitantes microbianos e o sistema imunológico. Portanto, os processos inflamatórios regulados pelas bactérias intestinais, que resultam na entrada de moléculas inflamatórias na corrente sanguínea — de onde alcançam células e tecidos —, atacam as mitocôndrias.

Além disso, os subprodutos de uma comunidade intestinal desbalanceada também conseguem infligir danos diretamente às mitocôndrias e, por sua vez, insuflar mais processos inflamatórios. Atualmente, realizam-se estudos para investigar o elo entre o microbioma humano e as doenças mitocondriais, sobretudo aquelas que podem ser transmitidas às gerações futuras. As doenças mitocondriais incluem um grupo de transtornos neurológicos, musculares e metabólicos provocados por mitocôndrias defeituosas. Transtornos tão variados quanto o diabetes, o autismo e o Alzheimer foram relacionados a problemas mitocondriais. No capítulo 5, vamos ver como as disfunções mitocondriais nas crianças autistas estão nos dando pistas sobre essa condição, assim como o papel que as bactérias intestinais podem ter no desenvolvimento do transtorno cerebral.

Tendo em vista nossa compreensão sobre o valor das mitocôndrias, é empolgante saber que novas mitocôndrias nascem o tempo todo. Mais importante, talvez, é fazer mudanças nos hábitos cotidianos para aumentar o surgimento de mitocôndrias, um processo chamado de biogênese mitocondrial, reforçando assim uma parte importante do microbioma humano. Entre os fatores de estilo de vida que estimulam esse processo estão a adoção de uma dieta que obtenha mais energia ou calorias das gorduras que dos carboidratos (um tema central de *A dieta da mente*), a redução da ingestão de calorias e a prática de exercícios aeróbicos. Mais adiante, entrarei em maiores detalhes a respeito daquilo que você pode fazer para estimular suas mitocôndrias e, dessa forma, todo o seu microbioma.

O DNA mitocondrial tem mais uma característica que, na minha opinião, acarreta profundas consequências. Todo o DNA mitocondrial é herdado somente da linhagem feminina. Durante a reprodução, enquanto o DNA nuclear do esperma se junta ao do óvulo, as mitocôndrias do macho são excluídas. Pense nisso. As mitocôndrias, fonte de energia que sustenta nossas vidas, são a encarnação de um código genético puramente feminino. Esse conceito levou os cientistas a pensarem numa "Eva Mitocondrial", a primeira mãe humana, da qual todos os humanos herdaram uma parte de seu DNA mitocondrial. Acredita-se que a Eva Mitocondrial tenha vivido cerca de 170 mil anos atrás no leste da África, na época em que o *Homo sapiens* estava se transformando numa espécie separada dos demais hominídeos. Quando pensamos que as bactérias foram as habitantes originais do planeta, não surpreende que na época em que os seres humanos surgiram organismos multicelulares já tivessem, de longa data, estabelecido uma relação simbiótica com muitas bactérias, algumas das quais pousaram em nossas próprias células para estabelecer uma "terceira dimensão" de nossas digitais genéticas.

O CONTROLE DE DOENÇAS MISTERIOSAS

Talvez um dos maiores exemplos de mobilização das bactérias intestinais para atacar doenças inflamatórias que afetam o cérebro seja o de um paciente como Carlos.

Carlos, de 43 anos, consultou-se comigo em junho de 2014. Ele precisava de uma muleta para ficar em pé e tinha momentos em que sentia como se suas pernas não funcionassem, como se pudesse perder facilmente o equilíbrio. Quando lhe indaguei sobre seu histórico médico, ele me falou de uma manhã de 1998, quando acordou sentindo-se "bêbado e tonto". Quando foi se consultar com um neurologista, fez-se uma ressonância magnética de seu cérebro, mas os resultados foram normais. Carlos continuou inseguro durante as duas semanas seguintes e depois começou a se sentir melhor. Duas semanas depois, enquanto se exercitava, sentiu como se formigas estivessem descendo pelas suas costas. Sua visão ficou embaçada, e, na esperança de uma outra opinião sobre seus sintomas, ele marcou uma consulta com um naturopata. Foi então que começou a tomar diversos suplementos nutricionais, e depois disso começou a se sentir um pouco melhor.

Três anos depois, ele foi surpreendido com a aparição súbita de uma "dormência nas duas pernas da cintura para baixo". Novamente, receitaram-lhe outra rodada de suplementos nutricionais, e, passados três meses, ele sentiu alguma melhora. Dois anos depois, ele passou por outro episódio, que se resolveu de maneira semelhante, com mais suplementos. Em 2010, no entanto, ele começou a perceber um declínio progressivo de seu equilíbrio, e, apesar da ingestão de diversos suplementos, a deterioração continuou — aceleradamente. Em 2014, Carlos passou por uma nova bateria de exames com um neurologista, que incluiu uma ressonância magnética do cérebro. Dessa vez, os resultados revelaram anomalias agressivas, sobretudo na substância branca do cérebro, em ambos os hemisférios e até mesmo no tronco cerebral. Esses achados, somados às anomalias observadas numa ressonância magnética da medula espinhal, a uma punção lombar e aos resultados de eletroencefalogramas, apontavam todos para um diagnóstico de esclerose múltipla.

A esclerose múltipla é uma doença inflamatória caracterizada por danos aos nervos do cérebro e da medula espinhal. O isolamento que cobre essas células nervosas, chamado de mielina, fica deficiente, provocando uma ruptura do sistema nervoso que leva a um amplo leque de sintomas — físicos, cognitivos e até psiquiátricos. Durante muito tempo os cientistas tentaram entender o que causa a esclerose múltipla, embora a crença geral seja que ela se deve a um defeito no sistema imunológico. Simplesmente não se sabe o que desencadeia esse defeito, que leva o corpo a atacar as próprias células nervosas. Apesar disso, estudos epidemiológicos estabeleceram que a vida no ambiente urbano é um fator de risco significativo para que se tenha essa doença autoimune — semelhante ao aumento do risco de sofrer Alzheimer em condições urbanas e ocidentalizadas.[42]

A esclerose múltipla — e muitas outras condições neurológicas — poderia estar diretamente relacionada às alterações ocorridas na comunidade bacteriana do intestino? Nos últimos anos, tenho notado que pacientes com esclerose múltipla quase sempre nasceram de cesarianas, não foram amamentados no peito ou foram tratados com antibióticos no início da vida por causa de alguma doença (na verdade, um novo estudo, publicado em 2013, mostrou que o risco de esclerose múltipla cai 42% naqueles que foram amamentados no peito).[43] Ao repassar a experiência dos primeiros anos de vida de Carlos, descobri em sua história, uma vez mais, o mesmo padrão: ele só fora amamentado no peito durante alguns dias.

Expliquei a Carlos que hoje em dia entendemos melhor o papel das bactérias intestinais no sistema imunológico e que pesquisas recentes com animais identificaram de maneira clara que alterações nas bactérias do intestino podem desempenhar um papel importante nessa doença. Propus, em seguida, um plano de ação. Disse a ele que queria iniciar um programa de "enemas probióticos", técnica que descreverei no capítulo 9. Ele concordou sem vacilar e passou a administrar enemas cheios de probióticos duas a três vezes por semana. Duas semanas depois, ele me telefonou. Comentou que estava andando com mais facilidade e que tinha conseguido passar dias inteiros sem usar muleta! Um mês depois, conversamos novamente por telefone. Ele continuou com os enemas probióticos, três vezes por semana, e tinha a sensação de que seu estado "se estabilizara".

Àquela altura debati com ele a ideia de reconstituir uma população intestinal saudável por meio de um procedimento novo e revolucionário chamado transplante microbiano fecal (TMF), com o que ele concordou prontamente (mais adiante falarei muito mais sobre essa técnica; atualmente ela não está disponível nos Estados Unidos para o tratamento da esclerose múltipla). Ele optou por uma clínica na Inglaterra, onde esse é um procedimento de rotina, realizado para uma série de problemas imunológicos e inflamatórios. Antes que Carlos desligasse, pedi a ele que fizesse um diário detalhado de sua experiência e me mantivesse informado.

Um mês depois, Carlos retornou da Inglaterra, e conversamos novamente por telefone. Ele relatou que, após a segunda sessão de transplante fecal (ao todo foram dez), percebeu que seu caminhar havia melhorado enormemente e que essas melhorias eram persistentes. Disse: "Estou andando tão bem que os outros nem percebem que há algo errado".

Ele estava tão empolgado com a própria melhora que me enviou um vídeo dele mesmo andando sem ajuda. Foi empolgante para mim ver o quanto ele havia melhorado, e agradeci por ele ter autorizado que eu usasse o vídeo em minhas palestras, assim como em meu site (www.DrPerlmutter.com), onde você pode vê-lo. É o arremate ideal de uma história.

Faz mais de três décadas que sou um neurologista praticante, e nunca testemunhei uma melhora tão notável em meus pacientes com esclerose múltipla quanto aquela que vejo hoje com essas técnicas inovadoras e revolucionárias. Posso garantir que esquadrinho as revistas de medicina todos os meses à procura de novidades no tratamento dessa condição devastadora. É chocante, para mim, constatar que os neurologistas mais renomados não utilizam essa abordagem. Mesmo assim, quando você junta as peças e leva em conta a riqueza dos dados já disponíveis nos arquivos dos centros de pesquisa, certamente faz sentido.

Certamente fez sentido para Carlos, cuja vida entrara numa espiral descendente, até nós basicamente "resetarmos" seu sistema imunológico. Para mim, são experiências gratificantes: minha formação me levou a acreditar durante muito tempo que administrar uma doença como a esclerose múltipla, ou até mesmo pensar na ideia de uma cura, dependeria de alguma descoberta farmacêutica. E agora está ficando patente que a terapia mais eficiente talvez não seja patenteável — ninguém poderá ser seu dono. É hora de o mundo em geral ser informado de que é preciso adotar uma perspectiva diferente em relação a essa doença e a outras condições neurológicas misteriosas.

Levando tudo isso em consideração, vamos passar às emoções. Vamos ligar os pontos entre um intestino instável e uma mente instável. Aquilo que você está para descobrir provavelmente mudará tudo o que acreditava saber a respeito de depressão, ansiedade e TDAH. E você verá com mais facilidade o amigo definitivo da mente.

3. Sua barriga está depressiva?
Por que um intestino irritado deixa você de mau humor

Quando Mary chegou ao meu consultório, fazia mais de um ano que estava tomando diversos remédios antidepressivos e ansiolíticos, sem resultado. O que a motivou a marcar consulta comigo foi o fato de estar sofrendo de graves lapsos de memória, que a faziam imaginar se estava sofrendo de Alzheimer precoce. Não tardei a descartar essa possibilidade desde o instante em que pedi alguns testes para conhecer melhor seu desempenho mental e lhe fiz meia dúzia de perguntas a respeito de sua vida e seus hábitos.

Ela costumava tomar antibióticos de vez em quando? Sim. Tinha uma dieta rica em carboidratos? Sim (na verdade, ela estava lutando para perder peso, com uma dieta pobre em gordura). Estava tomando algum outro medicamento? De fato, ela estava tomando estatinas contra o colesterol alto, Nexium para o refluxo gástrico e comprimidos contra a insônia. Foi o bastante para que eu entendesse que o microbioma daquela mulher estava adoentado e necessitava de um programa de reabilitação.

Três meses mais tarde, depois de algumas poucas correções simples em sua dieta — as mesmas que você vai conhecer na parte iii —, Mary estava se livrando de todos os medicamentos e se sentindo "uma pessoa inteiramente nova". Seu raciocínio afiado e tranquilo estava de volta, ela caía num sono reparador todas as noites e já não era considerada depressiva. Até perdeu o peso extra que a havia incomodado durante a maior parte da década anterior. Foi uma transformação atípica? Longe disso. Parte de meus estudos de caso mais notáveis envolve pessoas que mudam de vida e de saúde, para melhor, por meio de simples alterações em sua dieta, que alimenta o cérebro. Elas cortam os carboidratos e acrescentam gorduras saudáveis, sobretudo o colesterol — que tem um papel-chave na saúde psicológica e do cérebro. Vi casos em que, sozinha, essa mudança alimentar fundamental pôs fim à depressão e a todos os seus primos de segundo grau, da ansiedade crônica a problemas de memória e até TDAH. Neste capítulo, vou explicar a relação entre a saúde mental e as funções intestinais. Conclui-se que, quando sua barriga está de mau humor, sua mente a acompanha.

O ALCANCE DA DEPRESSÃO

Da próxima vez que você for a um grande evento, cheio de gente, seja num auditório ou num estádio, dê uma olhada à sua volta e pense no seguinte: de cada dez pessoas ali, uma está tomando algum medicamento psiquiátrico para tratar um transtorno de humor. Dentre as mulheres na casa dos quarenta e cinquenta anos, uma em cada quatro toma um antidepressivo.[1] Isso mesmo, atualmente um quarto das mulheres de meia-idade toma medicamentos fortes para tratar sintomas tipicamente diagnosticados como depressão clínica: angústia persistente, mal-estar, ansiedade, agitação interna, cansaço, baixa na libido, problemas de memória, irritabilidade, insônia, sensação de desesperança, indiferença, opressão, falta de rumo. Segundo os números mais recentes, 14% dos homens brancos não hispânicos tomam antidepressivos, contra apenas 4% dos negros não hispânicos e 3% dos mexicanos-americanos. Curiosamente, o uso de antidepressivos não varia conforme o nível de renda.[2]

Como mencionei na introdução, a depressão é hoje a principal causa de incapacitação no mundo inteiro, impactando mais de 350 milhões de pessoas (segundo a Organização Mundial da Saúde, até 2020 a depressão vai tomar o lugar das doenças cardíacas em termos de custo de tratamento por paciente). E nos Estados Unidos os números continuam a aumentar. No ano passado, receitaram-se 12 bilhões de dólares em antidepressivos. Isso significa que os americanos estão gastando mais com antidepressivos que o Produto Interno Bruto de mais da metade dos países do mundo![3]

Desde que os medicamentos inibidores seletivos de recaptação de serotonina (ISRSS) foram autorizados pela Food and Drug Administration, quase três décadas atrás, a sociedade americana passou a crer que os medicamentos podem aliviar os sintomas ou até "curar" doenças mentais, em especial a depressão, os transtornos de ansiedade e as crises de pânico, que, combinados, representam os principais alvos de medicação nos Estados Unidos. O uso de medicamentos desse tipo aumentou espantosos 400% nas últimas duas décadas. Em 2005, os antidepressivos já tinham se tornado o tipo de medicamento mais receitado nos Estados Unidos.[4]

Mas eles não tratam a depressão. Prozac, Cymbalta, Zoloft, Elavil, Lexapro, Wellbutrin ou qualquer outro dos antidepressivos mais comumente receitados são remédios que tratam apenas dos sintomas da depressão, e ainda assim minimamente. Nos Estados Unidos, tanto o marketing quanto a prescrição dos remédios para depressão são agressivos; basta observar a publicidade predominante nos meios de comunicação de massa. O mesmo pode ser dito dos remédios para TDAH: 85% do consumo mundial de medicamentos para tratá-lo ocorre nos Estados Unidos. Embora as crianças ainda sejam os principais usuários desses medicamentos, o número de adultos a usá-los vem aumentando recentemente num ritmo muito maior. A porcentagem de crianças que os tomam aumentou 18% entre 2008 e 2012, mas no mesmo período a porcentagem de adultos com plano de saúde particular que fazem uso deles disparou 53%.[5] Entristece-me o fato de que a bilionária indústria farmacêutica de psicotrópicos se baseie na ideia de que as pessoas vão tomar um comprimido para tratar sintomas, ao mesmo tempo que se ignora o transtorno subjacente. Portanto, o verdadeiro foco nunca está na cura real, nem sequer na melhora da causa profunda da doença, muito menos em livrar as pessoas da medicação.

Do ponto de vista empresarial, certamente faz sentido, por gerar clientes constantes e vitalícios. E os americanos estão sendo seduzidos a acreditar que é isso que se deve esperar. Na condição de médico, leio diariamente revistas de medicina salpicadas de anúncios de antidepressivos. Não admira que, nesta época de racionamento da seguridade social, e considerando a cobrança sobre os médicos para que façam o maior número possível de atendimentos, a mentalidade de curto prazo e o bloquinho de receitas tenham se tornado a regra. Essa abordagem está categoricamente errada e repleta de consequências potencialmente devastadoras. O que também é incômodo é o fato de a maior parte das receitas de antidepressivos serem passadas pelos médicos de atendimento primário — e não por especialistas em saúde mental.

Temos que nos concentrar na compreensão das causas das doenças mentais, de modo a encontrar tratamentos e curas verdadeiros, que não envolvam medicamentos potencialmente perigosos, com graves efeitos colaterais. E você sabe aonde estou querendo chegar; a esta altura já está claro que o que está acontecendo no intestino determina, até certo ponto, o que acontece no cérebro. As pesquisas que investigam a relação entre o intestino e as questões psiquiátricas têm fechado o cerco sobre o microbioma. Uma série de mecanismos — a maioria dos quais você agora já conhece — entra em jogo, dos efeitos diretos das bactérias intestinais sobre a barreira intestinal a seus efeitos na produção de neurotransmissores que têm um impacto sobre o bem-estar da mente.

Todos os medicamentos antidepressivos atualmente no mercado foram projetados para alterar artificialmente a atividade dos neurotransmissores no cérebro. Mesmo assim, quando levamos em conta o fato de que essas mesmas substâncias químicas encontradas no cérebro também são produzidas no intestino, e que sua disponibilidade para o cérebro é regida, em grande parte, pela atividade das bactérias do intestino, somos obrigados a concluir que o ponto de partida para tudo aquilo que tem relação com o humor é o intestino.

Como neurologista, por exemplo, acho instigante observar que os antidepressivos atuais supostamente atuam aumentando a disponibilidade do neurotransmissor serotonina,[6] e no entanto o precursor da serotonina — o triptofano — é cuidadosamente regulado pelas bactérias do intestino. Na verdade, uma bactéria específica, a *Bifidobacterium infantis*, tem uma importante atuação na disponibilização de triptofano.[7]

O capítulo anterior forneceu uma visão geral do poder do microbioma sob o ponto de vista dos processos inflamatórios. Se você saísse às ruas e perguntasse sobre depressão, provavelmente ouviria algo parecido com "é um desequilíbrio químico no cérebro". Bem, meu papel é lhe dizer que isso estaria errado. Duas décadas de literatura científica ressaltam o papel dos processos inflamatórios nas doenças mentais, da depressão à esquizofrenia. O campo da psiquiatria conhece desde a primeira metade do século XX o papel do sistema imunológico no desencadeamento da depressão. Mas só recentemente começamos a compreender essa relação, graças ao avanço da tecnologia e a pesquisas longitudinais. Os micróbios do intestino controlam não somente a produção de substâncias químicas inflamatórias que pesam em nossa saúde mental, mas também controlam nossa capacidade de absorver certos nutrientes — como as gorduras ômega 3 — e fabricam vitaminas cruciais para nossa saúde mental. Vamos fazer um apanhado das descobertas recentes.

A DEPRESSÃO É UMA DOENÇA INFLAMATÓRIA

A relação entre a depressão e o intestino não é novidade.[8] Na primeira metade do século XX, cientistas e médicos se envolveram profundamente nessa pesquisa. Eles achavam que substâncias químicas tóxicas fabricadas no intestino podiam afetar o humor e as funções cerebrais. Esse processo tinha até um nome: "autointoxicação". Mais de oitenta anos atrás, uma equipe de cientistas escreveu: "Está longe de nosso pensamento conceber que todas as condições mentais tenham o mesmo fator etiológico, mas acreditamos que se justifique reconhecer a existência de casos de transtornos mentais que têm como fator etiológico básico uma condição tóxica nascida no trato gastrointestinal".[9]

Infelizmente, estudar o intestino e os padrões alimentares começou a ser considerado "anticientífico". Em meados do século XX, a ideia de que o conteúdo do intestino poderia afetar a saúde mental desapareceu rapidamente, substituída pela ideia de que a depressão e a ansiedade seriam fatores importantes a influenciar o intestino — e não o contrário. À medida que a indústria farmacêutica deu um salto, esses pesquisadores visionários foram desprezados. Incrivelmente, mais de oitenta anos depois, o círculo se fechou.

Hoje em dia, boa parte do foco se concentra em estudos que mostram uma relação entre problemas intestinais e o cérebro e, mais especificamente, o elo entre a presença de marcadores inflamatórios no sangue (indicando que o sistema imunológico está em alerta máximo) e o risco de depressão. Níveis mais elevados de inflamação aumentam drasticamente o risco de desenvolver depressão.[10] E quanto maiores os níveis dos marcadores inflamatórios, pior a depressão.[11] Isso situa a depressão em linha direta com outros transtornos inflamatórios, como a doença de Parkinson, a esclerose múltipla e o Alzheimer.

A depressão não pode mais ser vista como um transtorno cuja origem está somente no cérebro. Alguns dos estudos são absolutamente reveladores. Por exemplo, quando os pesquisadores ministram a pessoas sadias, sem sinais de depressão, uma infusão de uma substância que desencadeia um processo inflamatório (mais detalhes abaixo), sintomas clássicos de depressão se desenvolvem de forma quase instantânea.[12] Da mesma forma, foi demonstrado que, quando se ministra interferona para o tratamento da hepatite C, o que provoca um aumento do número de citocinas inflamatórias, um quarto dos indivíduos desenvolve depressão severa.[13] As interferonas são um grupo de proteínas que formam parte essencial do sistema imunológico, mas podem ser fabricadas e receitadas como remédio para o tratamento de algumas infecções virais.

Ainda mais convincentes são novas pesquisas segundo as quais pode ser que os medicamentos contra a depressão funcionem em virtude da capacidade de reduzir as substâncias químicas inflamatórias.[14] Em outras palavras, o mecanismo efetivo dos antidepressivos atuais pode não ter nada a ver com seu efeito sobre a serotonina e tudo a ver com a redução dos processos inflamatórios. Infelizmente, isso não significa que os antidepressivos sejam sempre eficazes. Ainda que eles possam aliviar os sintomas, por meio de seus efeitos anti-inflamatórios (e/ou efeitos placebo), não atacam a fonte do problema nem extinguem o incêndio. É como se eles fossem, de certa maneira, esparadrapos mal fabricados aplicados em cortes que não cicatrizam.

Quando reflito sobre o aumento dos índices de depressão, me pergunto sobre o impacto de nossos estilos de vida e dietas sedentários, repletos de açúcares e gorduras ômega 6 pró-inflamatórios e pouquíssimas gorduras ômega 3 anti-inflamatórias. Sabemos, por exemplo, que a dieta ocidental típica — rica em carboidratos refinados e gorduras industriais — está associada a níveis mais elevados de proteína C-reativa, um reconhecido marcador de processos inflamatórios.[15] Uma dieta recheada de alimentos de alto índice glicêmico também está associada a níveis mais elevados de proteína C-reativa.[16] O índice glicêmico é uma escala de 0 a 100, em que os valores mais altos indicam alimentos que causam elevações maiores e mais persistentes na glicose. A glicose pura, que tem um IG de 100, é o ponto de referência. Alimentos no topo do índice glicêmico são aqueles que reconhecidamente agravam os processos inflamatórios.

Na verdade, a glicose alta no sangue é um dos maiores fatores de risco de depressão, assim como ocorre com o Alzheimer.[17] Embora antes se achasse que o diabetes e a depressão fossem transtornos distintos, a ideia em relação a isso está mudando. Um grande estudo de referência, realizado ao longo de dez anos, acompanhando mais de 65 mil mulheres e publicado em 2010 na revista *Archives of Internal Medicine*, lançou uma luz ofuscante sobre essa relação: mulheres com diabetes têm um risco quase 30% maior de desenvolver depressão.[18] Isso foi constatado até mesmo depois que os pesquisadores descontaram outros fatores de risco de depressão, como excesso de peso e falta de exercícios físicos. E as mulheres que tomam insulina para o diabetes tinham um risco 53% maior de desenvolver depressão. Considero revelador que, enquanto nos últimos vinte anos assistimos a um rápido crescimento do diabetes, em relação à depressão vimos um aumento semelhante. Não deve causar surpresa que a obesidade também esteja associada a uma elevação nos marcadores de processos inflamatórios. A obesidade tem uma correlação de 55% com um risco maior de depressão, enquanto a depressão está associada a um risco 58% maior de desenvolver obesidade.[19]

O elo entre a depressão e os processos inflamatórios é tão forte que os pesquisadores passaram a investigar, no tratamento da depressão, o uso de medicamentos que alteram a imunidade. Mas de onde vem esse processo inflamatório? Cito um dos pesquisadores belgas: "Hoje, existem evidências de que a depressão grave é acompanhada por uma ativação do sistema de resposta inflamatório e que as citocinas pró-inflamatórias e os lipopolissacarídeos (LPS) podem provocar sintomas de depressão".[20] Caso você não tenha identificado a palavra-chave, ela é LPS — o artefato incendiário que apresentei no capítulo anterior. Em 2008, esses mesmos pesquisadores documentaram um aumento significativo no nível de anticorpos contra os LPS no sangue de indivíduos com depressão grave (é interessante notar outro comentário dos autores a respeito do fato de a depressão grave ser frequentemente acompanhada por sintomas gastrointestinais. As consequências de uma ruptura da comunidade bacteriana poderiam ser uma explicação para isso). São resultados tão indiscutíveis que os autores recomendaram enfaticamente que os pacientes que sofrem de depressão grave façam exame de intestino permeável, medindo esses anticorpos e, se necessário, tratando esse problema.

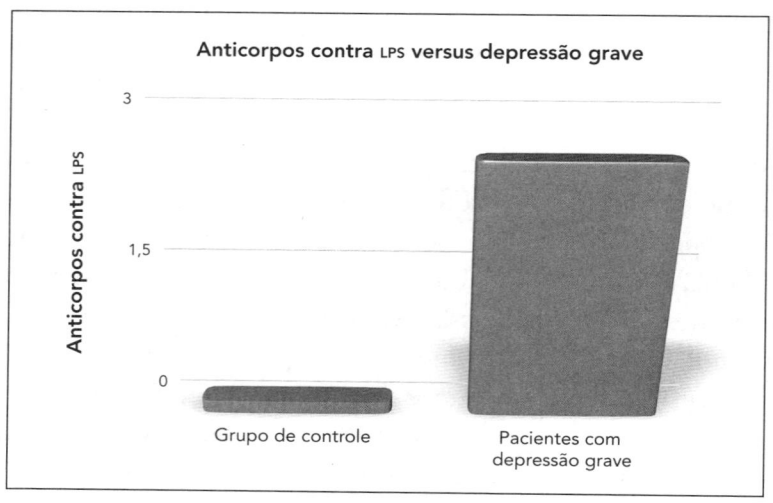

Pesquisadores do mundo inteiro estão, finalmente, prestando atenção nos LPS e em seu papel contra a depressão.[21] Como já vimos, os marcadores de processos inflamatórios têm uma correlação com a depressão, e os LPS aumentam a produção dessas substâncias químicas inflamatórias. E é aí que as coisas se tornam realmente instigantes: não apenas os LPS deixam o intestino mais permeável, como também podem atravessar a barreira hematoencefálica, permitindo que substâncias químicas pró-inflamatórias bombardeiem o cérebro. Isso também se aplica à demência, e, como afirmaram os autores de um estudo de 2013, "dentre aqueles que sofriam de depressão, o risco posterior de demência ou de comprometimento cognitivo moderado é mais de duas vezes maior, e os pesquisadores continuam a avaliar os processos inflamatórios de baixo grau como um fator primário de declínio cognitivo".[22]

A meu ver, estudos como esse representam a "prova do crime". O deslocamento dos LPS através do intestino atiça o incêndio no corpo e no cérebro, o que pode resultar em depressão e, posteriormente, demência. A depressão é, na verdade, muito mais comum em pessoas que sofrem de outros problemas inflamatórios e autoimunes, como síndrome do intestino irritável, síndrome de fadiga crônica, fibromialgia, resistência à insulina e obesidade. Todas essas condições se caracterizam por níveis mais elevados tanto de processos inflamatórios quanto de permeabilidade intestinal, e é por isso que nosso foco deve se concentrar no intestino.

Vários estudos começaram a investigar como nossa dieta pode ser responsável por um aumento na permeabilidade do intestino, assim como pela perda de diversidade bacteriana. Finalmente está sendo feita a conexão entre a dieta e o risco de depressão. Os cientistas estão demonstrando que aqueles que adotam uma dieta de estilo mediterrâneo, rica em gorduras e proteínas saudáveis e anti-inflamatórias, desfrutam de taxas de depressão significativamente menores.[23] Em compensação, uma dieta rica em carboidratos e açúcar cria o cenário para um "microbioma inflamatório". Podemos até avaliar os efeitos de ingredientes específicos sobre as rotas inflamatórias do corpo: por exemplo, demonstrou-se que a frutose aumenta em 40% a circulação de lps.[24] Mas a situação pode ser revertida ao normal quando se corta ou restringe severamente a frutose na dieta, e o equilíbrio dos micróbios do intestino é alterado. O xarope de milho rico em frutose representa atualmente 42% de todos os adoçantes calóricos nos Estados Unidos, o que pode ser um fator no rápido aumento dos índices de depressão e até de demência. Mais adiante, veremos que tipos de ingredientes — cacau, café e cúrcuma (açafrão-da-terra), por exemplo — podem ter o efeito oposto, reduzindo o risco de depressão ao ajudar a equilibrar o microbioma.

DOENÇAS AUTOIMUNES, INFECÇÕES E DEPRESSÃO

Já indiquei que existe um elo entre as doenças autoimunes e o risco de depressão. Em 2013, uma equipe de pesquisadores de diversas instituições dinamarquesas e da Faculdade Johns Hopkins de Saúde Pública, dos Estados Unidos, trabalhando em colaboração, analisaram uma enorme quantidade de pessoas entre 1945 e 1996.[25] Dos 3,56 milhões de indivíduos acompanhados durante esse período, 91 637 foram internados em razão de algum transtorno de humor. Por meio de cálculos bem bolados, os pesquisadores conseguiram estabelecer que uma internação causada por uma doença autoimune aumentava em 45% o risco de ser internado devido a um transtorno de humor. Além disso, qualquer histórico de internação por infecção aumentava em incríveis 62% o risco de um diagnóstico posterior de transtorno de humor. E entre aqueles que sofreram tanto de doença autoimune quanto de infecção, o risco de um transtorno de humor mais que duplicou.

Embora em nossa cabeça a tendência seja de isolar esses assuntos, sem cogitar a existência de uma ligação entre, por exemplo, sofrer de gripe na juventude e ter depressão posteriormente, pesquisas como essa demonstram o elo entre eles: os processos inflamatórios. No caso das infecções, o sistema imunológico atiça as chamas ao tentar combater a infecção. Quando os antibióticos entram na equação, enfraquecem o microbioma e facilitam ainda mais o processo inflamatório. Os medicamentos que tratam as doenças autoimunes, como os esteroides, também mexem com o equilíbrio das bactérias intestinais, assim como alteram o funcionamento do sistema imunológico.

Os autores do estudo, publicado na *JAMA Psychiatry*, revista especializada da Associação Médica Americana, concluíram que as doenças autoimunes e as infecções são fatores de risco para o desenvolvimento de transtornos de humor. O fato é que seu histórico médico — e estou falando de sua vida inteira — pesa no risco de você ter ou não um diagnóstico de problema psiquiátrico, hoje ou no futuro. Um punhado de estudos, por exemplo, indica que um histórico sem amamentação no peito pode estar associado a um risco maior de depressão grave no futuro. Em um desses estudos, com 52 adultos com diagnóstico de depressão grave, comparados a um grupo de controle com 106 pessoas saudáveis que nunca tiveram depressão, os pesquisadores concluíram que 72% das pessoas que declararam nunca ter sofrido de depressão foram amamentadas no peito, contra apenas 46% dos pacientes com depressão.[26]

MUDE SEU INTESTINO, MUDE SEU HUMOR

Embora já há muitos anos pesquisas venham demonstrando o eixo intestino-cérebro e a relação entre o microbioma intestinal e a saúde mental, parece que só recentemente os cientistas começaram a se aprofundar no estudo dessa conexão e de como se podem manipular as bactérias do intestino para melhorar a saúde mental. Em 2011, um estudo da Universidade McMaster, de Ontário, no Canadá, foi um dos primeiros a mostrar de fato que o intestino pode, por si só, comunicar-se com o cérebro e influenciar o comportamento.[27] Em sua investigação, os pesquisadores compararam o comportamento de camundongos de cujos intestinos foram eliminados os micróbios com o comportamento de camundongos normais. Não apenas os camundongos sem bactérias demonstraram mais propensão ao risco, como também apresentaram níveis mais altos do hormônio cortisol e níveis reduzidos da substância química cerebral BDNF. Níveis mais baixos de BDNF há muito tempo têm sido associados à ansiedade e à depressão no ser humano.

Mais pesquisas desse mesmo grupo reforçaram as conclusões. Em outro estudo, este publicado na revista *Gastroenterology*, os pesquisadores demonstraram que, ao trocar as bactérias do intestino de um camundongo por outras, alteravam significativamente seu comportamento.[28] Eles transplantaram micróbios de um grupo de camundongos tímidos para o intestino de camundongos ousados e testemunharam uma mudança de personalidade. Os camundongos tímidos se tornaram extrovertidos; os temerários se tornaram temerosos. Nas palavras da autora principal do estudo, Jane Foster: "É uma boa evidência de que a microbiota abriga esses comportamentos".[29]

Uma equipe de pesquisadores da Universidade da Califórnia em Los Angeles (UCLA) realizou uma experiência modesta e elegante, publicada em 2013 também na *Gastroenterology*, que apresentou algumas das primeiras evidências de que bactérias amigáveis consumidas em alimentos podem afetar as funções cerebrais nos seres humanos.[30] Embora de pequeno porte, o estudo ainda assim gerou comentários na comunidade médica, por mostrar, basicamente, como pequenas alterações nas bactérias do intestino afetam a percepção de mundo de uma pessoa.

Trinta e seis mulheres foram divididas em três grupos. O Grupo 1 consumiu, diariamente, durante quatro semanas, uma mistura de iogurte contendo diversos probióticos; o Grupo 2 ingeriu um laticínio que tinha aparência e gosto de iogurte, mas não continha quaisquer probióticos; e o Grupo 3 não comeu nenhum produto específico. No começo do estudo, cada pesquisado foi submetido a uma ressonância magnética funcional (RMf) do cérebro, procedimento repetido quatro semanas depois. Em vez de inspecionar as estruturas do cérebro, a RMf avalia a atividade cerebral, permitindo aos pesquisadores determinar que áreas estão ativas e de que forma num momento específico. Quando nós, neurologistas, observamos esse tipo de atividade, usamos o nome técnico "excitabilidade" — como o cérebro responde a estímulos ou alterações no meio ambiente. Na quarta semana, foram mostradas aos participantes imagens criadas para produzir uma resposta emocional. Eles viram, mais exatamente, uma série de fotos de pessoas irritadas ou amedrontadas, e pediu-se a eles que as combinassem a outros rostos que apresentavam as mesmas emoções.

O que os cientistas descobriram foi verdadeiramente notável. As mulheres que haviam ingerido o iogurte com probióticos apresentaram um decréscimo na atividade tanto na ínsula quanto no córtex somatossensorial durante a tarefa de reatividade emocional. A ínsula é a parte do cérebro que processa e integra sensações internas do corpo, como aquelas do intestino. As mulheres pesquisadas também tinham menor atividade, ou excitabilidade, na abrangente rede cerebral relacionada às emoções, à cognição e ao processamento sensorial. As mulheres dos outros dois grupos, em compensação, apresentaram atividade estável ou aumentada nessa rede, o que indica que foram emocionalmente impactadas e perturbadas pelas imagens. Além disso, quando os pesquisadores escanearam os cérebros dos participantes sem envolvê-los na tarefa de reatividade emocional, as mulheres que consumiram probióticos apresentaram uma conectividade maior entre uma região-chave do tronco cerebral e áreas do córtex pré-frontal associadas à cognição. Mas as mulheres que não ingeriram nenhum produto mostraram uma conectividade maior às regiões do cérebro associadas às emoções e sensações. O grupo que consumiu os laticínios não probióticos apresentou resultados intermediários.

O dr. Emeran Mayer, professor de medicina, fisiologia e psiquiatria e autor principal do estudo, explicou de forma perfeita as consequências dessas descobertas no comunicado de imprensa da UCLA: "O conhecimento de que sinais são enviados do intestino ao cérebro e de que podem ser modulados por uma mudança na dieta deve levar ao progresso da pesquisa destinada a descobrir novas estratégias de prevenção e tratamento de transtornos digestivos, mentais e neurológicos".[31] O dr. Mayer prosseguiu, detalhando o cerne de suas conclusões:

Estudos mostram que aquilo que comemos pode alterar a composição e os produtos da flora intestinal — e especificamente que, nas pessoas com dietas ricas em fibras e vegetais, a composição da microbiota, ou ambiente intestinal, é diferente daquela nas pessoas que ingerem uma dieta mais tipicamente ocidental, rica em gorduras e carboidratos [...] Hoje sabemos que isso tem um efeito não apenas no metabolismo, mas também afeta as funções cerebrais.

Recentemente, durante um simpósio, conversei com o dr. Mayer a respeito de sua pesquisa e elogiei suas conclusões. Muito humildemente, ele respondeu que sim, os resultados eram empolgantes, mas que há necessidade de mais estudos.

O fato de que alterações em nosso intestino afetam a resposta do cérebro a imagens que emocionam ou provocam reações negativas é simplesmente estonteante. Mas também é empoderador. Significa que aquilo que levamos à boca e a maneira de alimentar nossas bactérias intestinais afetam, de fato, a funcionalidade de nosso cérebro.

UMA VIA DE MÃO DUPLA

Enquanto investigamos a relação entre o intestino e o cérebro, um conceito relativamente novo em medicina, não podemos esquecer que o cérebro também pode erguer sua própria espada contra o intestino.[32] Isso pode gerar um círculo vicioso, no qual o estresse psicológico e a ansiedade podem acabar aumentando a permeabilidade do intestino e alterar a configuração das bactérias intestinais, levando a uma permeabilidade crescente do intestino e a mais processos inflamatórios. Recentemente, uma série de estudos tem examinado o eixo HPA (eixo hipotalâmico-pituitário-adrenal). Em linhas gerais, o eixo HPA estimula as glândulas adrenais em momentos de estresse, criando o cortisol, uma substância química. O cortisol é o principal hormônio de reação ao estresse. É fabricado pelas glândulas adrenais, que ficam em cima dos rins (daí também serem chamadas de "suprarrenais"), e nos ajuda em momentos de correr ou lutar — a reação fisiológica instintiva a uma situação de ameaça, que nos prepara para ou fugir ou combater essa ameaça. Mas tudo que é demais é ruim: níveis altos de cortisol estão relacionados a uma série de problemas, entre eles depressão e Alzheimer.

O cortisol alto também tem efeitos danosos sobre o intestino. Em primeiro lugar, por alterar a mistura de bactérias intestinais. Em segundo lugar, por aumentar a permeabilidade da parede intestinal, desencadeando a liberação de substâncias químicas a partir das células; diversos estudos mostraram que essas substâncias químicas, entre elas o TNF-α, atacam diretamente o revestimento do intestino.[33] E em terceiro lugar, o cortisol aumenta a produção de substâncias químicas inflamatórias vindas das células imunológicas. Essas citocinas estimulam processos inflamatórios no intestino, o que leva a ainda mais permeabilidade, e também estimulam direta e negativamente o cérebro, deixando-o mais sujeito a transtornos de humor.

Embora as evidências empíricas, por si só, bastem para que você saiba que o estresse pode levá-lo a sentir dores no estômago e até estar associado a doenças intestinais, hoje dispomos de evidências científicas que explicam como isso acontece. As pesquisas mais recentes indicam que o estresse crônico pode ser mais prejudicial que o estresse agudo no que diz respeito à permeabilidade do intestino e aos processos inflamatórios. Também nos apontam que as bactérias intestinais controlam, em grande parte, a reação do corpo ao estresse. Em um estudo particularmente revelador, publicado em 2004 na revista *Journal of Phisiology*, pesquisadores japoneses documentaram os efeitos do estresse em camundongos sem microbioma ("camundongos livres de germes").[34] No caso, os camundongos tiveram uma reação exagerada ao estresse. Reagiram com um excesso de HPA, o que representou a liberação ainda mais danosa de cortisol. A boa notícia é que foi possível reverter esse quadro simplesmente ministrando o probiótico *Bifidobacterium infantis*. Fico maravilhado com a ideia de que os bichinhos do meu intestino, mais até do que meu cérebro, podem controlar minha reação ao estresse.

AS BACTÉRIAS DO INTESTINO E UMA BOA NOITE DE SONO

O cortisol, hormônio do estresse, está singularmente conectado a nosso ritmo circadiano — o vaivém de hormônios ao longo das 24 horas do dia, que tem um impacto em nossa biologia e no nosso estado de alerta ou de cansaço. A insônia é um sintoma comum em transtornos relacionados ao humor, e agora se sabe que ela está relacionada ao microbioma. Novos estudos mostram que muitas citocinas, como certas interleucinas e o TNF-α, são importantes na indução do sono, sobretudo o sono profundo, não REM, o tipo mais restaurador. E são as bactérias do intestino que estimulam a produção dessas substâncias químicas, conforme os níveis de cortisol.[35]

Supostamente, os níveis de cortisol são mais reduzidos à noite e começam a aumentar de novo nas primeiras horas da manhã. Os ciclos circadianos das citocinas são ditados, essencialmente, pelas bactérias do intestino. Quando os níveis de cortisol aumentam de manhã, as bactérias do intestino inibem a produção de citocinas, e essa mudança define a transição entre o sono não REM e o REM. Portanto, um desequilíbrio nas bactérias do intestino pode ter efeitos significativamente negativos sobre o sono e os ritmos circadianos. Equilibre seu intestino e vença a insônia.

BICHINHOS NERVOSOS

Sabendo de tudo isso, vamos agora voltar rapidamente nossa atenção para a ansiedade, prima da depressão. As duas costumam andar de mãos dadas — quem tem ansiedade crônica pode ter também um diagnóstico de depressão e receber a recomendação de tomar antidepressivos juntamente com os medicamentos contra a ansiedade. É comum sofrer ao mesmo tempo tanto de ansiedade quanto de depressão, e às vezes é a ansiedade persistente que leva aos sintomas de depressão, em razão do impacto que a primeira tem sobre a vida da pessoa. A principal diferença entre os dois transtornos, porém, é que a ansiedade se caracteriza por medo e apreensão, nervosismo e preocupação exagerada com o futuro. A depressão, por sua vez, não implica esse tipo de medo; em vez disso, gira em torno de uma sensação de desesperança. Por isso, em vez de achar que "o céu vai cair", quem tem depressão sente que o céu já caiu, que a vida é ruim e que nada pode dar certo.

Porém, a ansiedade e a depressão costumam aparecer na mesma conversa porque estão psicologicamente relacionadas (isto é, ambas envolvem uma grande quantidade de negatividade no pensamento) e têm sintomas físicos em comum (por exemplo, dores de cabeça, dores no corpo, náusea, problemas gastrointestinais). Do mesmo modo como a depressão tem um espectro amplo, existem diversos tipos de transtorno de ansiedade, mas no que diz respeito ao estado das bactérias do intestino as duas condições têm muito em comum. Assim como ocorre com a depressão, a ansiedade está fortemente relacionada a um desequilíbrio da microbiota do intestino. Diversos estudos encontraram a mesma característica nas pessoas com transtornos de ansiedade e com depressão: níveis mais elevados de inflamação no intestino, níveis mais elevados de inflamação sistêmica, níveis mais reduzidos do hormônio de crescimento cerebral BDNF (principalmente no hipocampo), níveis mais elevados de cortisol e uma reação exagerada ao estresse e um aumento da permeabilidade do intestino.[36, 37, 38, 39] Reconheceu essas características?

É natural que ocasionalmente se sinta ansiedade e até depressão, mas quando esses sentimentos são permanentes e causam tanto incômodo que interferem na qualidade de vida, eles se tornam uma questão de doença mental. Os transtornos de ansiedade afetam cerca de 40 milhões de adultos todos os anos nos Estados Unidos. Eles incluem transtorno do pânico, transtorno obsessivo-compulsivo, fobia social e transtorno de ansiedade generalizada.[40] E, embora as pesquisas ainda sejam incipientes, está ficando claro que os transtornos de ansiedade, assim como a depressão, são provocados por uma combinação de fatores que com toda a certeza incluem o estado e o funcionamento do intestino e de seus habitantes.

Embora a gota d'água que faz transbordar um transtorno de ansiedade possa ser uma falha nas partes do cérebro que controlam o medo e outras emoções, não podemos negar o fato de que tais transmissões neurais dependem, em parte, da saúde do microbioma. Quando o equilíbrio das bactérias do intestino não vai bem, outros caminhos biológicos — sejam eles hormonais, autoimunes ou neuronais — tampouco vão bem. E os centros de processamento do cérebro, tais como aqueles que controlam as emoções, podem ser fortemente afetados. Em minha própria vivência, descobri que os pacientes só relatam ansiedade ou depressão quando começam a ter problemas com o intestino. Coincidência? Creio que não. Felizmente, começaram enfim a surgir estudos que mostram essa relação.

Em um estudo de 2001 publicado na revista *Proceedings of the National Academy of Sciences*, camundongos alimentados com probióticos tiveram níveis significativamente mais reduzidos do hormônio do estresse corticosterona comparados a camundongos alimentados com canja. Os camundongos alimentados com bactérias também tiveram seu comportamento muito menos associado ao estresse, à ansiedade e à depressão que os outros.[41] Também é interessante que tanto os estudos com os animais quanto aqueles com seres humanos tenham mostrado que certos probióticos, aqueles que eu descrevo no capítulo 10, são capazes de aliviar a ansiedade ao reequilibrar o microbioma.[42] Num estudo recente, por exemplo, neurobiologistas da Universidade de Oxford descobriram que ministrar prebióticos — "alimento" para as bactérias do bem — resultou em efeitos psicológicos positivos.[43] Um total de 45 adultos saudáveis, com idades entre 18 e 45 anos, tomou diariamente, durante três semanas, ou um prebiótico ou um placebo. Em seguida, os pesquisadores fizeram testes para medir o processamento de informações emocionais da parte dos participantes. A teoria subjacente era: se você já está ansioso, vai reagir mais à negatividade, como em imagens ou palavras dotadas de carga emocional.

De fato, os pesquisadores de Oxford constataram que, em comparação com o grupo placebo, os indivíduos que tomaram os prebióticos prestavam mais atenção a informações positivas e menos atenção às negativas. Esse efeito, que foi observado entre aqueles que tomam medicamentos antidepressivos ou contra a ansiedade, leva a crer que o grupo prebiótico tinha menos ansiedade ao ser confrontado com os estímulos negativos. Curiosamente, os pesquisadores também descobriram que as pessoas que tomaram prebióticos tinham níveis inferiores de cortisol, medido pela saliva no período da manhã, hora em que o cortisol está supostamente em seu nível mais alto. Esse estudo não diferia muito daquele da UCLA em que se usou um produto lácteo fermentado, mas é importante por se somar ao grande número de estudos com humanos que mostram uma relação entre as bactérias do intestino e a saúde mental, principalmente no que diz respeito à ansiedade.

Neste ponto, tenho que acrescentar mais uma pepita de informações realmente importantes para definir o que está acontecendo no organismo de uma pessoa que sofre de ansiedade (e provavelmente também de depressão). Como você deve lembrar, a serotonina é um importante neurotransmissor, constantemente relacionado a sensações de bem-estar. Ela é sintetizada a partir do aminoácido triptofano. Mas quando o triptofano é quebrado dentro do corpo por certas enzimas, torna-se incapaz de produzir serotonina. Um dos subprodutos da quebra do triptofano é a quinurenina. Portanto, níveis elevados de quinurenina são um bom indicador de baixos níveis de triptofano.

Níveis elevados de quinurenina são rotineiramente constatados não apenas em pacientes com depressão e ansiedade, mas também naqueles com Alzheimer, doenças cardiovasculares e até em pessoas com tiques nervosos. Minha esperança é que no futuro passemos a tratar esses males com probióticos, porque, por exemplo, já se sabe que o probiótico que mencionei um pouco antes, o *Bifidobacterium infantis* — o mesmo que estudos mostraram acalmar a resposta do estresse —, está associado a níveis mais reduzidos de quinurenina.[44] Isso significa que há mais triptofano disponível para o uso na produção de serotonina, que é a chave para atacar não apenas a depressão, mas também a ansiedade.

Tomemos o caso de Martina, uma mulher de 56 anos que veio a meu consultório por causa de ansiedade e depressão. Seu caso ajuda a ilustrar a conexão entre a saúde mental e o microbioma.

Martina estava cansada de tomar, por dez anos, remédios que não faziam efeito, mas tinha medo de parar. Naquela época, ela tomava um antidepressivo e um anti-inflamatório não esteroide para dores crônicas nos braços e nas pernas, diagnosticadas anteriormente como fibromialgia. Ao repassar seu histórico, percebi que ela começou a ter problemas de depressão com vinte e poucos anos, mas que só começou a tomar medicamentos por volta dos 45. Ela nasceu de parto normal, mas não foi amamentada no peito. Na infância, foi tratada diversas vezes com antibióticos, por causa de infecções na garganta que culminaram com a retirada das amígdalas. Na adolescência, tomou o antibiótico tetraciclina durante um ano e meio para tratar acne. As cólicas eram um problema constante: Martina dizia sofrer de prisão de ventre ou diarreia crônicas "desde que me entendo por gente".

Minha primeira atitude foi pedir alguns exames de laboratório. Foi neles que descobri que ela tinha uma importante sensibilidade ao glúten. Seu nível de vitamina D estava baixo, e o de LPS, o importante marcador de inflamações e permeabilidade do intestino, altíssimo.

Expliquei a ela que nossa principal tarefa, para avançar, era recuperar a saúde de seu intestino. Recomendei uma dieta sem glúten e um programa agressivo de alimentação probiótica por via oral, assim como alimentos prebióticos e suplementos de vitamina D. Fiz uma série de outras sugestões relacionadas ao estilo de vida, inclusive exercícios aeróbicos regulares e mais horas de sono.

Martina teve nova consulta comigo um mês e meio depois, e, antes mesmo de iniciarmos nossa conversa, sua transformação era evidente. Ela estava radiante. Em nossa clínica, tiramos retrato de todos os pacientes na primeira consulta. Tirei uma nova foto de Martina e colocamos as duas lado a lado. Era uma comparação notável (veja você mesmo em www.DrPerlmutter.com).

Embora eu não tivesse feito essa recomendação, ela parou de tomar antidepressivos um mês antes da nova consulta e acabou por cortar todos os medicamentos. "Sinto como se a névoa tivesse finalmente se dissipado", ela contou. E a ansiedade crônica tinha desaparecido. Ela estava dormindo bem, gostando de fazer exercícios, e, pela primeira vez em décadas, seu intestino estava funcionando bem. Perguntei sobre as dores da fibromialgia e ela disse que não as mencionara simplesmente porque se esquecera delas completamente.

JOVEM, DISTRAÍDA E SOB EFEITO DE DROGAS

Talvez não haja melhor maneira de compreender a relação entre um intestino instável e uma mente instável do que pensar em um grupo específico de pessoas: crianças com TDAH. Embora seja comum o diagnóstico de TDAH em adultos, são as crianças que, em minha opinião, correm mais perigo, porque seus cérebros ainda estão, em grande parte, em formação. Embora se costume falar de TDAH e depressão separadamente, ambos têm muito em comum. Afinal de contas, alguns dos sintomas são os mesmos, e ambos possuem o mesmo mecanismo subjacente: processos inflamatórios descontrolados.[45] Além disso, ambos são tratados com medicamentos poderosos, que alteram a mente, e não por meio de dieta. Na verdade, em alguns casos, trata-se o TDAH com antidepressivos.

Hoje, mais de 11% das crianças com idade entre quatro e dezessete anos têm um diagnóstico de TDAH, e impressionantes dois terços dessas crianças tomam medicamentos. No site dos Centros de Controle e Prevenção de Doenças dos Estados Unidos, a página inicial do TDAH inclui fatos a respeito dos sintomas e do diagnóstico, e em seguida passa direto para as opções de tratamento, nenhuma das quais inclui um protocolo alimentar. Não há uma menção sequer à prevenção.

Em termos genéticos, as crianças americanas não diferem significativamente das crianças de outros países onde é raro encontrar o TDAH (como já vimos, os Estados Unidos são de longe os principais consumidores da vasta maioria dos remédios para TDAH usados no mundo, e isso não é nenhuma razão de orgulho). Ninguém faz a pergunta óbvia, de 1 bilhão de dólares: por que nas culturas ocidentais as crianças sofrem de déficit de atenção, dificuldades de aprendizagem e problemas de controle da impulsividade? É óbvio que algum problema ambiental está ocorrendo. Algo mudou, algo que podia ser modificado. Dados novos e alarmantes mostram que mais de 10 mil bebês americanos (entre dois e três anos de idade) estão recebendo medicamentos para TDAH.[46] Tratar crianças dessa idade com produtos farmacêuticos está totalmente à margem das recomendações pediátricas estabelecidas. Não há praticamente nenhum conjunto de dados que explique o que esses remédios poderosos fazem com um cérebro em desenvolvimento. Ainda mais perturbador é o fato de que as crianças beneficiárias do Medicaid [o programa de assistência à saúde do governo americano] têm uma probabilidade maior de estar sob tratamento com drogas estimulantes como Ritalina e Adderall do que as crianças em famílias das classes média e alta.[47] Isto é, crianças de renda mais baixa têm uma tendência bem maior a serem tratadas com remédios.

Embora receios em relação ao uso desses medicamentos tenham popularizado abordagens conhecidas como "não estimulantes" no tratamento do TDAH, drogas alternativas têm se mostrado não menos problemáticas. Medicamentos como a atomoxetina (Strattera) têm seu pacote particular de efeitos colaterais (tontura, indisposição, perda de apetite, náusea, vômitos, cólica estomacal, dificuldade para dormir, boca seca e assim por diante). E, além dos efeitos colaterais, os estudos mostram que é um medicamento que na prática estimula a expressão de 114 genes, enquanto silencia onze outros.[48] Mesmo assim, os médicos continuam a receitá-lo. Cito aqui uma equipe de pesquisadores cujo estudo ressaltou essas alterações genéticas: "Pouco se sabe a respeito da base molecular de seu efeito terapêutico".[49]

Passo grande parte das minhas horas de clínica no tratamento de crianças com TDAH. Parte do meu exame clínico inclui me informar sobre o histórico médico do paciente. Como era de prever, os pais de crianças com TDAH frequentemente me dizem que os filhos tiveram otites constantes, para as quais foram receitados antibióticos. Algumas dessas crianças passaram por cirurgia para retirada das amígdalas, e muitas foram amamentadas por pouco tempo ou tempo nenhum. Muitas nasceram de cesarianas.

No ano 2000, o *American Journal of Clinical Nutrition* publicou um estudo da dra. Laura J. Stevens, da Universidade Purdue, revelando que crianças amamentadas no peito tinham uma probabilidade muito menor de um diagnóstico de TDAH. Ela também constatou uma relação entre o tempo de amamentação no peito e o risco de desenvolver TDAH.[50] Ainda mais reveladora foi a conclusão de que um grande número de otites, com exposição a antibióticos, está altamente associado a um risco maior de TDAH. Em outro estudo relevante, para o qual chamei atenção no capítulo 1, crianças nascidas de cesarianas tinham um risco três vezes maior de desenvolver TDAH. Em outras palavras, o TDAH não aparece por acaso.[51]

Todas essas correlações apontam para alterações nas bactérias intestinais. Como você sabe, o método de parto e a amamentação são cruciais para estabelecer o equilíbrio correto dos organismos no intestino. Este, por sua vez, cria um ambiente estável para a reação apropriada do corpo aos desafios imunológicos. Os antibióticos alteram a configuração das bactérias do intestino, comprometendo a parede intestinal e alterando a resposta do cérebro àquilo que ocorre no intestino. Isso pode resultar na alteração dos níveis de importantes neurotransmissores, aumentando a produção de substâncias químicas inflamatórias, que irritam o cérebro e podem comprometer as funções cerebrais. A produção de vitaminas essenciais, importantes para essas funções do cérebro, também é perturbada. O impacto acumulado de todas essas ocorrências são os processos inflamatórios, que são prejudiciais ao cérebro tanto no curto quanto no longo prazo. No caso do TDAH, indivíduos com predisposição genética ao transtorno e que sofrem de processos inflamatórios crônicos correm um alto risco de desenvolver essa condição. Não me surpreende que o aumento no número de casos de TDAH acompanhe o aumento da obesidade infantil, outra condição inflamatória relacionada às bactérias intestinais, que vamos examinar no capítulo 4.

Também não me espanta a frequência com que os pacientes de TDAH reclamam de problemas digestivos. A prisão de ventre crônica ocorre em quase 100% dos casos, mesmo entre aqueles que não tomam estimulantes, que também causam prisão de ventre. Mas não sou o único a fazer essa constatação. Em um artigo recente publicado na revista *Pediatrics*, pesquisadores avaliaram um grupo de 742 939 crianças, das quais 32 773 (4,4%) tinham TDAH.[52] A prevalência da prisão de ventre foi quase três vezes maior nas crianças com o transtorno. A incontinência fecal (perda do controle do intestino) foi 67% maior no grupo com TDAH. E não houve diferença nos índices entre as crianças que estavam sendo medicadas para o TDAH e as que não estavam.

Esse tipo de estatística de grande escala deixa claro que há algo ocorrendo no sistema digestivo dessas crianças e que isso tem relação direta com as funções cerebrais. Além disso, pesquisadores alemães revelaram recentemente uma alta prevalência de sensibilidade ao glúten em crianças com TDAH. Eles submeteram os indivíduos sensíveis ao glúten a uma dieta sem glúten e observaram que, "depois do início da dieta sem glúten, os pacientes, ou seus pais, declararam ter havido uma melhora significativa no comportamento e na funcionalidade em comparação com o período anterior".[53] Os autores, mais adiante, recomendaram exames para sensibilidade ao glúten, como parte do processo de diagnóstico do TDAH. Também afirmaram que o TDAH não pode ser visto como um transtorno à parte, e sim como um *sintoma* de diversos outros problemas. Concordo em gênero, número e grau. O TDAH é, simplesmente, a manifestação de um processo inflamatório fora de controle, desencadeado por coisas como o glúten e os efeitos colaterais de um microbioma adoentado.

Na verdade, já se atribui o TDAH a fatores alimentares, isoladamente. Afora os efeitos já conhecidos da dieta sobre o microbioma, os pesquisadores mostraram que diversos problemas comportamentais infantis podem ser tratados de forma eficaz com mudanças alimentares. Em um estudo publicado em 2011 na revista *Lancet*, pesquisadores constataram uma assombrosa melhora nos sintomas do TDAH através de uma dieta restritiva.[54] Embora não tenha sido a primeira ocasião em que a dieta foi responsabilizada pelo surgimento (e pela continuidade) do TDAH, foi a primeira em que o foco recaiu sobre o impacto da dieta em um transtorno cerebral como o TDAH. Os pesquisadores chegaram a especular que mais da metade das crianças com diagnóstico de TDAH pode estar, na verdade, vivenciando uma hiper-sensibilidade alimentar — alimentos como derivados de leite, trigo e produtos processados com ingredientes artificiais e corantes. Embora esse estudo tenha sofrido críticas e de fato haja a necessidade de novas pesquisas, ele abriu o debate sobre o peso da influência alimentar sobre o TDAH. Uma vez mais, esse estudo reitera a possibilidade de que um transtorno comportamental como o TDAH se origine em fatores externos (isto é, a dieta) e possa ser tratado por meio de alterações no ambiente pessoal. Isso inclui alterações no microbioma, pois mudanças alimentares resultam em mudanças na composição das bactérias intestinais, que, por sua vez, impactam o comportamento.

Peço licença para compartilhar mais uma peça do quebra-cabeça que liga tudo ao intestino. Essa peça diz respeito ao GABA, o importante neurotransmissor a que já fiz referência. No cérebro das crianças com TDAH há uma grande deficiência dessa substância química. Um estudo bem bolado realizado pelo dr. Richard Edden, professor-assistente de radiologia na Faculdade de Medicina da Universidade Johns Hopkins, usou uma tecnologia sofisticada, chamada espectroscopia de ressonância magnética. Ela abre, em sentido figurado, uma janela no cérebro, que permite aos cientistas medir a presença de diversas substâncias químicas em pessoas vivas.[55] Os pesquisadores empregaram essa tecnologia num grupo de crianças com idades entre oito e doze anos e observaram uma diferença significativa na concentração de GABA nos dois grupos. O grupo com TDAH tinha níveis muito mais baixos de GABA na comparação com o grupo de controle. A conclusão foi que o TDAH pode ser resultado de uma carência de GABA.

O que provoca essa falta de GABA, e como podemos aumentá-lo no cérebro dessas crianças? O GABA é fabricado no corpo a partir do aminoácido glutamina. Mas a conversão de glutamina em GABA exige a presença dos chamados "cofatores", substâncias químicas necessárias para que ocorra uma determinada reação química. A conversão exige, especificamente, tanto zinco quanto vitamina B6 — dois ingredientes que são obtidos nos alimentos. O GABA pode, então, ser fabricado por variedades específicas das bactérias do intestino, pelo uso desses cofatores. Agora, os cientistas estão tentando descobrir quais cepas estão relacionadas à produção de GABA. Em artigo no *Journal of Applied Microbiology*, pesquisadores revelam já ter descoberto que tipos específicos de *Lactobacillus* e *Bifidobacterium* produzem GABA em abundância.[56] Além disso, estudos que empregaram essas bactérias na forma probiótica já apresentaram resultados promissores na redução da ansiedade.[57, 58]

Diversos estudos estão sendo realizados atualmente a respeito do GABA e de sua relação com componentes específicos da impulsividade semelhante à do TDAH.[59] Os pesquisadores também estão explorando o GABA e sua relação potencial com outro transtorno cerebral: a síndrome de Tourette.[60] Acredita-se cada vez mais que a razão do impacto da deficiência de GABA no cérebro seria o fato de ele ser um neurotransmissor inibidor — reduz a carga elétrica dos neurônios, tornando-os assim menos suscetíveis de estimular os neurônios vizinhos. Deficiências na atividade do GABA fariam com que certas áreas do cérebro fossem sobrecarregadas, e isso certamente se encaixa com aquilo que se observa nas crianças com atividade motora exagerada, característica da síndrome de Tourette, assim como da perda de controle dos impulsos (veremos mais a respeito da síndrome de Tourette no capítulo 9).

Como já afirmei, precisamos fugir da ideia de que podemos resolver os problemas relacionados ao cérebro com intervenções farmacêuticas que atacam os sintomas, mas ignoram a causa profunda — principalmente quando se trata de crianças. Imagine se pudéssemos tratar crianças com TDAH por meio de uma dieta saudável, probióticos e outros suplementos nutricionais, em vez de Ritalina. Um estudo promissor sobre esse assunto foi publicado já em 2003 — cinco anos antes do início do Projeto do Microbioma Humano. Os pesquisadores avaliaram vinte crianças com TDAH.[61] Metade delas tomou Ritalina, enquanto a outra metade tomou probióticos como o *Lactobacillus acidophilus* e suplementos alimentares, inclusive ácidos graxos essenciais.

Para espanto dos pesquisadores, os probióticos e os suplementos geraram os mesmos resultados da Ritalina. Os autores observaram que "lipídios essenciais", reparando as células que revestem o intestino, assim como a "reintrodução de flora amigável e a administração de probióticos", podem muito bem explicar o resultado positivo nessas crianças. Essa informação, publicada mais de uma década atrás, sugere uma alternativa ao uso de medicamentos potencialmente perigosos. Embora o estudo fosse de pequena escala e mais pesquisas nesse campo sejam necessárias, tenho a expectativa de que surjam muitos outros estudos que se juntem às evidências de uma forte correlação entre o TDAH e o equilíbrio das bactérias de um intestino saudável.[62] Já temos 35 anos de pesquisas explorando o elo entre uma sensibilidade alimentar e os sintomas de TDAH.[63] Agora, temos apenas que documentar o papel das bactérias do intestino no quadro geral.

Anteriormente, mencionei como o aumento dos casos de TDAH espelhou a espiral ascendente da obesidade infantil. Nas duas últimas décadas, assistimos à explosão no número de casos de ambas as condições, que atingiram níveis sem precedentes. E, como mostrei, isso muito provavelmente tem relação com o microbioma. Agora que você teve uma ideia geral de como as bactérias do intestino desempenham um papel nos transtornos de humor e de ansiedade, é hora de nos voltarmos para outro elefante na sala. O responsável pela epidemia de obesidade, inclusive a que atinge nossos filhos, é o microbioma ou nosso gosto por doces e refrigerantes? É disso que vamos tratar agora.

4. Como sua flora intestinal ataca seu peso e sua cabeça
A *relação surpreendente entre suas bactérias e o apetite, a obesidade e o cérebro*

Você sabe do estrago provocado pela epidemia de obesidade porque volta e meia o assunto está nas manchetes. Hoje, os números são tão impressionantes que não dão vontade de olhar. Em termos globais, o número de pessoas obesas ou com sobrepeso aumentou de 857 milhões, em 1982, para 2,1 bilhões, em 2013, um crescimento de mais de 145%.[1] Outra forma de se dar conta da enormidade do problema é constatar que em 1990, na maioria dos estados americanos, menos de 15% da população era obesa. Em 2010, 36 dos cinquenta estados tinham índices de obesidade acima de 25%, e doze tinham índices de obesidade acima de 30%. Hoje, nos Estados Unidos como um todo, cerca de dois em cada três adultos têm sobrepeso ou obesidade.[2] Pelos padrões atuais, quem tem índice de massa corporal (IMC, a medida do peso em relação à altura) entre 25 e 29,9 é considerado com "sobrepeso"; "obeso" é aquele que tem um IMC igual ou superior a 30.

A obesidade é um pouco mais comum nas mulheres que nos homens, e 26% das crianças americanas são, hoje, classificadas como obesas. O tratamento da obesidade tem um custo anual de 147 bilhões de dólares nos Estados Unidos. Mundialmente, a cada ano morrem 3,4 milhões de pessoas de causas relacionadas ao sobrepeso ou à obesidade.[3] E as consequências para a saúde vão muito além do fardo psicológico de lidar com essa condição. Além do custo emocional para o indivíduo, que sente o preconceito e a discriminação e encara diariamente o estigma da obesidade, ser obeso ou ter sobrepeso está associado a doenças cardiovasculares, câncer, diabetes, osteoartrites, problemas renais crônicos e doenças neurodegenerativas, entre elas o Alzheimer. Infelizmente, os efeitos da obesidade no cérebro não costumam entrar nesse debate. Mas deveriam. Hoje em dia existem evidências científicas inegáveis e irrefutáveis de que o sobrepeso e a obesidade aumentam significativamente as chances de declínio cognitivo, perda de tecido cerebral e uma série de problemas cerebrais, da depressão à demência. Até mesmo o bebê *in utero* pode ter o cérebro reprogramado pela obesidade: um estudo publicado no início de 2014 na revista *Cell* mostrou que a obesidade durante a gravidez pode fazer com que o feto desenvolva circuitos neuronais anormais no que diz respeito ao controle do apetite, o que, por sua vez, aumenta o risco de que durante a vida essa criança venha a ter excesso de peso e diabetes.[4] Para piorar as coisas, pesquisadores da Universidade do Oregon publicaram no final de 2014 um artigo mostrando que a obesidade durante a gravidez prejudica as células-tronco do feto, responsáveis por criar e manter ao longo da vida as funções sanguíneas e imunológicas.[5]

Durante décadas, os cientistas tentaram encontrar uma solução que pusesse fim à obesidade. As empresas farmacêuticas gastaram bilhões tentando descobrir uma pílula milagrosa que levasse a uma perda de peso rápida e segura, sem efeitos colaterais. E milhões de pessoas esvaziaram os bolsos comprando "curas" promissoras — de livros e similares a suplementos e bugigangas mágicas — para seus problemas de cintura. Não apareceu nada revolucionário nesse setor até hoje. Mas acredito que possa ter aparecido algo. E você é capaz de adivinhar o quê: consertar o microbioma. Na verdade, todas as descobertas científicas recentes apontam para o poder do microbioma no controle do apetite, da saúde metabólica e do peso. O êxito na busca do peso ideal depende de possuir ou não micróbios "gordos".

GORDOS VERSUS MAGROS

Antes de entrar nos detalhes da obesidade no contexto do microbioma, vamos reexaminar a diferença entre as crianças ocidentais e as crianças da África subsaariana rural. Lembre-se de que ter obesidade ou sobrepeso é algo praticamente desconhecido nessa população africana em comparação com os povos do Ocidente. Claro, parte dessa discrepância se deve ao acesso à alimentação em geral, mas parte do debate atual gira em torno da composição da flora bacteriana nessas populações. Em um estudo de Harvard muito citado, publicado em 2010, pesquisadores analisaram o efeito da dieta sobre o microbioma, avaliando a flora intestinal nas crianças da África rural.[6] São crianças que ingerem uma dieta rica em fibras, "similar àquela encontrada nos primeiros assentamentos humanos, na época do surgimento da agricultura". Por meio de testes genéticos, os cientistas identificaram os tipos de bactérias presentes na matéria fecal das crianças. Além disso, analisaram a quantidade total de ácidos graxos de cadeia curta, que são fabricados pelas bactérias do intestino ao digerir fibras vegetais (polissacarídeos).

Como já discutimos neste livro, os dois maiores grupos de bactérias são as Firmicutes e as Bacteroidetes: somados, esses dois grupos representam mais de 90% da população intestinal. A relação entre esses dois grupos determina os níveis de inflamação e tem uma relação direta com condições como obesidade, diabetes, doenças arteriais coronarianas e processos inflamatórios em geral. Embora não haja uma relação matemática perfeita que seja sinônimo de saúde, sabemos que uma proporção maior de Firmicutes em relação a Bacteroidetes (isto é, mais Firmicutes que Bacteroidetes no intestino) tem uma forte correlação com mais processos inflamatórios e mais obesidade.

Por quê? Como comentei antes, as bactérias Firmicutes são particularmente hábeis na extração de calorias a partir dos alimentos, o que aumenta a absorção calórica. Quando seu corpo é capaz de absorver mais calorias a partir dos alimentos à medida que eles progridem no trato gastrointestinal, aumenta a probabilidade de ganho de peso. As Bacteroidetes, por sua vez, são especializadas em quebrar pesados amidos e fibras vegetais, transformando-os em moléculas menores de ácidos graxos, que o corpo usa como fonte de energia. A proporção F/B, atualmente, é vista como um "biomarcador de obesidade".[7]

O estudo de Harvard mostrou que os intestinos ocidentais são dominados pelas Firmicutes, enquanto os africanos abrigam mais Bacteroidetes. Dê uma olhada:

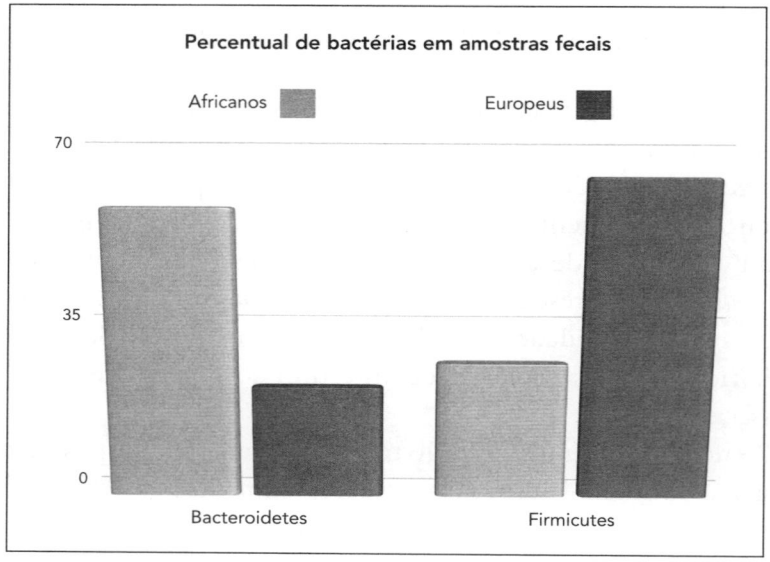

Possuir um intestino dominado por Firmicutes tem suas consequências. Diversos estudos mostraram que as Firmicutes também ajudam a regular os genes do metabolismo humano. Isso significa que essas bactérias, tão abundantes em seres humanos acima do peso, estão na verdade controlando os genes que têm um impacto negativo sobre o metabolismo. Estão, basicamente, sequestrando nosso DNA e criando uma situação em que nosso corpo acha que precisa reter calorias.

Como afirmaram os autores de um estudo de 2011:

Não apenas os micro-organismos aumentam a coleta de energia no intestino como também afetam a regulagem do armazenamento dessa energia e o funcionamento do sistema imunológico. Este último ponto é importante, porque desequilíbrios na composição da comunidade microbiana intestinal podem levar a doenças inflamatórias, e estas podem ser relacionadas à obesidade.[8]

Além disso, no começo de 2015, o *American Journal of Clinical Nutrition* publicou um estudo adicional, mostrando que níveis mais elevados de Firmicutes alteram nossa expressão genética. O estudo observa que isso prepara o caminho para a obesidade, o diabetes, doenças cardiovasculares e processos inflamatórios. Mas, como o mesmo estudo revelou, você tem o poder de mudar isso. Um simples aumento de fibras na alimentação pode melhorar essa proporção.[9]

Quando os pesquisadores analisaram os ácidos graxos de cadeia curta nos dois grupos — europeus e africanos —, mais uma vez encontraram uma diferença marcante:[10]

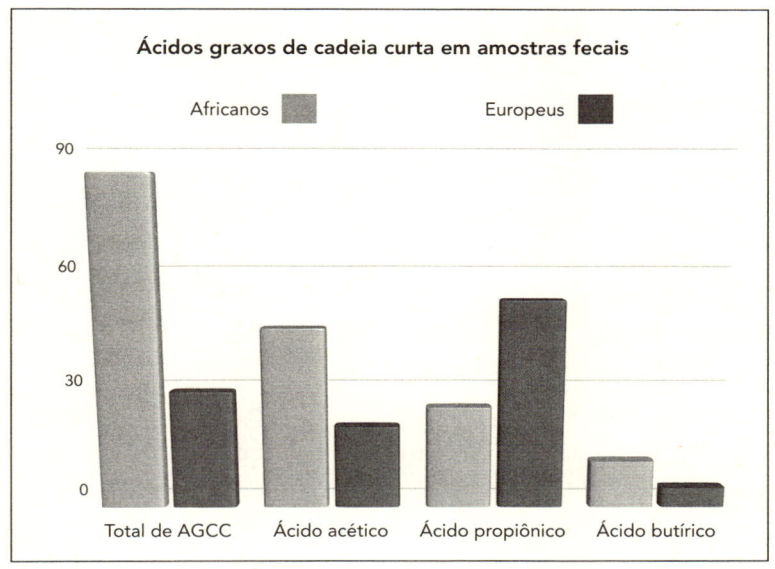

No capítulo 5 veremos o significado dessas proporções diferentes. Por enquanto, basta saber que é melhor ter mais ácidos acético e butírico e menos ácido propiônico. Níveis elevados de ácido propiônico indicam que o intestino está dominado por bactérias menos amigáveis. Portanto, o perfil africano reflete, de fato, um microbioma muito mais sadio que o europeu. E essas diferenças têm tudo a ver com a dieta. A dieta africana é rica em fibras e pobre em açúcares. A dieta europeia é o contrário. Será que isso ajuda a explicar por que a obesidade, e até mesmo doenças como a asma, inexistem na África rural?

Quando dou palestras sobre o tema da obesidade e da flora intestinal, gosto de compartilhar um estudo revolucionário de gêmeos, publicado em 2013 na revista *Science*, que foi um dos primeiros a revelar a conexão entre os tipos de micróbios encontrados no intestino e a trajetória da obesidade.[11] Quando cientistas da Universidade de Washington transplantaram bactérias do intestino de um gêmeo humano obeso para os tratos gastrointestinais de camundongos magros, os roedores engordaram. E quando bactérias do gêmeo humano magro foram enxertadas em camundongos magros, os roedores continuaram magros, pelo menos enquanto mantiveram uma dieta saudável. Pesquisas anteriores já haviam constatado notáveis diferenças na variedade de bactérias nos seres humanos obesos em comparação àqueles de peso normal. Em um estudo publicado em 2006 na revista *Nature*, o mesmo grupo de pesquisadores da Universidade de Washington constatou que indivíduos obesos têm, em média, 20% a mais de Firmicutes em comparação com indivíduos de peso normal, e aproximadamente 90% menos Bacteroidetes.[12] Outras pesquisas mostram, ainda, uma tendência à deficiência na variedade de bactérias entre os indivíduos diabéticos e obesos.[13, 14] Além disso, pesquisas da Clínica Cleveland revelaram que algumas bactérias metabolizam componentes da carne e dos ovos, produzindo um composto que promove o entupimento das artérias.[15] Portanto, se você possuir um número excessivo dessas bactérias, seu risco de doenças cardiovasculares é maior. Talvez por isso algumas pessoas que abusam de alimentos "entupidores de artérias" nunca desenvolvem doenças cardíacas, enquanto outras, com microbiotas desequilibradas, acabam por desenvolvê-las. Isso não significa que você deva cortar carne e ovos da dieta; pelo contrário, esses alimentos são importantes fontes de nutrientes, e parte do nosso programa dos amigos da mente. O ponto-chave, aqui, é que desequilíbrios na flora intestinal estão na raiz de problemas de saúde. Logo, antes de culpar alguma coisa por um problema cardíaco, é preciso pôr parte da culpa nos bichinhos do mal na sua barriga.

Antes de conhecer a ciência por trás da relação entre as colônias de seu intestino e o perímetro da sua cintura, vamos repassar alguns fatos básicos que lançam uma luz sobre a conexão entre a saúde do cérebro e a obesidade — mais especificamente, os efeitos da taxa de glicose alta, da resistência à insulina e do diabetes.

OBESIDADE É UMA DOENÇA INFLAMATÓRIA, EXATAMENTE COMO AS DOENÇAS CEREBRAIS

Embora seja difícil conceber a obesidade como uma doença inflamatória, assim como parece difícil conceber dessa forma a demência e a depressão, é exatamente isso que ela é. Para começo de conversa, a obesidade está associada a uma produção maior de substâncias químicas pró-inflamatórias, as citocinas.[16] São moléculas que vêm, na maior parte, do próprio tecido adiposo, que age como um órgão que suga hormônios e substâncias inflamatórias. As células adiposas fazem mais que simplesmente armazenar calorias extras; estão muito mais envolvidas na fisiologia humana do que se acreditava. E se você possui mais gordura do que necessita, sobretudo em torno de órgãos vitais como o fígado, o coração, os rins, o pâncreas e os intestinos, seu metabolismo padecerá.

Esse tipo de "gordura visceral", cuja quantidade costuma ser pronunciada em indivíduos obesos, sinaliza um problema duplo no corpo. Ela não só tem uma capacidade singular de provocar inflamações, mas também ativa moléculas sinalizadoras que podem interferir na dinâmica normal dos hormônios do corpo.[17] E mais: além de a gordura visceral levar a processos inflamatórios futuros através de uma cadeia de eventos biológicos, ela própria também sofre uma inflamação. Esse tipo de gordura abriga hordas de glóbulos brancos inflamatórios. E, quando a gordura visceral produz moléculas hormonais e inflamatórias, elas são jogadas diretamente no fígado, que reage recarregando sua munição, mais especificamente reações produtoras de inflamações e substâncias que perturbam o equilíbrio hormonal.

Resumindo: a gordura visceral é mais do que simplesmente um inimigo à espreita. É um inimigo armado e perigoso. Há um enorme número de doenças que hoje estão relacionadas à gordura visceral, das mais óbvias, como a obesidade e a síndrome metabólica, às não tão óbvias — câncer, doenças autoimunes, doenças cerebrais. O perigo da gordura visceral é o motivo pelo qual a medida da sua cintura ajuda a prever futuros problemas de saúde e a esperança de vida. Simplificando, quanto maior a circunferência da sua cintura, maior o seu risco de adoecer e morrer. A cintura também pode prever mudanças estruturais adversas no cérebro.

Em outro estudo muito citado, de 2005, uma equipe de pesquisadores da Universidade da Califórnia em Berkeley, da Universidade da Califórnia em Davis e da Universidade de Michigan analisou a relação cintura-quadril de mais de cem indivíduos, comparando-a às mudanças estruturais do cérebro com o envelhecimento.[18] Eles queriam determinar se existiria uma relação entre a estrutura do cérebro e o tamanho da barriga, e os resultados geraram muito falatório na comunidade médica. Quanto maior a barriga (isto é, quanto maior a relação cintura-quadril), menor o centro de memória do cérebro, o hipocampo. O funcionamento do hipocampo depende de seu tamanho. Quando ele encolhe, sua memória também encolhe.

Chama ainda mais atenção outra descoberta dos pesquisadores: quanto maior a proporção cintura-quadril, maior o risco de pequenos derrames, que estão associados ao declínio das funções cerebrais. Nas palavras dos autores: "São resultados consistentes com um conjunto crescente de evidências que ligam a obesidade, os problemas vasculares e os processos inflamatórios ao declínio cognitivo e à demência". Outros estudos, inclusive um realizado pela Universidade de Boston em 2010, confirmaram esse achado: excesso de quilos no corpo equivale a menos volume cerebral.[19] Ora, alguns talvez queiram discutir esse assunto em relação a outras partes do corpo, mas, quando se trata do hipocampo, tamanho *é* documento.

Lembre-se de que as citocinas geradas pelas gorduras são aquelas encontradas em níveis elevados em todas as condições inflamatórias, de artrite e problemas cardíacos a transtornos autoimunes e demência. E, como você agora sabe, é possível detectar processos inflamatórios em exames por meio de marcadores como a proteína C-reativa (CRP, na sigla em inglês). Como publicou o *New England Journal of Medicine*, possuir um nível elevado de CRP está relacionado a um risco até três vezes maior de demência — aí incluído o Alzheimer — e também ao comprometimento cognitivo e a problemas de raciocínio em geral.[20]

Portanto, você já pode ligar os pontos: se o nível de inflamação ajuda a prever transtornos neurológicos e o excesso de gordura corporal agrava os processos inflamatórios, a obesidade é um fator de risco para os transtornos cerebrais. E esse processo inflamatório é responsável por várias condições que atribuímos à obesidade, e não apenas a problemas neurológicos. Ele desempenha um papel tão importante no diabetes quanto na hipertensão, por exemplo. Essas doenças podem apresentar sintomas diferentes e ser classificadas de maneiras diferentes (o diabetes é um problema metabólico, enquanto a hipertensão é um problema cardiovascular), mas têm em comum uma característica subjacente: o processo inflamatório.

A GLICEMIA E O CÉREBRO

Como a obesidade é resultado de uma disfunção metabólica, nenhuma discussão a respeito pode omitir a questão do controle da glicose. E inicio essa discussão com uma rápida olhada na insulina, que, como você já sabe, é um dos hormônios mais importantes do corpo. Ela é protagonista do nosso metabolismo, ajudando-nos a extrair energia dos alimentos para uso das células. Esse é um processo de complexidade singular. Nossas células só podem receber a glicose com a ajuda da insulina, que atua como uma espécie de transportador e é produzida pelo pâncreas. A insulina carrega a glicose da corrente sanguínea para as células, onde, então, ela pode ser usada como combustível.

Quando uma célula é normal e sadia, tem receptores em abundância para a insulina. Não tem, por isso, dificuldade em reagir a ela. Mas quando uma célula é impiedosamente exposta a níveis elevados de insulina, através da presença incessante de glicose — devido ao consumo excessivo de carboidratos e açúcares refinados —, ela se adapta de forma brilhante: reduz o número de receptores reativos à insulina em sua superfície. É como se a célula fechasse algumas portas para não ouvir a insulina batendo. Isso acaba por fazer com que a célula se torne insensível, ou "resistente", à insulina. E quando a célula se torna resistente, não consegue obter glicose a partir do sangue, deixando-a na corrente sanguínea. Como ocorre com a maior parte dos processos biológicos, entra em ação um processo substituto "à prova de erros". O corpo quer consertar o problema, porque sabe que não pode deixar a glicose vadiando no sangue. Por isso, manda o pâncreas aumentar a produção de insulina, para sugar a glicose, dever que o pâncreas cumpre disciplinadamente. E como as células não reagem mais à insulina, níveis mais altos desta tornam-se necessários.

Isso, evidentemente, desencadeia um círculo vicioso que costuma culminar no diabetes tipo 2. Por definição, o diabético é alguém que tem glicose alta no sangue porque o corpo é incapaz de transportar glicose para as células. E essa glicose, quando permanece no sangue, é como uma arma de ataque. Ela causa um enorme estrago. O diabetes é uma das principais causas de óbito precoce, doenças cardíacas coronarianas, problemas renais, cegueira e transtornos neurológicos; podemos até dizer que é uma importante causa de Alzheimer, quando fica sem tratamento durante anos. Embora a maior parte dos portadores de diabetes tipo 2 tenha sobrepeso, muitas pessoas de peso normal, e até magras, estão por aí neste momento com desequilíbrios crônicos de glicose no sangue. O caminho para o diabetes — e, mais adiante, problemas cerebrais — começa com esses desequilíbrios, qualquer que seja o peso. E ao longo dessa cadeia de eventos o corpo sofre o ataque dos processos inflamatórios.

A insulina também desempenha um papel importante na reação do corpo, quando ele não consegue gerenciar adequadamente o nível de glicose no sangue. Sendo um hormônio anabólico, a insulina incentiva o crescimento celular e propicia a formação e retenção de gordura, piorando os processos inflamatórios. Níveis altos de insulina ativam ou desativam outros hormônios, perturbando o equilíbrio geral do sistema hormonal do corpo. E esse desequilíbrio tem repercussões, empurrando o corpo um pouco mais na direção de um abismo biológico, por assim dizer.

Picos de glicose no sangue têm efeitos negativos diretos no cérebro, e esses efeitos acarretam ainda mais inflamações. Aumentos da glicose no sangue levam a uma escassez de importantes neurotransmissores, entre eles a serotonina, a epinefrina, a norepinefrina, o GABA e a dopamina. Também se desperdiçam substâncias necessárias para fabricar esses neurotransmissores, como as vitaminas do complexo B. A glicose alta no sangue provoca ainda a queda dos níveis de magnésio, incapacitando tanto o sistema nervoso quanto o fígado. Pior que isso, desencadeia uma reação chamada de "glicação", que detalhei no capítulo 2. Como lembrete, a glicação é o processo biológico pelo qual as moléculas de açúcar aderem às proteínas e a certas gorduras, formando novas e letais estruturas chamadas AGES, que, mais que qualquer outro fator, contribuem para a degeneração do cérebro e de seu funcionamento. Esse processo pode levar até à retração de tecidos cerebrais cruciais. Na verdade, hoje os cientistas sabem que a resistência à insulina pode precipitar a formação das famigeradas placas, tão presentes no cérebro de quem tem Alzheimer. Lembre-se de que os diabéticos têm no mínimo o dobro de chances de desenvolver Alzheimer e que os obesos correm um risco muito maior de comprometimento das funções cerebrais.

É bem verdade que o diabetes não causa diretamente o Alzheimer. Mas os dois têm uma origem comum: tanto o diabetes quanto o Alzheimer resultam de um massacre alimentar contra o corpo, que o força a se adaptar, criando estradas biológicas que acabam levando a uma disfunção e, posteriormente, a uma doença. O diabetes e até níveis de glicose ligeiramente abaixo do limite do diabetes estão diretamente associados a um risco maior de retração do cérebro e Alzheimer. O crescimento paralelo do número de pessoas com diabetes tipo 2, obesidade e Alzheimer, na última década, tem uma conexão inegável.

Mas o que está causando tanto diabetes? Os números que mostram a relação entre o alto consumo de carboidratos e o diabetes são praticamente incontestáveis. Em 1994, quando a Associação Americana de Diabetes recomendou que os americanos consumissem 60% a 70% de suas calorias a partir dos carboidratos, a epidemia de diabetes (e obesidade) decolou. Entre 1997 e 2007, o número de casos de diabetes nos Estados Unidos duplicou. Entre 1980 e 2011, o número mais que *triplicou*. Em 2014, os Centros de Controle e Prevenção de Doenças estimavam que mais de 29 milhões de americanos — um em cada onze — tinham diabetes, e que quase 28% dessas pessoas nem sequer sabem que o têm — não foram diagnosticadas.[21] Acredito que se possa afirmar com segurança que o número de pré-diabéticos — aqueles que estão começando a sofrer de um desequilíbrio na glicose, mas não sabem disso — disparou de maneira semelhante.

PONHA A CULPA NOS BICHINHOS, NÃO NOS BOMBONS

Não se deixe enganar: o controle da glicose no sangue é a prioridade número 1 quando a questão é preservar as funções cerebrais e conter o Alzheimer. E os níveis de glicose no sangue refletem não apenas o açúcar na alimentação e o consumo de carboidratos, mas também o equilíbrio das bactérias no intestino. Novos estudos, realizados nos últimos anos, estão mostrando que certos tipos de bactérias intestinais na verdade ajudam o corpo a controlar os níveis de glicose no sangue (mais adiante entrarei nos detalhes desses estudos recentes).

Hoje, há pesquisas em curso para avaliar como certos probióticos podem conseguir reverter o diabetes tipo 2 e os problemas neurológicos que ele provoca. Em um simpósio sobre o microbioma realizado em Harvard em 2014, fiquei impressionado com o trabalho do dr. M. Nieuwdorp, da Universidade de Amsterdã, que realizou um estudo incrível sobre obesidade e diabetes tipo 2.[22] Ele conseguiu consertar a bagunça na glicose em casos de diabetes tipo 2, em mais de 250 pacientes, usando o transplante fecal. Ele usou o mesmo procedimento para melhorar a sensibilidade à insulina.

São dois feitos de que praticamente não se tem notícia na medicina tradicional. Não existe medicamento disponível para reverter o diabetes ou melhorar de forma significativa a sensibilidade à insulina. O dr. Nieuwdorp deixou o auditório pasmo, praticamente em silêncio absoluto, com sua apresentação. Na experiência, ele transplantou material fecal de um não diabético saudável e magro para um diabético. Ele encontrou uma forma bastante inteligente de controlar o resultado da experiência: simplesmente transplantou o microbioma dos participantes para seus próprios cólons, de modo que eles não soubessem se estavam sendo "tratados" ou não. Para aqueles de nós que vemos diariamente os efeitos de longo alcance do diabetes em nossos pacientes, resultados como o do dr. Nieuwdorp são um facho luminoso de esperança. Como neurologista que reconhece a relação profunda entre glicose alta no sangue e degeneração cerebral, acredito que esse estudo revolucionário abre a porta para um mundo inteiramente novo de possibilidades, em termos de prevenção e até tratamento de transtornos cerebrais.

Todos os dias parece surgir uma nova dieta ou suplemento que promete ajudar a perder peso. Culpam-se os próprios obesos por seus problemas de peso, como se eles não conseguissem impedir a si mesmos de ingerir os alimentos que sabemos estarem associados ao ganho de peso. É reconhecido de forma geral que a dieta ocidental contemporânea, rica em carboidratos e açúcares refinados, assim como gorduras processadas, é responsável pela epidemia de obesidade. Também tendemos a achar que as pessoas com sobrepeso são preguiçosas e não queimam calorias o suficiente em relação às que ingerem.

Mas e se o sobrepeso e a obesidade tiverem menos a ver com força de vontade, ou mesmo tendência genética, e mais a ver com o perfil microbiano do intestino? E se os problemas de obesidade tiverem relação com um conjunto de bichinhos intestinais doentio e disfuncional?

Seria um alívio para milhões de pessoas se elas descobrissem que seu ganho de peso não é sua culpa. Novos estudos mostram que nossas bactérias intestinais não apenas auxiliam a digestão, como provavelmente você já percebeu a esta altura. Elas desempenham um papel crucial em nosso metabolismo, e isso tem relação direta com nosso ganho ou perda de peso. Como elas influenciam a forma como armazenamos gordura, equilibram o nível de glicose no sangue, atuam na expressão dos genes relacionados ao metabolismo e reagem aos hormônios que nos fazem sentir saciados ou com fome, as bactérias do intestino são, de certa forma, nossos mestres de cerimônias. A partir do nascimento, elas ajudam a definir se vamos nos tornar obesos, diabéticos ou com problemas cerebrais, ou esbeltos e espertos, com um cérebro sadio e de raciocínio rápido e com uma vida longa e saudável.

Hoje já se pode afirmar com segurança que a comunidade intestinal das pessoas magras é como uma floresta tropical de grande biodiversidade, enquanto a das pessoas obesas é muito menos diversificada. Antigamente se achava que estar obeso ou com sobrepeso era um problema matemático — uma questão de ingestão excessiva de calorias, em comparação com as calorias queimadas. Mas as novas pesquisas revelam que o microbioma desempenha um papel fundamental na dinâmica da energia do corpo, que afeta a equação de entrada e saída de calorias. Quando você abriga uma grande quantidade de bactérias do tipo que obtém de forma eficaz as calorias de seus alimentos, adivinhe o que acontece: você absorverá mais calorias do que provavelmente necessita, o que levará a um acúmulo de gordura.

Para entender melhor como os cientistas conseguiram comprovar as diferenças microbianas entre as pessoas magras e gordas e correlacioná-las à obesidade, podemos observar mais de perto o trabalho de Jeffrey Gordon, da Universidade de Washington em St. Louis.[23] Gordon e seus colegas estão entre os cientistas que têm realizado experiências revolucionárias com camundongos "humanizados". No já célebre estudo de 2013 com gêmeos, que mencionei anteriormente, Gordon demonstrou uma vez mais o poder das tribos "gordas" contra as "magras", quando as primeiras dominam o intestino, e o risco de obesidade.[24] Sua equipe fez com que camundongos recém-nascidos passassem a conter micróbios ou de uma mulher obesa ou de sua irmã gêmea magra, e depois permitiram que os roedores mantivessem a mesma dieta, em quantidades idênticas. Foi aí que observaram que os camundongos rapidamente tomaram rumos separados no que diz respeito ao peso. Os animais que receberam as bactérias da mulher obesa não apenas engordaram mais que os camundongos com os micróbios da mulher magra, mas suas floras intestinais eram muito menos diversificadas.

A experiência foi então repetida, mas dessa vez a equipe de Gordon permitiu que os camundongos recém-nascidos compartilhassem a mesma jaula, depois de terem recebido os micróbios "gordos" ou "magros" em seus intestinos. Isso permitiu que aqueles com os micróbios da mulher obesa adquirissem alguns dos micróbios de seus companheiros magros, basicamente ao se alimentar das fezes destes — um comportamento normal nos camundongos. Qual o resultado? Os dois grupos de camundongos continuaram magros. Gordon levou adiante a experiência, transferindo cepas de bactérias dos camundongos magros àqueles que deveriam ficar obesos. Estes, ao contrário, adquiriram um peso saudável. Nas palavras de Gordon, "somando tudo, essas experiências fornecem provas bastante convincentes da existência de uma relação de causa e efeito, e de que foi possível prevenir a ocorrência da obesidade".[25]

Como Gordon e sua equipe interpretam os resultados? Ele afirma que a flora intestinal dos camundongos obesos é carente de micróbios que têm um importante papel na manutenção de um metabolismo normal e de um peso saudável. Suas pesquisas, assim como as de outros autores, fornecem novas informações em relação a esse papel. Por exemplo, um micróbio ausente, associado ao controle da fome, é o *Helicobacter pylori*, que ajuda a regular o apetite ao afetar os níveis de grelina, o principal hormônio estimulante do apetite. O *H. pylori* tem tido uma relação simbiótica conosco, no intestino, há pelo menos 58 mil anos, mas nossos tratos digestivos ocidentais hoje não contêm muitas dessas bactérias, em razão de nosso modo de vida higiênico e de nosso uso generoso de antibióticos.

A equipe de cientistas de Gordon é pioneira entre aquelas que estão relacionando a qualidade da dieta, a qualidade e a diversidade da flora bacteriana e o risco de obesidade. Em outra pesquisa com camundongos, ele demonstrou que, quando se alimenta camundongos "humanizados" com uma "dieta ocidental" — pobre em fibras, frutas e vegetais, mas rica em gordura —, os camundongos com micróbios do tipo "obeso" se tornam obesos, mesmo quando expostos a seus similares magros. Em outras palavras, uma dieta pouco sadia impede que as bactérias "emagrecedoras" atuem e tenham um impacto positivo. Esses resultados apontam ainda mais na direção do poder da dieta no controle da composição da flora intestinal e, por extensão, do peso. É evidente que são necessários mais estudos, principalmente no ser humano, mas ainda assim o trabalho de Gordon chamou muita atenção na área de saúde, inspirando novas pesquisas.

Em 2013, outra equipe de pesquisadores, dessa vez do Instituto de Tecnologia do Massachusetts (MIT) e da Universidade Aristóteles, de Tessalônica, na Grécia, aportou mais evidências ao investigar por que um iogurte repleto de probióticos tem um efeito emagrecedor tão forte.[26] Eles alimentaram camundongos com dietas variadas, mas não camundongos comuns; tratava-se de animais geneticamente predispostos à obesidade. Os camundongos que ingeriram uma dieta fast-food — rica em gorduras e açúcares pouco saudáveis e pobre em fibras e vitaminas B e D — ficaram obesos rapidamente. Suas floras microbianas se alteraram ao cabo de poucas semanas. Em compensação, os camundongos que receberam três porções semanais de iogurte probiótico, à venda nos supermercados, continuaram magros. Mas veja que surpresa: os camundongos que tomaram iogurte também tiveram permissão para ingerir fast-food à vontade! O título de seus resultados dizia tudo: "A ingestão de uma dieta ocidentalizada, estilo fast-food, reestrutura a flora intestinal e acelera a obesidade associada à idade em camundongos" e "Suplementação alimentar com iogurtes probióticos inibe a obesidade". Naturalmente, não quero passar a ideia de que tomar probióticos concede um passe livre para comer o que bem entender, mas trata-se de uma pesquisa que de fato tem importantes consequências.

Um dos vilões mais insidiosos em relação ao microbioma de nosso intestino, que mencionei de maneira breve e explorarei em maiores detalhes adiante, é a frutose processada. O americano médio consome xarope de milho, rico em frutose, a uma taxa de 132 a 312 calorias diárias[27] (eu acrescentaria que o consumo desse produto aumentou de maneira constante, em paralelo com o índice crescente de obesidade). Diversos cientistas sugerem que a frutose processada tem contribuído para a epidemia de obesidade e que esse é um dos principais fatores no surgimento de um chamado "microbioma intestinal ocidentalizado", isto é, com baixa diversidade e excesso de bactérias que alimentam as células adiposas.

Por que a frutose é particularmente nociva? Ela não apenas alimenta as bactérias patogênicas do intestino, rompendo dessa forma o equilíbrio microbiano saudável, como também estimula a produção de insulina, da mesma forma que a glicose. A frutose é imediatamente tratada pelo fígado, e isso faz cair a produção de leptina, outro importante hormônio relacionado à supressão do apetite. Você não se sente saciado. Por isso, continua a comer. O mesmo resultado — a falta de saciedade — ocorre com os adoçantes artificiais. Embora se costume acreditar que substitutos do açúcar, como a sacarina, a sucralose e o aspartame, não têm impacto metabólico por não elevarem a produção de insulina, ocorre que eles podem causar uma enorme confusão metabólica e provocar os mesmos transtornos metabólicos que o açúcar de verdade. Por quê? Isso ocorre porque eles alteram o microbioma, de modo a favorecer disbioses, desequilíbrios da glicose no sangue e um metabolismo pouco sadio em geral. E a indústria de bebidas e alimentos tem, sim, uma dor de cabeça em relação a esse estudo recente, publicado em 2014 na revista *Nature*.[28] Entrarei nos detalhes desse estudo no capítulo 6. Ele traz evidências de que as bactérias do intestino são responsáveis pelo controle da glicemia e, portanto, do peso e do risco de doenças.

POR QUE O BYPASS GÁSTRICO FUNCIONA: AGRADEÇA A SEUS BICHINHOS

Técnicas drásticas de perda de peso, como a cirurgia de redução de estômago, que reorganiza fisicamente o sistema digestivo, estão se tornando cada vez mais populares. Essas cirurgias costumam reduzir o tamanho do estômago e retraçar o intestino delgado. Embora se costume pensar que elas provocam rápida perda de peso em grande parte por forçar o indivíduo a comer menos, um estudo de grande escala publicado na revista *Nature* em 2014 levantou a ideia de que o microbioma determina o sucesso das cirurgias gástricas.[29] Hoje, existem evidências surpreendentes de que uma grande parte da perda de peso se deve a alterações na microbiota intestinal. Essas alterações ocorrem após a cirurgia, numa reação não apenas às mudanças anatômicas, mas às alterações alimentares que costumam ocorrer, pelo fato de o operado consumir alimentos mais saudáveis, que favorecem o crescimento de outro tipo de bactéria. Não tenho dúvida de que, quando conhecermos os detalhes que explicam por que os pacientes diabéticos do bypass gástrico também muitas vezes vivenciam uma reversão total do diabetes pouco tempo depois da cirurgia, vamos mais uma vez dar de cara com o microbioma.

Como já vimos, a proporção entre os tipos de bactéria no intestino é importante. Diversos estudos mostram que, quando o número de Firmicutes diminui, diminui também o risco de problemas metabólicos, como o diabetes. Em compensação, quando o número de Bacteroidetes cai, a permeabilidade do intestino aumenta, o que, por sua vez, eleva todo tipo de risco, dos quais os menores não são a bagunça no sistema imunológico, processos inflamatórios e, mais além no caminho, transtornos e doenças relacionados ao cérebro, da depressão ao Alzheimer.

Devo acrescentar que os exercícios desempenham um papel na promoção do tipo certo de micróbios. Já são há muito tempo conhecidos os benefícios dos exercícios em geral, mas ocorre que o impacto na perda e no controle do peso não é apenas uma questão de queima de calorias. Novos estudos revelam que os exercícios têm uma influência positiva sobre o equilíbrio das bactérias no intestino, favorecendo as colônias que previnem o ganho de peso. Em estudos laboratoriais com camundongos, níveis mais elevados de exercícios foram relacionados a uma redução nas Firmicutes e num aumento das Bacteroidetes. Em outras palavras, os exercícios reduziram de forma eficaz a proporção F/B. Embora sejam necessários e estejam sendo feitos mais estudos com humanos, já dispomos de evidências convincentes de que o mesmo ocorre conosco. Os exercícios promovem um microbioma diversificado.

Em 2014, pesquisadores da University College de Cork, na Irlanda, analisaram amostras de sangue e fezes para comparar a diferença da diversidade microbiana em jogadores de rúgbi profissionais e homens saudáveis não atletas.[30] Alguns dos não atletas tinham peso normal e outros tinham sobrepeso (os exames de sangue forneciam informações a respeito dos danos aos músculos e inflamações — sinais da quantidade de exercício recente de cada indivíduo). No geral, os quarenta atletas estudados tinham uma diversidade de micróbios maior que a de qualquer dos outros homens que participaram da experiência. No artigo, publicado na revista *Gut*, os pesquisadores atribuíram esse resultado aos extenuantes exercícios dos atletas e a suas dietas, mais ricas em proteínas (22% das calorias vindas de proteínas, contra 15% a 16% consumidas pelos não atletas). Outra descoberta-chave foi que, além de constatar uma diversidade maior de micróbios intestinais nos atletas, os pesquisadores observaram que, dentre os micróbios encontrados nos jogadores de rúgbi, havia uma cepa de bactérias relacionada a taxas menores de obesidade e de transtornos relacionados à obesidade.

Os estudos falam por si: desde o momento em que nascemos, a interação entre a flora intestinal e nossa dieta pode nos tornar mais vulneráveis a disfunções metabólicas e doenças cerebrais. Para mim e meus colegas na área da medicina, deixou de ser um mistério a razão pela qual os bebês que não são expostos a uma rica diversidade de bactérias benéficas terão no futuro um risco muito maior de obesidade, diabetes e problemas neurológicos do que aqueles que desenvolvem microbiomas saudáveis. Esses bebês em situação de risco costumam ser aqueles que nasceram em cesarianas desnecessárias, na maior parte não foram amamentados no peito e muitas vezes sofrem de infecções crônicas para as quais foram receitados antibióticos. Em um estudo particularmente revelador, pesquisadores canadenses descobriram que bebês não amamentados no peito desenvolvem determinadas cepas de bactérias no intestino que os bebês amamentados no peito não desenvolvem até o momento em que começam a se alimentar de sólidos.[31] Não são necessariamente cepas patogênicas, mas a exposição precoce a certos tipos de bactérias pode não ser boa, já que o intestino e o sistema imunológico do bebê ainda não amadureceram. Pesquisadores nessa área fazem coro, concordando que essa pode ser uma das razões pelas quais os bebês amamentados com leite em pó são mais suscetíveis a condições autoimunes, como asma, alergias, eczema e doenças celíacas, assim como obesidade.

Dito isso, dirijo-me rapidamente às mães que não amamentam. Para algumas, a amamentação no peito está fora de questão. Outras decidem ou precisam desmamar cedo. Isso significa condenar o filho? Nem de longe. Sabemos que bebês amamentados no peito têm um microbioma muito mais diversificado e um risco menor de problemas de saúde em relação aos bebês amamentados com leite em pó. Mas também sabemos que muito pode ser feito para auxiliar o desenvolvimento de um microbioma saudável na ausência de amamentação no peito. Você ficará animada ao saber que o microbioma é bastante receptivo à reabilitação por meio de mudanças básicas no estilo de vida. No capítulo 8, apresentarei às mães algumas ideias de como fazer isso.

Preocupações com extravagâncias no uso de antibióticos em crianças só aumentaram à luz da epidemia de obesidade infantil. Hoje dispomos de inúmeras evidências que atribuem essa epidemia, ao menos em parte, ao uso de antibióticos e a seu papel na alteração da flora intestinal. O dr. Martin Blaser, do Projeto Microbioma da Universidade de Nova York, também demonstrou que, quando se administram doses pequenas de antibióticos a camundongos jovens, da mesma forma como é feito com o gado, eles acumulam 15% mais gordura corporal que os camundongos que não são expostos a essas drogas.[32] Pense nisso e considere o seguinte: em média, receitam-se três séries de antibióticos às crianças nos Estados Unidos apenas no primeiro ano de vida. É um aspecto que Blaser ressaltou durante sua apresentação no Simpósio Probiótico de Harvard, em 2014.

Nas palavras convincentes da dra. Maria Gloria Dominguez-Bello, outra pesquisadora da Universidade de Nova York (e mulher do dr. Blaser), "os antibióticos são como um incêndio florestal. No bebê, a floresta está em formação. Se houver um incêndio numa floresta jovem, você acaba por extingui-la".[33]

Em um estudo relacionado, em que um estudante do laboratório de Blaser alimentou camundongos com uma dieta rica tanto em gorduras quanto em antibióticos, os roedores ficaram obesos, resultado que aponta para uma "sinergia" em andamento entre os antibióticos e a dieta.[34] Blaser faz uma observação interessante: há uma grande variação no uso de antibióticos Estados Unidos afora, e ao olhar num mapa podemos identificar um padrão: nos estados onde as taxas de obesidade são mais altas, também é mais alto o uso de antibióticos. E os estados do Sul ganham o troféu daqueles com mais sobrepeso e mais excesso de receitas de antibióticos.

Antes que essa informação o desanime e você feche este livro, sobretudo se se encaixar nessa situação, deixe-me afirmar claramente: a conclusão de todos esses dados novos e impressionantes é que você pode controlar seu metabolismo e, por sua vez, seus caminhos inflamatórios e sua saúde mental simplesmente nutrindo seu microbioma. Mesmo que você não tenha sido abençoado por um parto normal, e mesmo que já tenha tomado antibióticos antes (quem nunca tomou?) ou tido uma dieta rica em carboidratos, proponho aqui soluções que vão ajudá-lo a virar o jogo.

Em breve passaremos às estratégias práticas. Por enquanto, vamos nos voltar para mais uma condição que está nas mentes de todos: o transtorno do espectro autista. Pode ser que no século xxi nós finalmente encontremos, para alguns casos, medidas preventivas e tratamentos superiores e individualizados contra esse problema neurológico. Embora persistam muitas perguntas em relação a esse enigmático transtorno cerebral, o papel do microbioma intestinal está ficando cada vez mais óbvio. As últimas descobertas científicas, como você verá em seguida, estão estabelecendo as bases para uma nova fronteira da medicina.

5. O autismo e o intestino
Nas fronteiras da medicina neurológica

É raro passar um dia sem que eu responda uma pergunta sobre autismo, um dos transtornos mais debatidos na última década. Qual é, exatamente, a sua causa? Por que ele tem sido diagnosticado com tanta frequência nas crianças? Haverá um dia uma cura ou uma medida preventiva infalível? Por que ele ocorre em graus tão variados de gravidade? Quase sessenta anos depois de identificado, o número de casos desse transtorno continua a aumentar. A ONU estima que até 70 milhões de pessoas recaiam no espectro do autismo, das quais 3 milhões vivem nos Estados Unidos.[1]

Antes de tudo, permita-me esclarecer que, para os fins desta discussão, vou usar o termo *autismo* para englobar todos os graus do espectro. Certo, tanto *transtorno do espectro autista* (TEA) quanto *autismo* são termos genéricos que descrevem uma família ampla e diversificada de transtornos complexos no desenvolvimento cerebral. Esses transtornos têm três características clássicas em comum: dificuldades de interação social, problemas com a comunicação verbal e não verbal e comportamentos repetitivos. Segundo os Centros de Controle e Prevenção de Doenças dos Estados Unidos, a criança ou o adulto com autismo pode:[2]

- ser incapaz de apontar para objetos que lhe chamam a atenção (por exemplo, não apontar para um avião que está passando sobre sua cabeça)

- não olhar para objetos quando outra pessoa aponta para eles

- ter dificuldade em se relacionar ou demonstrar falta de interesse pelos outros

- evitar o contato visual e preferir ficar sozinho

- ter dificuldade em compreender os sentimentos das outras pessoas ou em falar sobre os próprios sentimentos

- não gostar de colo ou abraços, ou só se deixar abraçar quando quer

- não reagir quando alguém fala com ele, mas reagir a outros sons

- interessar-se bastante pelas pessoas, mas não saber como falar, brincar ou relacionar-se com elas

- repetir ou ecoar palavras ou frases que lhe são ditas, ou repetir palavras e frases em vez de empregar linguagem normal

- ter dificuldade em usar palavras ou movimentos comuns para expressar as próprias necessidades

- não participar das brincadeiras típicas de faz de conta (por exemplo, fingir dar comida a uma boneca)

- repetir ações indefinidamente

- ter dificuldade em se adaptar a mudanças de rotina

- ter reações incomuns a cheiros, sabores, estímulos visuais, táteis e sonoros

- perder habilidades que já haviam sido adquiridas (por exemplo, parar de usar palavras que empregava antes)

Embora antes houvesse definições distintas de subtipos, entre elas a Síndrome de Asperger e o transtorno autista, em 2013 todos os transtornos autistas foram unificados sob um único guarda-chuva diagnóstico, o TEA. Mas não há dois indivíduos absolutamente idênticos; enquanto um pode ter um caso leve e ser socialmente desajeitado, mas brilhante em matemática ou artes plásticas, por exemplo, outro pode ter dificuldade com a coordenação motora, déficit intelectual e sérios problemas físicos, como insônia e diarreia ou prisão de ventre crônica. O dr. Stephen Scherer, diretor do Centro de Genômica Aplicada do Hospital Infantil de Toronto e do Centro McLaughlin da Universidade de Toronto, terminou recentemente o maior estudo genômico do autismo já realizado. Ele usa uma analogia apropriada: "A criança com autismo é como um floco de neve — diferente de todas as outras".[3] Seu estudo revelou que as bases genéticas do transtorno são ainda mais complexas do que se imaginava. Ao contrário do que os cientistas supunham há muito tempo, a maioria dos gêmeos com os mesmos pais biológicos e diagnóstico de autismo nem sempre têm os mesmos genes ligados ao autismo.[4] O estudo levantou novas suspeitas em relação às causas do transtorno, inclusive a possibilidade de que o autismo não seja herdado, mesmo quando ocorre com frequência numa família.

Embora haja enormes diferenças entre pessoas com autismo, existe uma certeza: elas refletem uma comunidade de pessoas cujo cérebro funciona de maneira ligeiramente diferente. Durante o desenvolvimento inicial do cérebro, alguma coisa desencadeia alterações na fisiologia e na neurologia que levam ao transtorno. Hoje em dia, com a enorme prevalência do autismo, com parâmetros tão amplos, houve uma transformação cultural na nossa forma de pensar nele. Alguns preferem se referir a essa condição, sobretudo no que tange aos indivíduos autistas altamente funcionais, mais como um jeito de ser que como uma doença. É a mesma coisa que acontece com os membros da comunidade dos surdos, que não se consideram deficientes, mas simplesmente pessoas com um modo de comunicação diferente. Gosto dessa passagem para uma perspectiva humanista, embora não conheça nenhum pai de criança autista que abriria mão de uma cura ou de um tratamento eficaz, caso existisse um. Até mesmo crianças com habilidades visuais, musicais e acadêmicas excepcionais têm lá suas dificuldades.

Quer vejamos o autismo como um jeito de ser ou como uma doença, é inegável que ele tem sofrido forte aumento. Os sinais e os sintomas do autismo tendem a surgir por volta dos dois ou três anos de idade, embora alguns médicos consigam detectar esses sinais no primeiro ano de vida. De cada 68 crianças americanas, uma pertence ao espectro autista. Isso representa um aumento de dez vezes na frequência nos últimos quarenta anos — uma elevação grande demais para ser explicada apenas por uma maior conscientização em relação ao autismo e pela maior busca de diagnósticos. Um em cada 42 meninos e uma em cada 189 meninas são afetados, o que significa que o autismo é quatro ou cinco vezes mais comum em meninos que em meninas. Sei que não sou o único a dar a isso o nome de epidemia. Observe o seguinte gráfico, que mostra o aumento no número de casos entre 1970 e 2013:[5]

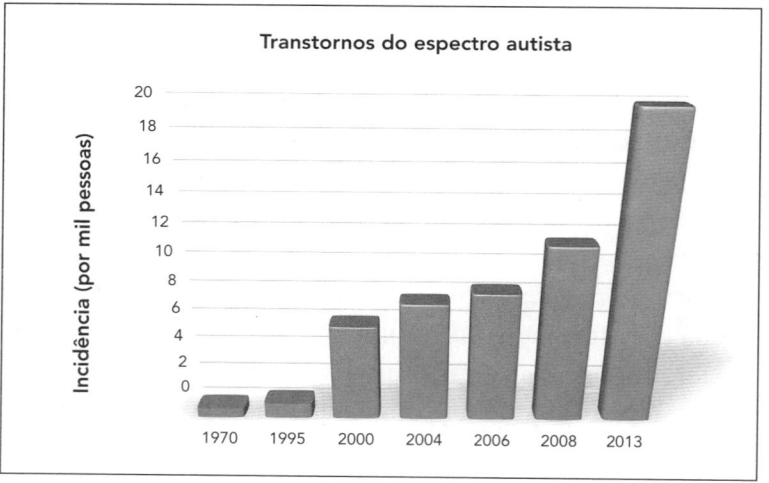

Alguns anos atrás, eu não teria tocado no tema do autismo, que era pesado demais. O debate estava concentrado na polêmica da relação entre vacinas e autismo, relação que está cientificamente provado não existir.[6] Na época, ainda estávamos na fase da cegueira, em que se respondia "Não sei" a perguntas sobre as causas do autismo. Para alguns, era mais fácil pôr a culpa nas vacinas do que explorar outros fatores, aparentemente improváveis, que contribuem para essa condição, como um microbioma doente. Hoje, porém, muita coisa mudou. Estudos legítimos de instituições de ponta estão descobrindo a conexão entre a flora intestinal e esse transtorno. As últimas pesquisas têm proporcionado respostas surpreendentes e animadoras. O que os cientistas vêm descobrindo sobre o autismo tem consequências que vão muito além da compreensão e do tratamento dessa condição. Ao contrário do que imagina o senso comum, as descobertas mais recentes nesse campo têm uma interseção significativa com aquelas sobre outros males neurológicos. Pesquisar o autismo representa estar na fronteira da medicina neurológica, sobretudo no que essa ciência tem a ver com a compreensão do microbioma.

Como já expliquei, durante muito tempo os problemas intestinais foram vistos como um conjunto de sintomas sem relação com o cérebro. Agora, porém, estamos descobrindo como um intestino saudável e funcional — e em particular a flora intestinal — se relaciona com o desenvolvimento cerebral. Estamos finalmente compreendendo como as bactérias do intestino podem contribuir para o desenvolvimento e a evolução de um transtorno cerebral como o autismo.[7] Como você verá adiante, uma das evidências mais convincentes da relação entre os micróbios do intestino e o autismo é o fato de que as crianças com autismo apresentam certos padrões em relação à composição da flora intestinal que não são encontrados em crianças sem autismo.[8] Para um neurologista como eu, que ajuda pais a tratar crianças com esse transtorno desconcertante, essa observação soa como um sinal vermelho, ligado ao fato de que indivíduos com autismo sofrem, de maneira quase uniforme, de problemas gastrointestinais.

Além disso, a espécie de bactéria intestinal que costuma ser encontrada em indivíduos com autismo cria compostos nocivos ao sistema imunológico e ao cérebro, que podem ativar o sistema imunológico e ampliar processos inflamatórios. Num jovem cujo cérebro está em rápido desenvolvimento, a exposição a esses compostos, somada a um aumento dos processos inflamatórios, pode muito bem desempenhar um papel num transtorno cerebral como o autismo. Os cientistas na vanguarda dessa pesquisa, alguns deles mencionados neste capítulo, atualmente estudam a relação entre as bactérias intestinais, seus subprodutos e o risco de autismo. É uma pesquisa que também investiga os papéis dos sistemas imunológico e nervoso — dois atores fundamentais na evolução de qualquer transtorno neurológico.

Assim como não há um tipo único de autismo, não há uma causa única. Os cientistas identificaram, por exemplo, uma multiplicidade de alterações genéticas raras, ou mutações, associadas ao autismo. Na verdade, no momento em que escrevo, dois novos e amplos estudos estão mostrando a relação entre mais de cem genes e esse transtorno.[9, 10] Essas mutações, aparentemente, perturbam a rede nervosa do cérebro, e nem todas vêm de papai e mamãe — muitas delas podem ocorrer espontaneamente, no óvulo ou no espermatozoide, antes da concepção.

Embora um número reduzido dessas mutações seja provavelmente o bastante para, de maneira isolada, provocar o autismo, a maior parte dos casos de autismo — assim como a maior parte das condições e transtornos — é provavelmente provocada por uma combinação de risco genético de autismo e fatores ambientais que influenciam o desenvolvimento inicial do cérebro. Isso também ajuda a explicar por que gêmeos biológicos com autismo não portam necessariamente os mesmos genes de risco para ele. Do ponto de vista ambiental, está ocorrendo algo diferente. Daquilo que pude presenciar na minha experiência e peneirar das pesquisas mais recentes, meu palpite é que a influência ambiental é maior que a genética. Assim como as alterações na flora intestinal podem afetar a imunologia e a neurologia saudáveis de um indivíduo, contribuindo para o risco de condições como a esclerose múltipla e a demência, essas alterações também podem se traduzir numa probabilidade mais elevada de autismo numa criança. Afinal de contas, a maior parte das crianças com autismo tem um histórico inicial de pelo menos um ou dois traumas. Daí as manchetes que você encontra em revistas de saúde, como "Pré-eclâmpsia na gravidez associada a maior risco de autismo", "Crianças prematuras têm maior risco de desenvolver autismo", "Processos inflamatórios maternos associados a autismo nos filhos" e assim por diante. Essas ocorrências não apenas influenciam o desenvolvimento do sistema imunológico e do cérebro da criança, mas também, caso a criança deixe de ter esse "batismo microbiano" no parto e venha a sofrer diversas infecções tratadas com antibióticos, afetam muito o microbioma em desenvolvimento. E como esses impactos começam *in utero*, é difícil, senão impossível, saber exatamente quando o "interruptor" do autismo de um indivíduo é "ligado". No momento em que uma criança é diagnosticada com autismo, seu corpo, diferentemente de todos, foi exposto a uma série de gatilhos potenciais do transtorno, e o desenvolvimento do autismo reflete claramente uma conjunção de forças. Futuras pesquisas vão explicar tudo isso, mas eu não ficaria surpreso se descobrisse que muitas pessoas portam os fatores genéticos de risco para o autismo *mas nunca vão manifestá-lo*, porque não é dada aos genes a oportunidade de se expressar. Em outras palavras, os genes podem ser silenciados pelo ambiente. Na verdade, esse é o caso de diversos problemas de saúde. Você pode portar genes que aumentam muito seu risco de obesidade, cardiopatias e demência em relação àqueles que não têm suscetibilidade genética. Mesmo assim, pode ser que você nunca sofra dessas doenças, porque os genes permanecem adormecidos em função do ambiente.

Neste capítulo, vamos percorrer essa misteriosa condição, o autismo. Apresentarei os fatos mais recentes e as correlações feitas pela ciência, algumas das quais estão sendo reveladas no momento em que escrevo este livro. As descobertas científicas que relacionam o autismo a alterações na flora intestinal estão visivelmente num estágio inicial e evoluindo depressa. Sinto-me na obrigação de compartilhar o que já se sabe, porque os relatos recentes são muito fortes e cheios de esperança e porque acredito que os muitos que estão desesperados à procura de respostas e orientação merecem saber. Tenho confiança que as evidências que têm aparecido em estudos rigorosos e de grande escala com seres humanos serão provadas e levarão a tratamentos efetivos para os muitos que sofrem desse transtorno. Tudo que lhe peço é que esteja aberto a uma nova perspectiva, da qual não ouviu falar antes. Meu palpite é que ao final deste capítulo você se sentirá fortalecido de maneiras inesperadas, ainda que nunca tenha que enfrentar um diagnóstico de autismo em um ente querido. Muitas das informações aqui reforçam uma lição importante deste livro: a força — e a vulnerabilidade — do microbioma (para receber atualizações sobre o tema, por favor visite meu site, www.DrPerlmutter.com).

O CASO DE JASON

Antes de entrar em detalhes sobre a conexão entre o intestino e o autismo, vou falar de um caso que é emblemático daquilo que vivenciei com alguns de meus pacientes com esse transtorno cerebral. Embora ele possa parecer radical, reflete aquilo que comecei a notar rotineiramente em minha prática, e sei que não sou o único. Conversei com colegas que passaram a recomendar protocolos de tratamento parecidos com este que você vai conhecer, e os resultados foram espantosos. À medida que for lendo sobre o caso de Jason, faça anotações mentais de acontecimentos na sua vida que podem ter impactado seu microbioma. Assim, você estará preparado para compreender os detalhes mais específicos da conexão entre um intestino disfuncional e um cérebro disfuncional.

Jason, de doze anos, foi trazido a meu consultório pela mãe, que achava que o filho pertencia ao espectro autista. Minha primeira atitude foi levantar seu histórico de vida até ali. Fiquei sabendo que Jason nasceu de parto normal, mas que a mãe tomou uma dose diária de antibióticos ao longo de todo o terceiro trimestre da gravidez, devido a "infecções urinárias sucessivas". Pouco tempo depois do nascimento, Jason começou a receber diversas doses de antibióticos, devido a persistentes otites. Segundo a mãe, durante o primeiro ano de vida Jason passou "mais tempo sob antibióticos" que o contrário. Ela também contou que Jason fora um bebê com cólicas, que chorava o tempo todo no primeiro mês de vida. Devido às otites crônicas, foi preciso inserir tubos de ventilação em seus ouvidos, procedimento realizado em duas ocasiões. Quando Jason tinha dois anos, um período de diarreia crônica levou a uma suspeita de doença celíaca, que nunca se confirmou. Quando ele fez quatro anos, já tinha passado por diversas séries de antibióticos, em razão de diferentes infecções, entre elas faringite estreptocócica. Algumas dessas crises foram tão graves que os médicos chegaram a recorrer a antibióticos injetáveis.

Os pais de Jason começaram a se preocupar com questões de desenvolvimento do filho quando ele tinha treze ou catorze meses. Ele foi posto em terapia ocupacional e fisioterapia. Jason demorou muito para começar a falar: aos três anos, ele se comunicava por gestos, mas só falava palavras isoladas.

Como seria de esperar, os pais de Jason o levaram a vários médicos ao longo desses anos e reuniram uma verdadeira biblioteca de informações. Ele passou por eletroencefalogramas, ressonâncias magnéticas do cérebro e variados exames de sangue, todos pouco reveladores. Jason começou a apresentar obsessões com coisas como acender e apagar as luzes, assim como movimentos repetitivos com as mãos. Faltava-lhe traquejo social e ele não interagia com as pessoas de forma relevante. A mãe também contou que, quando era colocado em um ambiente onde se sentia inseguro ou que perturbava seu equilíbrio, Jason sentia ansiedade e desconforto.

Durante minha análise do histórico médico de Jason, percebi que ao longo dos anos havia diversos registros não apenas de consultas médicas para infecções de garganta e ouvido, tratadas com antibióticos, mas também de problemas gastrointestinais. "Dor de barriga", por exemplo, aparecia como motivo constante de visita ao consultório. Em uma ocasião determinada ele fora levado ao médico devido a "vômitos em jato".

Em meus exames com Jason, ele passou sem problemas pelos testes neurológicos. Apresentou boa coordenação, equilíbrio sólido e uma capacidade normal de caminhar e correr. Ao longo dos exames, porém, parecia ansioso, e contorcia as mãos de maneira repetitiva. Ele não conseguia ficar sentado por muito tempo, não mantinha contato visual concentrado em mim enquanto o examinava e não pronunciava frases completas.

Quando me sentei com sua mãe para discutir minhas conclusões e conselhos, de início confirmei o diagnóstico de autismo. Mas rapidamente passei à questão de como tratar os problemas de Jason. Passei bastante tempo explicando o impacto de sua exposição a antibióticos, tanto antes quanto logo depois do parto. Descrevi o papel da flora intestinal no controle dos processos inflamatórios e na regulagem das funções cerebrais e expliquei também como as pesquisas recentes revelavam uma clara correlação entre o autismo e o tipo de bactérias encontradas no intestino. Embora tenha tido o cuidado de não atribuir o autismo de Jason a nenhuma causa única e tenha passado à mãe dele a impressão de que essa condição é provavelmente resultado de uma constelação de fatores, tanto genéticos quanto ambientais, ressaltei a importância de fazer tudo para controlar o maior número possível de variáveis que têm um impacto potencial no funcionamento do cérebro. Isso, é claro, incluía o estado do microbioma de Jason. Por saber que as pesquisas recentes — algumas das quais descreverei logo adiante — indicavam padrões de flora intestinal nos indivíduos com autismo, e que o microbioma pode ter uma grande influência no desenvolvimento neurocomportamental, eu dispunha de um ponto de partida para propor soluções. Meu foco seria o intestino de Jason.

Não achei necessário submeter Jason a vários estudos laboratoriais, mas solicitei um exame de fezes para ter uma ideia da saúde de seu intestino. E foi aí que descobri algo que já pensava que ocorreria: o intestino de Jason não tinha praticamente nenhuma espécie de *Lactobacillus*, o que indicava um sério trauma ao microbioma.

A primeira consulta de acompanhamento com a mãe de Jason ocorreu três semanas depois. Àquela altura ele já estava sob um tratamento agressivo com probióticos e vitamina D oral. A mãe trazia boas notícias: a ansiedade de Jason havia diminuído de modo considerável, e pela primeira vez na vida ele conseguira amarrar os sapatos. Surpreendentemente, ele tinha andado de montanha-russa e, também pela primeira vez, dormido fora de casa. Cinco semanas depois, a mãe relatou que ele continuava a melhorar, mas estava disposta a tentar o transplante fecal, para colher resultados ainda melhores. Ela já havia aprendido bastante sobre o assunto e visivelmente tinha feito o dever de casa.

O transplante microbiano fecal (TMF) é a terapia mais agressiva de que se dispõe para reiniciar e recolonizar um microbioma extremamente adoentado. Como você deve lembrar, foi a terapia usada no tratamento da esclerose múltipla de Carlos (vou explicá-la em maiores detalhes no epílogo, onde tratarei do futuro da medicina; como disse antes, o TMF ainda não está disponível em todo o território americano e está restrito ao tratamento de algumas infecções de *Clostridium difficile*. Mas isso deve mudar, com o acúmulo de dados que mostram sua utilidade e eficácia no tratamento de uma série de transtornos, sobretudo do sistema neurológico).

Antes que você já tire conclusões a respeito desse procedimento, cujo nome de sonoridade desagradável gera muitas ideias na cabeça, devo explicar o que o TMF acarreta. Da mesma forma que tratamos a insuficiência renal ou do fígado com transplantes, dispomos hoje de uma forma incrivelmente eficaz de restabelecer o equilíbrio e a diversidade do microbioma intestinal: pelo transplante de bactérias "do bem" de uma pessoa saudável para o cólon de outra pessoa. Isso é feito extraindo matéria fecal onde as bactérias boas prosperam e introduzindo-as no intestino adoentado (só para registro, eu não realizo transplantes fecais, mas forneço o contato de clínicas que os realizam; o setor está em rápido crescimento, o que exige uma pesquisa cuidadosa, tanto da parte do paciente quanto do doador, antes de realizar o procedimento, assim como um profissional experiente. Veja mais detalhes no epílogo). A mãe de Jason levou-o para fazer o transplante fecal, usando como doador a filha saudável de um amigo.

Meu contato seguinte com a família ocorreu cerca de um mês depois, sob a forma de um vídeo enviado para meu celular, enquanto eu dava uma palestra na Alemanha. O curto clipe me deixou sem fôlego e trouxe lágrimas a meus olhos. Mostrava um Jason vibrante e alegre, para cima e para baixo em um pula-pula, e conversando com a mãe com muito mais envolvimento do que antes. O vídeo não tinha nenhum texto anexo, e nem precisava.

Quando voltei da Alemanha, entrei em contato novamente com a mãe de Jason, por telefone. Eis uma amostra do que ela me relatou:

Jason está muito mais falante e conversador. Na verdade, agora é ele quem inicia a conversa. Não fica mais contorcendo as mãos nem falando sozinho. Está tão calmo e interativo. Outro dia, ficou quarenta minutos sentado conversando comigo enquanto eu estava no cabeleireiro. Nunca o tinha visto fazer isso [...] E o professor contou que Jason agora está "presente" e conversa nas aulas. Pela primeira vez ele cantou os hinos na igreja, e é como se tivéssemos sido abençoados [...] Obrigada por ajudar a curar meu filho.

Não me interprete mal: não estou insinuando que o transplante fecal seja uma cura infalível para todos os que têm diagnóstico de autismo. Mas resultados como esse me inspiram a continuar a tentar essa terapia em pacientes com autismo, na esperança de que alguns venham a se beneficiar. Afinal de contas, há sólidas evidências científicas que sustentam o papel das alterações no microbioma intestinal como importante fator nesse transtorno. E, em minha própria experiência clínica, noto que a reconstrução do microbioma intestinal a partir do zero tem funcionado.

A resposta de Jason à combinação de meu protocolo de tratamento com o TMF foi a cura, tanto para ele quanto para sua família. O vídeo que a mãe de Jason me enviou ilustrava a mudança de paradigma em nossa capacidade de tratar o autismo. Hoje em dia, minha conversa com ela está centrada naquilo que pode ser feito para que outros conheçam essa nova perspectiva no tratamento do autismo. Por isso, ela me deu permissão para escrever a respeito do caso de Jason, não apenas neste livro, mas também em meu site, e me autorizou até a compartilhar o vídeo que demonstra sua incrível recuperação (ver www.DrPerlmutter.com/BrainMaker).

DISFUNÇÕES INTESTINAIS QUE CONTRIBUEM PARA DISFUNÇÕES CEREBRAIS

Diversos estudos têm mostrado que condições gastrointestinais estão entre os sinais distintivos do autismo. Os pais de crianças com autismo costumam relatar que os filhos sofrem de dores abdominais, prisão de ventre, diarreia e sensação de inchaço. Em 2012, pesquisadores do Instituto Nacional de Saúde dos Estados Unidos avaliaram crianças com autismo e descobriram que ocorria prisão de ventre em 85% delas, e problemas gastrointestinais em 92%.[11] O objetivo principal do estudo era responder a seguinte pergunta: crianças com autismo têm realmente problemas gastrointestinais ou essa é uma impressão errada da parte dos pais? Em suas conclusões, os pesquisadores afirmaram: "Este estudo valida as preocupações dos pais em relação a disfunções gastrointestinais em crianças com transtorno do espectro autista". Além disso, eles afirmaram ter encontrado uma "forte associação entre prisão de ventre e comprometimento da linguagem". Atualmente, os Centros de Controle e Prevenção de Doenças dos Estados Unidos estimam que as crianças com autismo tenham 3,5 vezes mais probabilidade de sofrer de diarreia ou prisão de ventre crônica do que aquelas sem autismo — uma estatística que simplesmente não pode ser ignorada.

Outra pesquisa mostrou a existência de mais um padrão entre muitos indivíduos com autismo: intestino permeável.[12] Como você sabe, ele pode provocar uma resposta imunológica excessiva e um processo inflamatório que ataca o cérebro. Um estudo de 2010 chegou a constatar um padrão de níveis elevados de LPS — a molécula pró--inflamatória — em pacientes com autismo grave.[13] Os LPS, como você deve lembrar, não costumam tomar o caminho da corrente sanguínea, mas isso pode ocorrer quando a parede intestinal está comprometida. Devido a descobertas como essa, muitos especialistas, inclusive eu, passaram a recomendar uma dieta que não ameace a parede intestinal (isto é, sem glúten) para crianças com autismo.

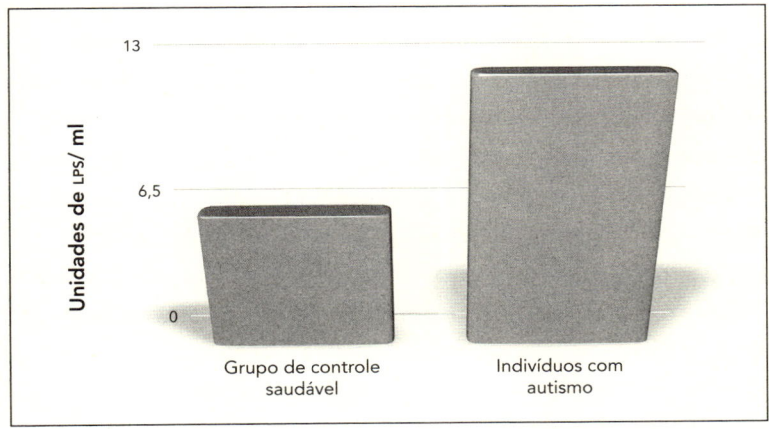

Os estudos também mostraram um aumento dos tecidos linfoides em até 93% dos pacientes com autismo.[14] Parte do sistema imunológico, esse tecido é em geral encontrado nos espaços frouxos de conexão de tecidos entre as membranas epiteliais, como aquelas que revestem o trato gastrointestinal e o sistema respiratório. Essa anormalidade, que os cientistas têm como observar, pode ir do esôfago do paciente até o intestino grosso.

Está claro que muita coisa acontece no intestino das pessoas com autismo. Se dermos um passo atrás e perguntarmos qual a razão de tudo isso, é preciso levar em conta o microbioma. Pesquisas de ponta vêm revelando que o ecossistema intestinal dos indivíduos que sofrem de autismo é drasticamente diferente daquele das pessoas sem autismo.[15] Quem tem autismo tende particularmente a ter níveis elevados de espécies clostridianas, que eliminam o efeito de equilíbrio trazido pelas demais bactérias do intestino e levam a níveis mais reduzidos de bactérias benéficas, como as bifidobactérias.[16, 17] Níveis mais elevados de espécies clostridianas podem explicar por que muitas crianças com autismo são loucas por carboidratos — principalmente açúcares refinados, alimento desses bichinhos —, o que cria um círculo vicioso alimentador da proliferação dos clostrídios.

A espécie mais famosa de clostrídio é a C. difficile, de que tratei rapidamente no capítulo 1. Quando se permite que sua população cresça em excesso, ela pode ser fatal. Certos antibióticos, sobretudo as fluoroquinilonas e antibióticos à base de enxofre, podem desencadear essa superpopulação e desajustar o equilíbrio geral das bactérias intestinais. Ironicamente, o tratamento de uma infecção por C. difficile costuma acarretar o uso de vancomicina, outro antibiótico que altera o equilíbrio da flora bacteriana, matando a C. difficile, e não é absorvido pelo intestino. Na verdade, estudos de alto nível mostraram que, em algumas crianças com autismo, o tratamento com vancomicina oral pode resultar numa melhora impressionante dos sintomas comportamentais, cognitivos e gastrointestinais desse transtorno.[18, 19] Isso levanta uma pergunta: algumas espécies de clostrídios seriam um possível agente causador de certos casos de autismo? Ou, mesmo que esses bichinhos não causem autismo, poderiam estar aumentando o risco de que ocorra, contribuindo para seu desenvolvimento, motivando alguns dos sintomas e exacerbando essa condição, uma vez ocorrida? Outra possibilidade que os cientistas precisam investigar é se desequilíbrios na flora bacteriana seriam resultado, e não agente causador, do autismo. Qualquer que seja a resposta a essas importantes perguntas, resta uma verdade simples: até agora, as pesquisas que demonstram o poder de alavancagem do microbioma na redução dos sintomas do autismo são espetaculares em vários casos do transtorno.

A correlação entre a superpopulação de bactérias potencialmente patogênicas e o autismo foi sugerida pela primeira vez em 2000, em um artigo publicado na revista *Journal of Child Neurology* pelo dr. Richard Sandler e seus colegas.[20] O dr. Sandler comandou um estudo-piloto de tratamento com antibióticos em onze crianças com diagnóstico de autismo. Embora um número reduzido de crianças tenha participado do estudo, realizado pelo Centro Médico Rush-Presbyterian-St.Luke's, de Chicago, ele provocou mesmo assim uma tempestade no meio médico. Foi o primeiro estudo do gênero a apresentar evidências de que um desequilíbrio na flora bacteriana pode gerar certos casos de autismo e de que tratar esse desequilíbrio pode aliviar de forma significativa os sintomas do transtorno. No artigo, o dr. Sandler e sua equipe descreveram o caso de Andy Bolte, cuja mãe, Ellen, suspeitava que o autismo do filho estivesse associado a uma infecção bacteriana no intestino. Ao que tudo indica, ela estava fazendo sua própria pesquisa na literatura médica. Andy foi diagnosticado com autismo em 1994. Cresceu normalmente, até que passou por um tratamento com antibióticos, para uma otite, aos dezoito meses de vida. O palpite de Ellen era que os antibióticos eliminaram as bactérias boas de seu intestino, permitindo que as bactérias más prosperassem. Em 1996, Ellen Bolte pôde enfim testar sua hipótese, com a ajuda de um médico disposto a tratar seu filho com o mesmo antibiótico usado contra a *C. difficile*, recuperando dessa forma o equilíbrio de sua flora bacteriana. A melhora de Andy foi imediata, e seu caso se tornou o principal destaque de um documentário intitulado *The Autism Enigma* [O enigma do autismo], veiculado inicialmente no exterior e disponível nos Estados Unidos a partir de 2012.

Desde então, outras pesquisas chegaram a conclusões semelhantes. O dr. Sydney Feingold, professor emérito de medicina da Universidade da Califórnia em Los Angeles e um dos coautores do estudo pioneiro do dr. Sandler, realizou outra pequena experiência com dez crianças com diagnóstico de autismo. Seu grupo concluiu que oito delas apresentaram melhora comportamental e comunicacional ao serem tratadas com a mesma droga e sofreram recaídas com o fim do tratamento.[21] O dr. Finegold constatou diversas vezes que o número de espécies clostridianas nas fezes das crianças com autismo é muito maior que nas fezes de crianças sem autismo (o grupo de controle usado nas pesquisas).[22] Num desses estudos, crianças com autismo portavam nove espécies de clostrídios que não foram encontradas no grupo de controle, enquanto neste último havia apenas três espécies não identificadas nas crianças com autismo.

Para compreender a relação entre quantidades elevadas de espécies clostridianas e o autismo, é preciso entender o papel que os ácidos graxos de cadeia curta exercem no intestino. Os ácidos graxos de cadeia curta são produtos metabólicos criados pelas bactérias do intestino quando estas processam as fibras alimentares que ingerimos. Os três principais ácidos graxos produzidos pelos micróbios do intestino — o acético, o propiônico e o butírico — são ou eliminados ou absorvidos pelo cólon e usados como fonte de energia pelas células do corpo. O ácido butírico é, de longe, a mais importante fonte de combustível para as células que revestem o cólon; esse ácido graxo tem propriedades anticarcinogênicas e anti-inflamatórias. A proporção desses ácidos graxos depende tanto da diversidade da flora intestinal quanto da alimentação. Em outras palavras, tipos diferentes de bactérias produzem diferentes ácidos graxos de cadeia curta. As espécies clostridianas produzem ácido propiônico (PPA), o que, você descobrirá em breve, não é bom, caso esse PPA passe para a corrente sanguínea. Na verdade, a exposição do cérebro ao PPA, assim como a outras moléculas produzidas por determinadas bactérias do intestino, pode ser uma chave importante para o quebra-cabeça do autismo.

O ELO DO PPA

Simplificando, o PPA produzido pelos clostrídios é tóxico para o cérebro, e seus efeitos têm início no intestino abarrotado dessas espécies de bactérias. Para início de conversa, o PPA aumenta a permeabilidade do intestino, enfraquecendo as junções de oclusão que mantêm unidas as células do revestimento intestinal. Sem o equilíbrio correto dos micróbios intestinais que mantêm intacta essa barreira, o PPA passa com facilidade para o outro lado, onde entra na corrente sanguínea, bate no fio que desencadeia processos inflamatórios e ativa o sistema imunológico. O PPA também afeta a sinalização de uma célula a outra, o que na prática compromete a forma como uma célula se comunica com outra. O PPA é responsável direto pelo comprometimento das funções mitocondriais, ou seja, altera a capacidade do cérebro de utilizar energia. Também aumenta o estresse oxidativo, o que, por sua vez, prejudica as proteínas, as membranas celulares, as proteínas vitais e até o DNA. E priva o cérebro de diversas moléculas, como os antioxidantes, os neurotransmissores e as gorduras ômega 3 de que o cérebro necessita para funcionar adequadamente. Talvez o efeito mais fascinante do PPA, porém, seja o que ele aparentemente faz ao desencadear os sintomas do autismo.

O dr. Derrick F. MacFabe é um dos mais respeitados pesquisadores nessa área da medicina.[23] Ele realizou estudos notáveis, publicados nas revistas mais renomadas. Durante mais de uma década, MacFabe e seu grupo de estudo do autismo na Universidade de Ontário Ocidental têm investigado como certas bactérias do intestino, como os clostrídios, podem interferir no desenvolvimento e no funcionamento do cérebro. Quando conversei com MacFabe, ele chegou a chamar esses bichinhos do mal de "causas infecciosas do autismo". Permita-me chamar a atenção para alguns de seus estudos, para que se entenda como ele chegou a essa ousada conclusão.

Em um dos estudos, fêmeas de camundongos grávidas e seus filhotes receberam dietas ricas em ácido propiônico.[24] Quando os filhotes chegaram a uma idade entre quatro e sete semanas, seus cérebros apresentavam alterações de desenvolvimento semelhantes às observadas em crianças com autismo. MacFabe também constatou efeitos mais imediatos do PPA. Quando ele e sua equipe injetaram PPA nos animais, estes apresentaram quase imediatamente sintomas que costumam estar associados ao autismo. Os camundongos desenvolveram hiperatividade e comportamentos repetitivos e foram observados girando em círculos, andando para trás e perdendo o desejo de socializar com outros animais. Apresentaram maior ansiedade e "fixavam-se em objetos, e não em outros animais"; tinham até objetos "favoritos". Por incrível que pareça, esses efeitos ocorreram *apenas dois minutos depois* da administração do PPA e duraram cerca de meia hora, ao cabo da qual os animais retornaram ao comportamento normal.

O grupo de MacFabe também constatou um decréscimo nas inflamações em diversas células cerebrais dos animais. Ele me disse acreditar, em função disso, que o autismo possa ser um "transtorno adquirido que envolve um metabolismo alterado do ácido propiônico". Uma coisa é ler um artigo científico que detalha esse tipo de experiência. Outra é assistir a um vídeo desses animais. MacFabe gravou sua experiência, para que o mundo veja o antes e o depois. É de tirar o fôlego, e você pode ver o vídeo com seus próprios olhos em meu site, onde o dr. MacFabe permitiu que eu o reproduzisse.

Existiria uma maneira de contrapor os efeitos do PPA, revertendo os danos? O dr. MacFabe propõe o uso de suplementos contendo importantes biomoléculas, que costumam faltar nas pessoas com autismo. Entre essas biomoléculas estão a L-carnitina, um aminoácido crucial no funcionamento saudável do cérebro; óleos ômega 3; e a n-acetilcisteína (NAC). Esta última pode incentivar a produção de glutationa. E temos muitas evidências de que os indivíduos com autismo costumam sofrer de uma deficiência de glutationa, um antioxidante fundamental no cérebro, onde ajuda a controlar danos oxidativos e inflamações.[25] Em um estudo publicado em 2013 na revista *Journal of Neuroinflammation*, mostrou-se que camundongos previamente tratados com NAC não sofreram as alterações adversas da química cerebral características do autismo depois de uma injeção de PPA.[26] A NAC preveniu alterações neuroquímicas, inflamações, desintoxicações e até danos ao DNA que poderiam ter ocorrido com a exposição ao PPA. Os autores concluíram que, caso se determine que o PPA desempenha um papel central no autismo, a NAC "pode ser um candidato terapêutico promissor na prevenção química da toxicidade do PPA". Além disso, eles citam outro estudo que "prova a utilidade potencial da NAC no tratamento da irritabilidade e dos distúrbios do comportamento nas crianças com autismo".

Em 2012, a Faculdade de Medicina de Stanford publicou suas próprias conclusões, mostrando que a suplementação de NAC reduziu a irritabilidade e os comportamentos repetitivos em um grupo de crianças com autismo. Nos últimos cinco anos, diversas outras investigações do gênero apresentaram resultados promissores no tratamento de crianças com autismo com NAC e L-carnitina por via oral. Mas são necessários mais estudos.[27] Incentivo todos aqueles que tenham interesse em experimentar essas abordagens a debatê-las com um médico.

O AUTISMO COMO TRANSTORNO MITOCONDRIAL

Se o autismo se resumisse a questões como excesso de clostrídios e PPA, erradicar a doença seria simples. Mas sabemos que o autismo é extremamente complexo, e que as pesquisas a respeito ainda estão em estágio inicial. Acredito que serão identificados outros agentes infecciosos associados ao desenvolvimento desse transtorno. É provável que os clostrídios não sejam a única espécie de bactéria capaz de se reproduzir em excesso e produzir uma grande quantidade de moléculas tóxicas para o cérebro quando entram na corrente sanguínea, por estimularem o sistema imunológico e prejudicarem o sistema neurológico. Minha aposta é que no futuro os estudos encontrarão outros micróbios potencialmente tão nocivos quanto os clostrídios no que diz respeito às funções cerebrais, e responsáveis pelo desenvolvimento de transtornos como o autismo. É interessante observar que a incidência de autismo é extremamente baixa entre alguns países em desenvolvimento, como o Camboja, lugar cujo padrão de higiene é bem inferior ao das nações ocidentais, onde a diversidade e o número de micróbios foram reduzidos por meio do saneamento e dos hábitos alimentares.

Os autores de estudos populacionais até cunharam um termo, "Teoria do Esgotamento do Bioma", para descrever a falta de micróbios, e até mesmo de parasitas, nas sociedades urbanas pós-industriais, onde as taxas de autismo são relativamente altas. A carência desses organismos na cultura ocidental faz com que os sistemas imunológicos dos povos do Ocidente não interajam com eles, o que basicamente criaria um sistema imunológico mais forte e mais "esperto" e manteria sob controle micróbios patogênicos, como os clostrídios. Poderia ser essa a razão pela qual os sistemas imunológicos das crianças ocidentais têm uma resposta excessiva, desencadeando uma reação inflamatória que, nas pessoas vulneráveis, se manifesta em sintomas autistas.

Por isso, eu gostaria de chamar rapidamente a atenção para outro conjunto de pesquisas que enfatizam a relevância do microbioma no autismo. Em 2012, a microbiologista Elaine Hsiao, do Instituto de Tecnologia da Califórnia (Caltech), integrou uma equipe que realizou uma experiência fascinante.[28] Inspirada em evidências anteriores de que mulheres que contraíram gripe durante a gravidez tinham um risco duas vezes maior de dar à luz uma criança com autismo, ela realizou uma bioengenharia em camundongos, injetando em fêmeas grávidas um vírus não infectado que provocava sintomas semelhantes aos do autismo nos filhotes. O vírus funcionou, e os camundongos deram à luz filhotes que apresentavam os sintomas clássicos do autismo (em camundongos), como lamber-se obsessivamente, esconder bolinhas de gude em suas jaulas e recusar-se a socializar com outros camundongos. Eles também sofriam da síndrome do intestino permeável. Bingo! (Cabe esclarecer que o vírus não tinha, necessariamente, um efeito grave na futura mãe; ele desencadeava nela uma resposta imunológica, que afetava o feto.)

Hsiao queria, na verdade, descobrir como a flora intestinal nesses camundongos modificados influenciava seu comportamento. Ela testou o sangue dos camundongos e descobriu que os "autistas" continham um impressionante número de 46 vezes mais moléculas como o PPA, produzido pelas bactérias do intestino e sabido indutor de sintomas de autismo, quando filtrado dos intestinos para o sangue.

Em seguida, Hsiao embutiu na comida dos animais o B. fragilis, um probiótico que se mostrou eficaz no tratamento de problemas gastrointestinais em camundongos. Os resultados foram de cair o queixo. Em apenas cinco semanas, o intestino nos camundongos "autistas" tinha deixado de ser permeável, e os níveis da molécula nociva no sangue tinham despencado. O comportamento dos roedores também mudou. Eles passaram a apresentar menos sintomas de autismo. Os camundongos ficaram menos ansiosos e mais sociáveis e interromperam os comportamentos repetitivos.

Para decepção de Hsiao, porém, os camundongos que passaram pelo tratamento continuaram indiferentes quando um novo camundongo era colocado em suas jaulas. Isso reforça, mais uma vez, a complexidade do autismo. Os déficits verificados na interação social entre certas crianças autistas estão no cerne do transtorno. Aparentemente, o *B. fragilis*, ou qualquer outro probiótico, não é um tratamento infalível. Mas não tenho dúvida de que as terapias futuras para o autismo incluirão os probióticos. Alguns deles podem fazer maravilhas contra certos sintomas do autismo em alguns pacientes. Também tenho o palpite de que começaremos a enxergar transtornos cerebrais, como o autismo, como doenças mitocondriais, fortemente relacionadas à diversidade intestinal.

Ao longo deste livro, tenho mostrado a relação entre condições que você antes não imaginava existir, como o elo entre o diabetes e a demência. Também compartilhei novas ideias em relação a denominadores comuns na maior parte dos males cerebrais, principalmente os processos inflamatórios. Até mesmo um transtorno como o autismo tem muito em comum com outros transtornos cerebrais, por intermédio do histórico das mitocôndrias.[29] Transtornos neurológicos tão diversos quanto autismo, esquizofrenia, transtorno bipolar, Parkinson e Alzheimer foram todos relacionados a problemas mitocondriais.[30] Esta é uma pista importante para nossa compreensão desses males, sobretudo no que diz respeito ao autismo, uma vez que existem tantos graus diversos de severidade em seu espectro.

Em 2010, a revista *Journal of the American Medical Association* publicou um estudo revelador que acrescentou mais uma peça importante ao quebra-cabeça do autismo.[31] Pesquisadores da Universidade da Califórnia em Davis concluíram que crianças com autismo têm uma probabilidade muito maior de sofrer de deficiências na capacidade de produzir energia celular se comparadas às crianças de desenvolvimento normal. Isso indica uma forte correlação entre o autismo e os defeitos mitocondriais. Embora estudos anteriores tenham apontado essa relação entre o autismo e disfunções mitocondriais, este foi o primeiro a estabelecer de fato esse elo e a inspirar outros a aprofundar a pesquisa nessa área.

A equipe da UC Davis reuniu dez crianças com autismo, com idades entre dois e cinco anos, e outras dez crianças na mesma faixa de idade e de origem social semelhante, mas sem autismo. Ao obter amostras do sangue de cada criança, os pesquisadores focaram nas mitocôndrias das células imunológicas, os chamados linfócitos, e analisaram suas trajetórias metabólicas. Estavam especificamente em busca das mitocôndrias das células imunológicas porque estudos anteriores, que analisaram as mitocôndrias dos músculos, não haviam encontrado nelas defeitos mitocondriais. As células musculares são capazes de gerar muita energia sem depender das mitocôndrias, por meio de um processo chamado de "glicólise anaeróbica". Os linfócitos, por sua vez, assim como os neurônios cerebrais, dependem em grande parte da respiração aeróbica mitocondrial para obter energia.

Os resultados falam por si: as crianças com autismo apresentaram sinais de atividade mitocondrial reduzida, pois suas mitocôndrias consumiam muito menos energia que as das crianças do grupo de controle. Em outras palavras, as mitocôndrias das crianças com autismo não conseguiam acompanhar a demanda de energia das células. Como você pode imaginar, o cérebro é um dos maiores consumidores de energia do corpo, atrás apenas do coração. A hipótese dos autores do estudo é que essa deficiência na capacidade de alimentar os neurônios cerebrais possa levar a alguns dos comprometimentos cognitivos associados ao autismo.

Lembre-se de que as mitocôndrias carregam seu próprio conjunto de instruções genéticas e são a fonte número 1 de produção de energia das células. Os pesquisadores constataram níveis muito mais elevados de estresse oxidativo nas crianças com autismo, considerando-se os níveis mais altos de peróxido de hidrogênio em suas mitocôndrias. Além disso, duas das crianças com autismo apresentaram supressão de genes no DNA mitocondrial, fenômeno que não foi observado nas crianças do grupo de controle. Os pesquisadores concluíram que todas essas anormalidades mitocondriais medidas nas crianças com autismo sugerem que o estresse oxidativo nessas organelas vitais pode influenciar o desenvolvimento do autismo e contribuir para determinar sua gravidade.

Embora essas descobertas não definam uma causa para o autismo — os pesquisadores desconhecem, por exemplo, se a disfunção nas mitocôndrias começa a ocorrer antes ou depois do parto —, elas certamente ajudam a refinar a busca por sua origem. O dr. Isaac Pessah, diretor do Centro para a Saúde Ambiental Infantil e a Prevenção de Doenças, pesquisador do Instituto MIND da UC Davis e professor de biociências moleculares na Faculdade de Medicina Veterinária da UC Davis, diz:

> Agora o grande desafio é tentar compreender o papel da disfunção mitocondrial nas crianças com autismo [...] Muitos fatores ambientais de estresse podem provocar o dano mitocondrial. Dependendo do momento em que a criança foi exposta, no útero ou no nascimento, e da gravidade dessa exposição, poderemos explicar o leque de sintomas do autismo.[32]

Afirmações como essa fazem sentido quando você pensa de maneira mais geral e leva em conta também a flora intestinal. Recorde que mencionei no capítulo 2 que ela e as mitocôndrias interagem de forma complexa, atuando como uma espécie de segundo e terceiro DNAS, além do nosso próprio DNA nuclear. Não apenas a ação da flora intestinal auxilia a saúde das mitocôndrias, mas, quando os micróbios do intestino estão em desequilíbrio, ou dominados por cepas patogênicas, eles podem infligir danos diretos às mitocôndrias, através de seus subprodutos tóxicos (por exemplo, o PPA), ou danos indiretos, por meio de processos inflamatórios.

A ideia de que o autismo se caracteriza por padrões singulares, tanto no microbioma quanto nas funções mitocondriais, não vai parar de chamar atenção e ganhar força nos círculos de pesquisadores. Trata-se de um campo empolgante e crescente. Confio que isso levará a ferramentas de diagnóstico e tratamento melhores. Embora possa levar anos até que consigamos identificar a interação complexa entre todas as variáveis — fatores ambientais, alterações mitocondriais e do microbioma e ações dos sistemas nervoso e imunológico —, não levará tanto tempo assim para que possamos entender a importância da manutenção de uma comunidade bacteriana saudável. Quer os micróbios intestinais exerçam ou não um papel importante no desenvolvimento do autismo, ou de qualquer transtorno neurológico, eles são atores fundamentais em nossa complexa fisiologia. E auxiliá-los da melhor forma possível talvez seja a melhor maneira de influenciar a saúde de nosso cérebro, e talvez até de nosso DNA.

COMO ASSUMIR O CONTROLE DE SEUS GENES

A ideia de que o ambiente provavelmente desempenha um papel importante no desenvolvimento do autismo, e de que as raízes do autismo remontem aos primeiríssimos dias da vida de uma criança, e talvez até ao período anterior à concepção, merece cada vez mais atenção. Embora os genes codificados no DNA sejam basicamente estáticos (salvo quando ocorre uma mutação), sua expressão pode ser altamente dinâmica, numa reação às influências ambientais. Essa área de estudo, conhecida como epigenética, passou a ser uma das áreas de pesquisa mais empolgantes. Na comunidade científica, acreditamos que as forças epigenéticas nos afetam do útero ao dia de nossa morte. Aparentemente, existem diversas "janelas", ao longo da nossa vida, em que estamos sensíveis aos impactos ambientais, e o período passado *in utero* e os primeiros anos de vida representam um momento único, de grande vulnerabilidade a influências que podem alterar nossa biologia e resultar em grandes efeitos futuros, do autismo a outros problemas neurológicos na juventude e mais além. Ao mesmo tempo, as inúmeras ações neurais, imunológicas e hormonais controladas pelo microbioma — que, por sua vez, comandam toda a nossa fisiologia — estão sujeitas a desequilíbrios e adaptações, sobretudo em função de alterações ambientais.

Numa definição mais técnica, a epigenética é o estudo das seções de nosso DNA (as chamadas "marcas" ou "marcadores") que, basicamente, dizem aos nossos genes com que força eles devem se expressar. Como maestros de uma orquestra, esses marcadores epigenéticos não apenas controlam sua saúde e longevidade, mas também a forma como esses genes são transmitidos às gerações futuras. Na verdade, as forças que atuam na expressão do seu DNA hoje podem ser transmitidas a seus filhos biológicos, afetando a forma como esses genes se comportarão em suas vidas e se seus filhos correrão ou não um risco maior de transtornos cerebrais como o autismo.

Muitos anos adicionais de pesquisa serão necessários para que se compreenda a relação entre a flora intestinal e o autismo. Acredito que os estudos que ressaltei neste capítulo sejam promissores e possam levar a novas medidas preventivas que ajudem a transformar o autismo de um transtorno debilitante em uma condição administrável. O melhor de tudo é que essas novas terapias não serão drogas farmacêuticas, com os efeitos colaterais que as acompanham. Elas serão, na maior parte, decisões alimentares e tratamentos probióticos para reequilibrar o microbioma; serão intervenções no estilo de vida, altamente acessíveis e econômicas para todos.

No momento em que encerramos a parte I e passamos para a parte II, em que descreverei os fatores ambientais que alteram o microbioma, gostaria de reforçar que nossas escolhas diárias de vida têm um grande efeito em nossa biologia e até na atividade de nossos genes. O que nos confere poder nisso é o fato de podermos alterar o destino de nossa saúde, assim como a de nossos filhos, se tomarmos as decisões corretas. Agora que dispomos de evidências que sugerem que a alimentação, o estresse, os exercícios, o sono — e o estado de nosso microbioma — afetam quais genes serão ativados e quais serão reprimidos —, podemos até certo ponto tomar o controle de todas essas áreas. É bem verdade que talvez nunca consigamos erradicar totalmente a possibilidade do autismo ou de outros transtornos cerebrais, mas certamente podemos fazer o melhor possível para reduzir as chances. E agora que sabemos que a flora intestinal é de alguma forma um fator, torna-se fundamental utilizar o microbioma em benefício do cérebro. Assim como saber de que maneira um microbioma saudável pode ficar doente. Esse é o objetivo da parte II.

PARTE II

CRISE NA MICROBIOLÂNDIA

O comprimido para dor de cabeça que você toma é tóxico para suas bactérias intestinais? Refrigerantes normais ou diet assassinam suas tribos microbianas saudáveis? Alimentos feitos a partir de organismos geneticamente modificados (OGMS) fomentam problemas no corpo?

Agora que você já teve uma visão panorâmica do microbioma, é hora de nos voltarmos aos fatores de exposição mais comuns que o corrompem. Entre eles estão não apenas fatores alimentares e medicamentos, mas também substâncias químicas no meio ambiente, a água que bebemos, as roupas que vestimos e os produtos de higiene pessoal que utilizamos. Embora pareça que praticamente qualquer coisa pode afetar o microbioma, nesta parte do livro vou me concentrar nos maiores culpados sobre os quais você pode ter algum controle. Nenhum de nós vive numa bolha ou tem como evitar toda e qualquer exposição às substâncias que ameaçam nosso microbioma. Mas vale a pena estar consciente dos maiores vilões. Afinal de contas, informação é poder. Com as lições da parte II, você estará totalmente preparado para pôr em prática os conselhos que darei na parte III.

6. Um soco no intestino
A *verdade sobre a frutose e o glúten*

Quando me pedem uma lista de todas as coisas que destroem um microbioma adulto saudável, explico que tudo depende daquilo a que você foi exposto e daquilo que você põe na boca. Naturalmente, ao chegar à idade adulta, você já tirou as cartas que o favorecem ou desfavorecem, conforme a maneira como veio ao mundo e os primeiros anos de sua vida. Embora não haja nada a fazer para reverter seu histórico pessoal, você pode assumir o controle — a partir de hoje — para mudar o estado de seu intestino e o destino do seu cérebro. E isso começa pela dieta.

Todos que leram *A dieta da mente* conhecem minha opinião a respeito da influência positiva da dieta na saúde e, é claro, na doença. Mas essa perspectiva não é só minha e está longe de ser uma opinião aleatória, baseada em evidências empíricas. Ela se baseia em conhecimentos científicos rigorosos, alguns dos quais muito recentes e verdadeiramente espetaculares. E o que esses conhecimentos estão mostrando é que alterações na nutrição humana não são responsáveis apenas por muitas de nossas doenças mais comuns, mas têm relação direta com alterações na flora intestinal.

Em uma resenha muito bem escrita e com boas citações daquilo que já sabemos a respeito da complexa equação dieta-intestino-micróbios-saúde, pesquisadores canadenses afirmaram o seguinte:

No geral, alterações alimentares podem explicar 57% da variação estrutural total da microbiota intestinal, enquanto alterações genéticas respondem por não mais que 12%. Isso sugere que a dieta tem um papel dominante na configuração da microbiota intestinal, e alterar populações cruciais pode transformar uma microbiota saudável em um indutor de doenças.[1]

Vou repetir: *a dieta tem um papel dominante na configuração da microbiota intestinal, e alterar populações cruciais pode transformar uma microbiota saudável em um indutor de doenças.* Se houver um fato único a extrair deste livro, é essa frase. O dr. Alessio Fasano, de Harvard, uma das maiores autoridades na conexão intestino-cérebro, que apresentei no início deste livro, faz coro com essa impressão. Na verdade, durante uma conferência, ele me disse que, embora os antibióticos e o tipo de parto sejam fatores importantes no desenvolvimento e na manutenção de um microbioma saudável, as escolhas alimentares são, de longe, o fator mais crucial.

Mas que tipo de dieta gera o microbioma ideal? Vou entrar nesses detalhes no capítulo 9. Por enquanto, vamos nos concentrar nos dois principais ingredientes a evitar quando o objetivo é preservar a saúde, o equilíbrio e o funcionamento dos bichinhos na sua barriga.

A FRUTOSE

Como eu já disse, a frutose se tornou uma das fontes de calorias mais comuns na dieta ocidental. Ela aparece naturalmente nas frutas, mas não é delas que a estamos obtendo; a maior parte da frutose que consumimos vem de fontes processadas. Nossos antepassados das cavernas comiam frutas, sim, mas apenas em alguns períodos do ano, quando elas estavam disponíveis; nossos corpos ainda não evoluíram para administrar de maneira saudável as incríveis quantidades de frutose que consumimos atualmente. Frutas naturais, integrais, têm relativamente pouco açúcar, se comparadas, por exemplo, a uma lata de refrigerante normal ou de suco concentrado. Uma maçã média contém um pouco mais de 70 calorias de açúcar, misturadas em uma riqueza de fibras; uma latinha de 350 ml de refrigerante comum contém duas vezes mais — 140 calorias de açúcar. Um copo de suco de maçã (natural, não de polpa) de 350 ml tem aproximadamente o mesmo que o refrigerante, representando o mesmo número de calorias de açúcar. Seu corpo seria incapaz de notar a diferença entre o açúcar vindo de maças processadas ou de uma fábrica de refrigerantes.

De todos os carboidratos que existem na natureza, a frutose é o mais doce. Não admira gostarmos tanto dela. Mas, ao contrário do que você poderia imaginar, não é ela que tem o mais alto índice glicêmico. Na verdade, ela tem o menor índice de todos os açúcares naturais, porque o fígado metaboliza a maior parte da frutose, de modo que ela não tem efeito imediato nos nossos níveis de glicose e insulina. Bem diferente do açúcar de mesa e do xarope de milho rico em frutose, cuja glicose vai parar na circulação geral e eleva o nível de glicose no sangue.

Esse fato não tira a frutose da lista de suspeitos, por assim dizer. A frutose tem efeitos de longo prazo quando é consumida em grandes quantidades a partir de fontes artificiais. Diversos estudos mostram que ela está associada a um comprometimento da tolerância à glicose, à resistência à insulina, ao excesso de lipídios no sangue e à hipertensão. Torna-se um fardo pesado para o fígado, que é obrigado a despender muita energia convertendo-a em outras moléculas que corre o risco de não ter nenhuma reserva para suas demais funções. Uma das consequências negativas dessa perda de energia é a produção de ácido úrico, relacionado a pressão alta, gota e cálculos renais. Além disso, como a frutose não desencadeia a produção de insulina e leptina, dois hormônios cruciais na regulagem do metabolismo, dietas ricas em frutose muitas vezes levam à obesidade e a suas repercussões metabólicas. Devo acrescentar que as fibras nas frutas e nos vegetais desaceleram a absorção de frutose pela corrente sanguínea. Inversamente, o xarope de milho rico em frutose e a frutose cristalina desequilibram o metabolismo do fígado, o que, associado ao excesso de glicose, leva a picos no nível de glicose no sangue e exaure o pâncreas. Que fique claro que o xarope de milho rico em frutose não é extraído de frutas;

como diz o nome, é um adoçante feito de xarope de milho. Mais especificamente, o amido de milho é processado com enzimas e produz uma substância clara, rica em frutose e com prazo de validade maior que o açúcar de mesa comum. O xarope de milho, no fim das contas, é uma mistura com metade de frutose e metade de glicose, e esta última eleva a glicemia.

Como mencionei no capítulo 4, novos estudos mostram que a obesidade pode ser um reflexo das alterações no microbioma *provocadas pela exposição à frutose*. Esse tipo de alteração pode ter sido útil no Paleolítico, aumentando nossa produção de gordura no fim do verão, quando as frutas estavam maduras e se consumia frutose. O excesso de gordura nos ajudava a sobreviver no inverno, quando o alimento escasseava, mas esse mecanismo se tornou uma adaptação adversa em nosso mundo contemporâneo, onde há frutose em abundância.

É interessante notar que só agora estudos com adoçantes estão revelando que nossa flora intestinal é afetada pelo açúcar que consumimos. O corpo humano não consegue digerir adoçantes artificiais, e é por isso que eles não possuem calorias. Mesmo assim, eles têm que passar pelo trato gastrointestinal. Por muito tempo, supôs-se que os adoçantes fossem, basicamente, ingredientes neutros em relação à nossa fisiologia. Longe disso. Em 2014, um artigo bombástico, que mencionei brevemente no capítulo 4, foi publicado na revista *Nature*.[2]

O professor Eran Segal, biólogo computacional no Instituto Weizmann de Ciência, em Israel, liderou uma equipe numa série de experiências para responder uma pergunta: adoçantes artificiais afetam bactérias intestinais saudáveis? Segal e seus colegas começaram adicionando os açúcares artificiais sacarina, sucralose e aspartame à água bebida por diferentes grupos de camundongos. Eles puseram na água de outros grupos de camundongos açúcares verdadeiros, glicose ou sucrose (uma mistura de glicose e frutose). O grupo de controle bebeu água comum, sem açúcar. Onze semanas depois, os camundongos que receberam os adoçantes artificiais apresentaram sinais de incapacidade de processar açúcar de verdade, constatação feita pelos níveis mais elevados de intolerância à glicose em comparação com os demais. Para verificar se a flora intestinal tinha algo a ver com o elo entre tomar adoçantes e desenvolver intolerância à glicose, os pesquisadores ministraram antibióticos aos camundongos durante quatro semanas, basicamente exterminando suas floras bacterianas. E eis que, depois do aniquilamento, todos os grupos de camundongos conseguiram metabolizar o açúcar da mesma forma.

Em seguida, os pesquisadores transplantaram bactérias intestinais de camundongos que haviam consumido sacarina para camundongos livres de germes, sem flora intestinal própria. Em apenas seis dias, os camundongos modificados haviam perdido parte da capacidade de processar o açúcar. As análises genéticas das colônias intestinais falavam por si. Apresentavam alterações na composição das bactérias devido à exposição ao adoçante artificial. Alguns tipos de bactérias se tornaram mais abundantes, enquanto outros diminuíram.

Pesquisas em seres humanos estão em andamento, e por ora os resultados preliminares de fato mostram que o açúcar artificial não é aquilo que durante muito tempo se acreditou que fosse — uma alternativa segura e mais saudável ao açúcar real. Têm aparecido estudos mostrando que a flora intestinal dos que consomem adoçante com regularidade é diferente daquela dos que não o fazem. Também foram encontradas correlações entre aqueles que usam adoçantes artificiais e aqueles que pesam mais e têm uma glicemia de jejum mais alta, condição que sabidamente leva a mais efeitos negativos sobre a saúde. Além disso, em outro estudo marcante, publicado em 2013, pesquisadores franceses acompanharam mais de 66 mil mulheres desde 1993 e concluíram que o risco de desenvolver diabetes *mais que duplicou* entre aquelas que tomavam bebidas adoçadas artificialmente que entre aquelas que consumiram bebidas adoçadas com açúcar.[3] Dê uma olhada (mas não interprete esses dados como uma licença para tomar bebidas adoçadas com açúcar):

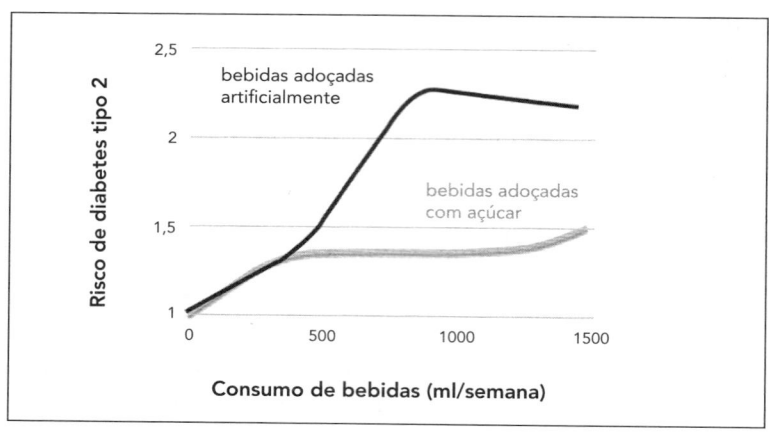

Risco de diabetes tipo 2 / Consumo de bebidas (ml/semana)

Agora vamos voltar a falar da frutose. Um americano ingere, em média, 80 gramas de frutose por dia, normalmente sob a forma processada de xarope de milho rico em frutose. É impossível que tudo isso seja absorvido pelo intestino e passe à corrente sanguínea. Os micróbios do intestino gostam de frutose processada tanto quanto o ser humano, talvez até mais, e se regalam com qualquer excesso. A frutose é rapidamente fermentada pelas bactérias do intestino, o que resulta em subprodutos como os ácidos graxos de cadeia curta dos quais falamos no capítulo 5, assim como um pot-pourri de gases, entre eles metano, hidrogênio, dióxido de carbono e sulfeto de hidrogênio. Como você pode imaginar, gases em fermentação se acumulam e podem causar inchaço, desconforto e cólicas abdominais. Frutose em excesso no intestino também atrai um excesso de água, o que pode ter um efeito laxante. Para piorar as coisas, esses ácidos graxos de cadeia curta também atraem mais água para o intestino.

Ao contrário do que se pode imaginar, o gás metano não é inerte. Diversas experiências mostraram que o metano em excesso no intestino grosso possui atividade biológica. Pode perturbar a atividade do cólon e atrapalhar a digestão e o movimento das fezes, levando a dores abdominais e prisão de ventre.

Não param aí os efeitos perturbadores da frutose: ela também foi relacionada a rápidos danos ao fígado — *até mesmo sem ganho de peso.*

Em um estudo publicado em 2013 no *American Journal of Clinical Nutrition*, pesquisadores mostraram que o excesso de frutose pode fazer com que as bactérias deixem os intestinos, entrem na corrente sanguínea e danifiquem o fígado.[4] Nas palavras do principal autor do estudo, o dr. Kylie Kavanagh, do Centro Médico da Universidade Batista de Wake Forest, "aparentemente algo nos níveis elevados de frutose torna os intestinos menos protetores que o normal, permitindo por consequência que as bactérias se infiltrem numa taxa 30% maior". As conclusões do estudo se basearam em modelos animais (macacos), mas provavelmente refletem o que ocorre no intestino humano e ajudam a explicar como pessoas magras que consomem muita frutose processada podem sofrer, mesmo assim, de disfunções metabólicas e problemas de fígado. A maioria dos estudos com seres humanos está em andamento.

Portanto, da próxima vez que você sentir vontade de tomar um refrigerante normal ou diet, ou ingerir um alimento repleto de xarope de milho rico em frutose, espero que pense duas vezes. Na parte III, darei algumas dicas para adoçar seus alimentos sem perturbar os bichinhos no seu intestino.

O GLÚTEN

Guardei o melhor (ou o pior, dependendo do ponto de vista) para o final. Escrevi muito sobre o glúten em *A dieta da mente*, acusando a proteína encontrada no trigo, na cevada e no centeio de ser um dos ingredientes mais inflamatórios do mundo contemporâneo. Afirmei que, embora seja pequena a porcentagem da população altamente sensível ao glúten, que sofre da doença celíaca, praticamente *qualquer pessoa* pode ter uma reação negativa, ainda que ela passe despercebida. A sensibilidade ao glúten — com ou sem a presença da doença celíaca — aumenta a produção de citocinas inflamatórias, que desempenham um papel fundamental nas condições neurodegenerativas. E, como venho dando a entender, o cérebro é um dos órgãos mais sujeitos aos efeitos deletérios dos processos inflamatórios.

Eu chamo o glúten de "germe silencioso", porque ele pode infligir danos duradouros sem que se perceba. Embora esses efeitos possam começar com dores de cabeça ou ansiedade sem razão aparente, ou a sensação de estar "ligado, mas cansado", eles podem se agravar sob a forma de transtornos mais sérios, como a depressão e a demência. Hoje em dia o glúten está por toda parte, embora o movimento contra ele esteja crescendo até mesmo na indústria de alimentos. Ele espreita em todos os lugares, de produtos à base de trigo a sorvetes e hidratantes para as mãos. É usado como aditivo até mesmo em produtos aparentemente "saudáveis", sem trigo. É interminável a lista de estudos que confirmaram a relação irrefutável entre a sensibilidade ao glúten e disfunções neurológicas. Até mesmo aqueles que não são clinicamente sensíveis ao glúten (dão negativo nos exames e não parecem apresentar problemas na digestão dessa proteína) podem sofrer problemas.

Vejo diariamente no consultório os efeitos do glúten. Com frequência, meus pacientes só vêm me procurar depois de passar por uma série de outros médicos e "tentar tudo". Estejam eles sofrendo de dor de cabeça ou enxaqueca, ansiedade, TDAH, depressão, problemas de memória, esclerose múltipla, esclerose lateral amiotrófica, autismo ou qualquer conjunto de sintomas neurológicos sem rótulo definido, uma das primeiras atitudes que tomo é receitar a eliminação total do glúten em suas dietas. E não paro de me surpreender com os resultados. Para ser bem claro, não estou dizendo que o glúten desempenha um papel causal em uma doença como a ELA, mas quando vemos dados científicos que demonstram profunda permeabilidade do intestino nesse transtorno, faz sentido tentar tudo que estiver ao alcance para reduzir esse processo. E eliminar o glúten é um passo inicial importante.

O glúten é formado por dois grupos principais de proteínas, as *gluteninas* e as *gliadinas*. Você pode ser sensível a uma dessas proteínas ou a uma de doze outras unidades menores que compõem a gliadina. Uma reação a qualquer uma delas pode levar a um processo inflamatório.

Desde que escrevi *A dieta da mente*, novas pesquisas sobre os efeitos danosos do glúten ao microbioma vieram à luz. Na verdade, é bem possível que toda a sequência de efeitos adversos que ocorrem no corpo quando ele é exposto ao glúten comecem com uma alteração no microbioma — o marco zero. Antes de explicar essa sequência, gostaria de lembrar alguns fatos importantes. Parte deles você já conhece, mas é importante compreender essa mensagem, sobretudo por ter a ver com o glúten.

O caráter "aderente" do glúten interfere com a quebra e a absorção de nutrientes, o que leva a uma digestão ruim dos alimentos. Esta, por sua vez, faz soar um alarme no sistema imunológico, o que acaba por resultar num ataque ao revestimento do intestino delgado. Aqueles que apresentam os sintomas da sensibilidade ao glúten se queixam de dores abdominais, náuseas, diarreia, prisão de ventre e incômodo intestinal. Muitos, porém, não sofrem desses sinais evidentes de problemas gastrointestinais, e mesmo assim podem estar passando por um ataque silencioso no corpo, como por exemplo no sistema nervoso.

Quando esse alarme soa, o sistema imunológico envia substâncias químicas inflamatórias, na tentativa de controlar a situação e neutralizar os efeitos do ataque inimigo. Esse processo pode danificar tecidos, comprometendo as paredes intestinais, uma condição que, você já sabe, chama-se "intestino permeável". Segundo o dr. Alessio Fasano, de Harvard, a exposição à proteína gliadina, especificamente, aumenta a permeabilidade do intestino *em todos nós*.[5] É isso mesmo: todos os seres humanos têm algum grau de sensibilidade ao glúten. Quem sofre de intestino permeável fica altamente suscetível a outras sensibilidades alimentares. Também fica vulnerável ao impacto dos LPS, que rumam à corrente sanguínea. Os lipopolissacarídeos, como você há de lembrar, são um componente estrutural de muitas células microbianas no intestino. Quando os LPS passam pelas junções de oclusão, aumentam os processos inflamatórios sistêmicos e irritam o sistema imunológico — um duplo golpe que cria o risco de inúmeros males cerebrais, doenças autoimunes e câncer.

A característica marcante da sensibilidade ao glúten são os níveis elevados de anticorpos contra a gliadina que compõe o glúten, que ativam genes específicos em certas células imunológicas e desencadeiam a liberação de citocinas inflamatórias. Estas, por sua vez, atacam o cérebro. Esse processo tem sido descrito há décadas na literatura médica. Anticorpos antigliadina também parecem interagir com certas proteínas cerebrais. Um estudo publicado em 2007 na revista *Journal of Immunology* mostrou que anticorpos antigliadina aderem à sinapsina neuronal I, uma proteína neuronal. Nas conclusões, os autores do estudo afirmam que isso pode explicar por que a gliadina contribui para "complicações neurológicas como neuropatia, ataxia, convulsões e alterações neurocomportamentais".[6]

As pesquisas também mostram que a reação do sistema imunológico ao glúten faz mais que simplesmente acionar o botão dos processos inflamatórios. O trabalho do dr. Fasano revela que o mesmo mecanismo pelo qual o glúten agrava as inflamações e a permeabilidade do intestino também leva a uma quebra da barreira hematoencefálica propriamente dita, preparando o terreno para a produção de ainda mais substâncias químicas inflamatórias destrutivas para o cérebro.[7, 8] Em todos os meus pacientes que sofrem de transtornos neurológicos sem explicação, eu faço exames de sensibilidade ao glúten. Na verdade, a mesma empresa — Cyrex Labs — que faz os exames de sangue de detecção de LPS também realiza testes de alta tecnologia de sensibilidade ao glúten (visite www.DrPerlmutter.com/Resources para saber mais sobre esses importantes exames).

Vamos fechar o círculo voltando ao microbioma. Como expliquei no capítulo 5, alterações na composição dos ácidos graxos de cadeia curta, que desempenham um papel crucial na manutenção do revestimento intestinal, são um sinal flagrante de que a composição das bactérias intestinais mudou (lembre-se de que esses ácidos são produzidos pelas bactérias do intestino; tipos diferentes de bactérias produzem tipos diferentes desses ácidos graxos). As evidências mais recentes mostram que, entre aqueles que apresentam mudanças mais adversas nesses ácidos graxos de cadeia curta, os piores são os pacientes de doença celíaca, o que é um reflexo das consequências de alterações na flora intestinal.[9] Parece ser uma via de mão dupla; hoje se admite que alterações na microbiota exercem uma influência ativa na patogênese da doença celíaca. Em outras palavras, uma comunidade microbiana desequilibrada no intestino pode incitar e intensificar a doença celíaca, da mesma forma que a presença do transtorno incita alterações na flora bacteriana. E isso é relevante, porque a doença celíaca está associada a uma série de complicações neurológicas, da epilepsia à demência.

Não esqueçamos outros fatos dessa questão: crianças nascidas de cesariana e aquelas que tomaram muitos antibióticos têm um risco muito mais alto de desenvolver doença celíaca, e esse risco mais elevado é uma função direta da qualidade do microbioma em desenvolvimento e de quantas agressões ele sofreu. E crianças com risco de doença celíaca, a literatura médica já mostrou, possuem um número notadamente inferior de Bacteroidetes, o tipo de bactéria associado a uma saúde melhor.[10] Talvez por isso as crianças e os adultos no mundo ocidental, quando comparados a quem vive em áreas do mundo com microbiomas repletos de Bacteroidetes, apresentem um risco maior de condições inflamatórias e autoimunes.

A evidência mais convincente de que dispomos hoje em favor de uma dieta sem glúten para preservar a saúde e as funções cerebrais vem da Clínica Mayo. Em 2013, uma equipe de médicos e pesquisadores finalmente demonstrou como o glúten na alimentação pode causar o diabetes tipo 1. Embora há muito tempo estudos mostrem a correlação entre a ingestão de glúten e o desenvolvimento de diabetes tipo 1, esse foi o primeiro a revelar o verdadeiro mecanismo. Nesse estudo, os pesquisadores alimentaram camundongos não obesos, suscetíveis ao diabetes tipo 1, parte com uma dieta sem glúten, parte com uma dieta com glúten. Os camundongos sem glúten deram sorte; sua dieta os protegeu do diabetes tipo 1. Quando os pesquisadores reinseriram o glúten na dieta dos camundongos saudáveis, isso reverteu o efeito protetor que a dieta sem glúten havia proporcionado. Os pesquisadores também constataram um impacto mensurável do glúten sobre a flora bacteriana dos camundongos, o que os levou a concluir que "a presença de glúten é diretamente responsável pelos efeitos pré-diabetogênicos das dietas, e determina a microflora intestinal. Nosso novo estudo sugere, portanto, que o glúten alimentar pode modular a incidência [do diabetes tipo 1] ao alterar o microbioma intestinal"[11] (cabe registrar que o diabetes tipo 1 é um transtorno autoimune que afeta pouquíssimas pessoas, se comparado ao diabetes tipo 2).

Esse novo estudo veio na esteira de outro, publicado na mesma revista, a *Public Library of Science*, que conclui que a parte do glúten solúvel em álcool, a gliadina, provoca ganho de peso e hiperatividade das células beta do pâncreas, um fator potencial que contribui para o diabetes tipo 2 e é precursor do diabetes tipo 1.[12] Essas condições, como você sabe, são altos fatores de risco para doenças cerebrais. Considerando o conjunto de pesquisas cada vez maior, chegou a hora de reconhecer que muitos dos males mais comuns que nos afligem atualmente são resultado direto do consumo de alimentos populares, como o trigo.

Reconheço que muita coisa se escreveu discutindo se a onda contra o glúten é boa para a saúde ou um modismo. Para aqueles cujo exame de sensibilidade ao glúten deu negativo, ou que nunca tiveram problemas com glúten e adoram panquecas e pizza, digo apenas o seguinte: as pesquisas mostram que o trigo moderno é capaz de gerar mais de 23 mil proteínas diferentes, e qualquer uma delas pode desencadear uma reação inflamatória potencialmente danosa.[13] Embora conheçamos os possíveis efeitos negativos do glúten, minha previsão é que as futuras pesquisas revelarão mais proteínas nocivas que acompanham o glúten nos grãos modernos e que têm os mesmos efeitos deletérios, senão piores, sobre o corpo e o cérebro.

Cortar o glúten, hoje em dia, não é tão fácil. Embora atualmente haja um amplo mercado de produtos sem glúten, o problema fundamental é que eles são apenas isto: produtos, que podem ser tão ruins e pobres em nutrientes quanto os produtos processados que não vêm com o rótulo "sem glúten". Muitos são compostos de grãos refinados, sem glúten, mas pobres em fibras, vitaminas e outros nutrientes. Por isso é crucial prestar atenção nos ingredientes e optar por alimentos sem glúten que sejam autênticos em sua característica integral e nutritiva. É o que eu o ajudarei a fazer na parte III.

Gosto de dizer a meus pacientes que, se eles limparem a dieta, cortando o glúten e a frutose processada e controlando a frutose natural das frutas de verdade, terão dado o passo número 1 na preservação da saúde e do funcionamento do microbioma e do cérebro. O passo número 2, que você verá em seguida, é controlar a exposição a substâncias químicas e drogas que também podem ter consequências sobre a saúde — o foco do próximo capítulo.

7. Guerra intestina
Os fatores que destroem um microbioma saudável

Agora que já elencamos as principais armadilhas alimentares para um microbioma saudável, vamos nos aproximar um pouco mais dos conhecimentos científicos a respeito das outras coisas que ameaçam sua comunidade intestinal, do ponto de vista dos medicamentos e das substâncias químicas no ambiente. Abaixo, listarei os piores vilões. Parte das informações reforça conceitos que já abordamos, ao mesmo tempo que lhe propiciam dados adicionais para capacitá-lo às novas escolhas que você fará em sua vida daqui por diante.

OS ANTIBIÓTICOS

Tenho uma lembrança vívida dos meus cinco anos de idade, quando meu pai subitamente adoeceu. Na época, ele era um neurocirurgião requisitado, que atendia em cinco ou seis hospitais e era ao mesmo tempo pai de cinco filhos (eu sou o caçula). Como você pode imaginar, papai era muito dinâmico, mas de repente começou a sentir febres e um cansaço avassalador. Ele se consultou com vários colegas e por fim o diagnóstico foi de endocardite bacteriana aguda, uma infecção cardíaca provocada pelo *Streptococcus viridans*. Papai tomou penicilina por via intravenosa durante três meses. O tratamento foi feito em casa, e eu me lembro de vê-lo lendo revistas de medicina com a bolsa de plástico pendurada ao lado da cama. Não fosse a penicilina, a infecção teria sem dúvida se mostrado fatal. Por isso compreendo muito bem a importância e a eficácia dos antibióticos. No entanto, não consigo deixar de pensar nas alterações que o microbioma de meu pai sofreu durante esse tratamento e em como isso pode ter influenciado sua situação atual com a doença de Alzheimer.

Não posso mencionar o papel dos antibióticos na história da saúde humana sem louvá-los. Tenho vários amigos, parentes e colegas que hoje não estariam entre nós se não fossem os antibióticos. Graves doenças, que no passado matavam milhões de pessoas por ano, hoje podem ser tratadas com facilidade graças a eles. A descoberta dos antibióticos (o nome significa "contra a vida"), no início do século xx, foi uma das conquistas mais significativas da medicina.

Em 1928, o cientista britânico Alexander Fleming descobriu, quase por acidente, uma substância que se desenvolve naturalmente — um fungo — capaz de matar certas bactérias. Ele estava fazendo uma cultura de *Staphylococcus aureus*, uma bactéria comum, quando percebeu que uma cepa na mesma lâmina estava aniquilando sua colônia. Ele a batizou de *Penicillium* e, com outros pesquisadores, deu continuidade a várias experiências com a penicilina para destruir bactérias infecciosas. Por fim, pesquisadores na Europa e nos Estados Unidos começaram a testar a penicilina em animais e, depois, em seres humanos. Em 1941, concluiu-se que a penicilina, até em doses pequenas, curava seríssimas infecções e salvava inúmeras vidas. Em 1945, Alexander Fleming recebeu o prêmio Nobel de Fisiologia e Medicina.

Anne Miller foi a primeira pessoa a se beneficiar dessa droga salvadora de vidas nos Estados Unidos. Em 1942, ela era uma enfermeira de 33 anos quando sofreu um aborto. Contraiu uma doença seríssima chamada "febre do parto", conhecida tecnicamente como sepse puerperal, provocada por uma grave infecção por estreptococos. Anne ficou em estado crítico durante um mês, com febre alta e delírios. Seu médico conseguiu obter uma das primeiras amostras de penicilina, embora ela ainda não estivesse disponível comercialmente. A droga foi despachada por avião e levada por soldados da força estadual de Connecticut, que entregaram a ampola aos médicos do hospital Yale-New Haven, onde Anne estava praticamente no leito de morte.

Apenas horas depois da administração da droga — uma colher (chá) com 5,5 gramas de penicilina —, a saúde de Anne sofreu uma rápida reviravolta. A febre caiu, o delírio passou, o apetite voltou, e em apenas um mês ela estava totalmente restabelecida. A droga era tão cobiçada e o suprimento tão escasso que a urina de Anne foi coletada para que os vestígios da droga fossem filtrados, purificados e reutilizados. Em 1992, Anne retornou a Yale para o quinquagésimo aniversário desse evento histórico. Se não fosse pela penicilina, ela teria encontrado a morte mais de meio século antes.

Evidentemente, os antibióticos não são balas de prata que podem erradicar toda e qualquer infecção. Quando empregados no momento certo, porém, podem curar muitas doenças sérias que põem a vida em risco. Eles revolucionaram a medicina, mas o pêndulo oscilou demais desde os tempos em que a disponibilidade de antibióticos era pouca. Hoje eles estão em toda parte e são usados exageradamente.

Quatro em cada cinco americanos tomam antibióticos todos os anos, segundo os Centros de Controle e Prevenção de Doenças dos Estados Unidos.[1] Passaram-se cerca de 258 milhões de receitas de antibióticos em 2010 no mesmo país, para uma população de 309 milhões de pessoas. Os antibióticos constituem a maior parte das receitas para crianças de menos de dez anos de idade. O uso extravagante de antibióticos, sobretudo contra doenças virais, em que essas drogas não têm valia (por exemplo, gripes e resfriados), levou à proliferação de cepas de patógenos nocivos, resistentes a antibióticos, que as drogas atuais não conseguem atingir. Afirma a Organização Mundial da Saúde (oms): "Sem uma ação urgente, caminharemos para uma era pós-antibióticos, em que infecções comuns e ferimentos menores poderão novamente matar".[2] A oms qualificou a resistência aos antibióticos como um dos "maiores desafios de saúde do século xxi".

O próprio Alexander Fleming nos advertiu a respeito dessas possíveis consequências em 1945, em seu discurso do prêmio Nobel, quando afirmou: "Pode chegar um tempo em que a penicilina será comprada por qualquer um nas farmácias. Haverá então o perigo de que o homem ignorante facilmente tome uma subdosagem e, ao expor seus micróbios a quantidades não letais da droga, torne-os resistentes" (no uso de antibióticos, a "subdosagem" — tomar muito pouco ou não completar o tratamento prescrito — pode ser tão problemática quanto a superdosagem. Ambas as práticas geram cepas resistentes e perigosas).[3] Apenas três anos depois já surgiam cepas mutantes de estafilococos imunes à penicilina. Hoje, infecções de *Staphylococcus aureus* resistentes à meticilina (MRSA, na sigla em inglês) são causadas por uma cepa maligna de estafilococos que não pode ser tratada pela maioria dos antibióticos comuns. A MRSA se tornou uma grande ameaça nos Estados Unidos, matando gente com o sistema imunológico enfraquecido e levando ao tratamento hospitalar pessoas jovens e de resto saudáveis. Ao todo, a cada ano, 2 milhões de americanos sofrem de infecções resistentes a drogas, e 23 mil morrem.[4] A tuberculose também está voltando, graças a cepas virulentas de *Mycobacterium tuberculosis* que destroem os pulmões.

Os antibióticos também são amplamente utilizados na agricultura e na pecuária, o que contribui para o problema da resistência. Eles são usados para tratar infecções, assim como para fazer os animais crescerem mais e amadurecerem mais rapidamente. Estudos de laboratório com animais revelam que grandes alterações ocorrem rapidamente (em apenas duas semanas) no microbioma do gado que recebe antibióticos — alterações que causam obesidade, graças aos tipos de bactérias que ficam na esteira da exposição a antibióticos (sobre isso, falarei um pouco mais em breve), o que provoca um aumento significativo na resistência a eles. Esses antibióticos acabam por chegar à carne de boi, ao frango e aos laticínios, o que despertou receios em relação aos efeitos secundários sobre o corpo humano. Os antibióticos prejudicam o sistema endócrino, e a exposição constante a essas drogas na nossa comida afeta e confunde os hormônios sexuais. Eles também podem mexer com nosso metabolismo, insuflando a obesidade. E essa mexida metabólica pode estar ocorrendo tanto pelos efeitos diretos dos antibióticos no corpo quanto através da flora intestinal.

Muito se debate hoje se a epidemia de obesidade infantil pode em parte ser atribuída aos efeitos cumulativos que essas drogas têm sobre o corpo das crianças, vulneráveis e em crescimento. Infelizmente, há muitas brechas legais e políticas no esforço legislativo para reduzir a quantidade de antibióticos nos alimentos.

Evidentemente, são cruciais nesse debate os efeitos danosos dessas drogas sobre o microbioma humano. Por exemplo, o mecanismo usado para engordar o gado — e provavelmente os seres humanos — com antibióticos passa por alterações no microbioma. Lembre-se do capítulo 4, em que descrevi a diferença entre os tipos de bactérias intestinais que levam a um maior armazenamento de gordura e ganho de peso, e os tipos que previnem a obesidade. As Firmicutes podem extrair mais energia dos alimentos, aumentando assim o risco de que o corpo absorva mais calorias e ganhe peso. Constatou-se que o intestino de pessoas obesas costuma ser dominado pelas Firmicutes, em contraposição às Bacteroidetes, predominantes no intestino de indivíduos magros. O que ocorre quando um animal, seja uma vaca ou um ser humano, toma antibióticos é que o microbioma do corpo sofre uma alteração instantânea em sua diversidade e composição, pois os antibióticos varrem de imediato certas cepas, permitindo que outras prosperem. E infelizmente os antibióticos podem criar um desequilíbrio maciço, graças ao qual o intestino fica repleto de bactérias que promovem a obesidade. O dr. Martin Blaser, da Universidade de Nova York, é um dos pesquisadores que especulam que o uso de antibióticos contribui para a obesidade. Na verdade, suas pesquisas investigaram os efeitos dos antibióticos sobre uma cepa de bactérias específica e famigerada, que eu já citei: o *H. pylori*, alvo popular de médicos cujos pacientes sofrem de úlceras pépticas. Embora tenha sido demonstrado que o *H. pylori* aumenta o risco de úlceras pépticas e câncer gástrico, ele é um integrante ordinário da comunidade microbiana do intestino humano.

Em um dos estudos do dr. Blaser, realizado em 2011, ele examinou militares da reserva americanos que estavam passando por exames detalhados do trato gastrointestinal superior.[5] Dos 92 veteranos, 38 foram negativo para o *H. pylori*, 44, positivo e dez, resultado indeterminado. Deram antibióticos a 23 dos homens com *H. pylori*, o que dizimou as bactérias em todos eles, exceto dois. E adivinhe o que aconteceu com os 21 veteranos em que o *H. pylori* foi erradicado através de antibióticos: eles foram os que ganharam mais peso. Seus índices de massa corporal aumentaram cerca de 5%, com margem de 2% para mais ou para menos. Os outros reservistas não sofreram alteração de peso. Além disso, os níveis do hormônio grelina, estimulante do apetite, aumentaram seis vezes depois das refeições, o que significa que eles não se sentiam saciados ao fazer suas refeições e conseguiam comer mais. Também se sabe que níveis altos de grelina aumentam a gordura abdominal. Portanto, juntando todas as peças, faz sentido pensar nos antibióticos como promotores de crescimento. Com toda certeza eles ajudam a juntar quilinhos no gado. E também estão nos ajudando a juntar quilinhos, quando são usados ou consumidos através da comida.

Como você pode ver no gráfico abaixo, os Estados Unidos são líderes em matéria de uso de antibióticos na carne produzida:[6]

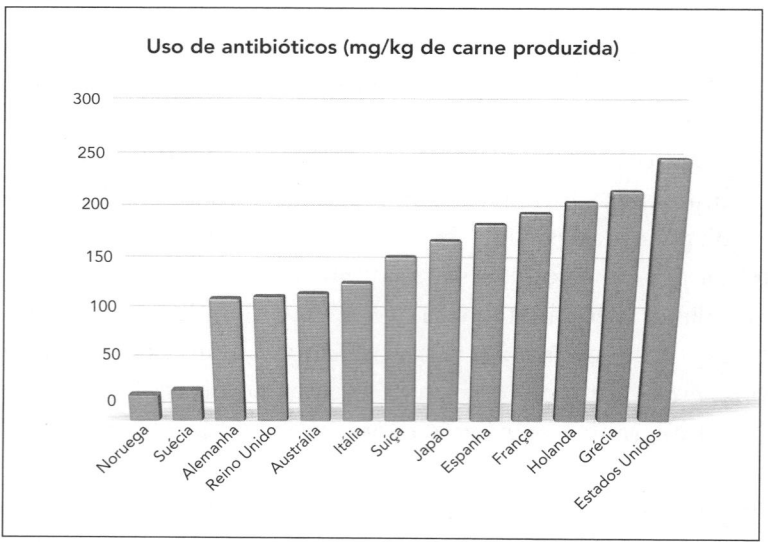

Em 2011, a indústria farmacêutica americana vendeu quase 14 mil toneladas de antibióticos para o gado, a maior quantidade já registrada, o que representa 80% da venda total de antibióticos naquele ano.[7]

Somente em 1996 a Food and Drug Administration (FDA) começou a testar carne e frango para detectar bactérias resistentes a antibióticos, e a política de controle do uso de antibióticos, infelizmente, tem impedido uma vigilância real e transparente. O dr. David Kessler, ex-comissário da FDA e autor do best-seller *The End of Overeating* [O fim da superalimentação], foi feliz em sua formulação em um artigo para o *New York Times* em 2013: "Por que os legisladores relutam tanto em descobrir como 80% de nossos antibióticos são usados? Não podemos fugir das perguntas difíceis por medo das respostas. Os legisladores precisam permitir que o público saiba como as drogas de que ele precisa para ficar bem estão sendo usadas para produzir carne mais barata".[8]

Embora talvez ainda leve um tempo longo demais até que se criem restrições e regras mais duras em relação ao uso de antibióticos nos alimentos, folgo em saber que já estão ocorrendo mudanças no âmbito dos Centros de Controle e Prevenção de Doenças dos Estados Unidos, da Organização Mundial da Saúde e da Associação Médica Americana em relação à prescrição de antibióticos contra infecções. Essas instituições já emitiram diversas advertências, que os médicos estão começando a escutar. Isso levou a uma maior conscientização sobre os tipos de infecção que realmente requerem o uso de antibióticos e os que devem ser deixados à própria sorte, para que o corpo deles tome conta naturalmente. O objetivo é evitar o uso de antibióticos, a menos que sejam absolutamente necessários. Apenas nos últimos anos, por exemplo, pediu-se aos pediatras que evitem a reação automática aos pais que pedem antibióticos para tratar otites ou amigdalites dos filhos. Esse é o tipo de mudança que eu quero ver.

DE ACORDO COM O *JOURNAL OF THE AMERICAN MEDICAL ASSOCIATION*, AS SEGUINTES INFECÇÕES PODEM SER TRATADAS, EM GERAL, SEM ANTIBIÓTICOS:[9]

- resfriado comum
- gripe (influenza)
- tosses e bronquites em geral
- otites diversas
- erupções cutâneas em geral

Em 2004, um estudo extremamente inquietante, publicado no *Journal of the American Medical Association*, me fez compreender o impacto dos antibióticos, quando os cientistas demonstraram seu potencial no aumento significativo do risco de câncer.[10] Pesquisadores da Universidade de Washington examinaram 2266 mulheres com dezenove anos ou mais que sofriam de câncer de mama primário invasivo (ou seja, com potencial para se espalhar do seio para outras partes do corpo) e as compararam com um grupo de controle de 7953 mulheres selecionadas aleatoriamente. O estudo foi criado de forma a determinar se havia um aumento do risco de câncer de mama entre as mulheres que haviam tomado antibióticos (de qualquer tipo). E eis que os pesquisadores encontraram uma relação direta entre o número de dias de uso de antibióticos e um risco aumentado de câncer de mama. Nos indivíduos que haviam tomado mais antibióticos, o risco de câncer de mama *duplicou*. Afirmaram os autores: "O uso de antibióticos está associado a um risco maior de câncer de mama incidente e fatal". E concluíram: "Embora novos estudos sejam necessários, essas conclusões reforçam a necessidade de um uso prudente de antibióticos no longo prazo".

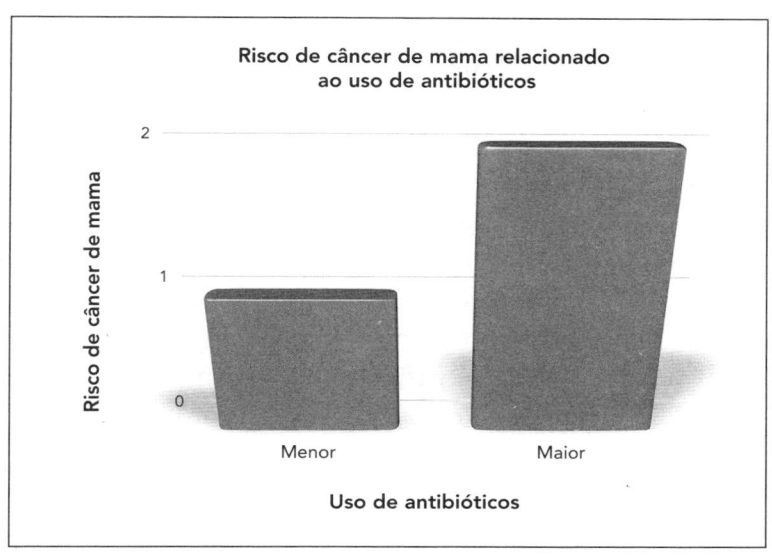

Risco de câncer de mama relacionado ao uso de antibióticos

Risco de câncer de mama

2

1

0

Menor   Maior

Uso de antibióticos

É importante deixar claro que esse estudo não sugere que os antibióticos causem câncer de mama. Mas, considerando aquilo que sabemos sobre as alterações que essas poderosas drogas provocam na flora bacteriana, assim como o papel dos micróbios na imunidade, desintoxicação e nos processos inflamatórios, estudos como esse deveriam pelo menos despertar nossa desconfiança. Tenho a expectativa de que surjam estudos mais aprofundados na próxima década, que mostrem a forte relação entre o estado do microbioma intestinal e o risco de certos tipos de câncer, entre eles o câncer no cérebro e no sistema nervoso.

O dr. Robert F. Schwabe é um dos líderes na investigação nessa área. Médico pesquisador do Departamento de Medicina da Universidade Columbia, o dr. Schwabe escreveu em 2013 um artigo convincente, publicado em uma edição especial da revista *Nature*, que relacionava as formas pelas quais a condição do microbioma pode promover ou prevenir o surgimento de tumores cancerosos.[11] Nas suas conclusões, ele enfatiza a importância de voltarmos nossa atenção ao estudo do microbioma, na esperança de descobrir novas terapias para a prevenção e o tratamento do câncer, e chama o microbioma de "próxima fronteira da pesquisa médica".

Usei o exemplo do câncer para reforçar a acusação aos antibióticos como destruidores de um importante colaborador de nossa saúde, mas poderia com a mesma facilidade discorrer sobre a exposição a antibióticos e um risco maior de TDAH, asma, sobrepeso e diabetes — todos eles fatores que aumentam significativamente o risco de demência, depressão, suicídio e ansiedade. A esta altura, você já pode adivinhar qual o fio que liga todas essas condições: os processos inflamatórios. E se você recuar um passo em relação a esses processos inflamatórios, vai se deparar com a microbiota do seu intestino.

Várias vezes por semana, pacientes telefonam para o meu consultório me pedindo para "arrumar alguma coisa" porque estão resfriados. Eu explico sempre que isso não é correto. E quando eles pedem especificamente Zithromax Z-Pak, um dos antibióticos mais receitados para infecções das vias respiratórias superiores, eu lhes informo: dados relativos a um grande número de pacientes mostram que o uso desse antibiótico aumenta significativamente o risco de morte relacionada ao coração, porque um dos efeitos colaterais potenciais desse medicamento é a arritmia cardíaca.[12] Na verdade, em um dos estudos que analisaram essa relação, pesquisadores da Faculdade de Medicina da Universidade da Carolina do Sul estimaram que metade das 40 milhões de receitas desse antibiótico em 2011 eram desnecessárias e podem ter provocado 4560 mortes.[13] Também gosto de dizer aos pacientes que pedem antibióticos que, se eles não tomarem antibióticos, o resfriado provavelmente vai durar uma semana, mas, se tomarem, vai durar apenas sete dias. Creio que nem sempre eles entendem a piada. É como se todo o noticiário relativo aos perigos do uso excessivo de antibióticos caísse em ouvidos moucos. Não se trata apenas de mim ou você. Trata-se de todos nós.

Da próxima vez que você achar que você ou seu filho precisa de um antibiótico, recomendo que pese os prós e os contras. Nem preciso dizer que, se for uma infecção curável apenas com antibióticos, você não deve deixar de usá-los, com sabedoria e exatamente como o médico receitar (veja na página 237 mais detalhes sobre suplementação com probióticos durante o uso de antibióticos). Mas se for uma infecção que não pode ser combatida com antibióticos, pense no quanto você pode "economizar" em termos de microbioma. Isso é ainda mais certo quando se trata de crianças, que são particularmente vulneráveis. Foi demonstrado recentemente, por exemplo, que a vasta maioria das crianças se recupera de otites em alguns dias apenas com medicação para aliviar as dores e a febre. Em um estudo de 2010 publicado no *Journal of the American Medical Association*, um grupo de pediatras soou o alarme para o uso excessivo de antibióticos contra essas infecções comuns, muitas vezes provocadas por vírus.[14] Os médicos observaram que o risco de efeitos colaterais ao tomar antibióticos supera os benefícios, que inexistem na maioria dos casos. Um tratamento com antibióticos, ou vários, aumenta o risco de que a criança sofra uma série de problemas de saúde originados pelo desequilíbrio da flora intestinal — de asma e obesidade, no início da vida, a demência, no final. Tudo está conectado. A flora intestinal cria essas conexões duradouras.

OBSERVAÇÃO PARA QUEM TOMA ANTIBIÓTICOS ANTES DE IR AO DENTISTA

Muitos de meus pacientes mais idosos, que implantaram próteses de quadril ou de joelho, me contam que sempre tomam antibióticos como prevenção antes de ir ao dentista. É uma prática adotada há tanto tempo que se costuma acreditar, em geral, que isso faz sentido. Mas o conhecimento científico atual diz o contrário: as pesquisas mais recentes sugerem que não há absolutamente benefício algum em tomar antibióticos para procedimentos odontológicos quando se tem uma prótese total de quadril ou joelho. Segundo as conclusões de um estudo recente, "procedimentos odontológicos não são fator de risco para infecção subsequente de próteses de quadril ou joelho. O uso de profilaxia antibiótica antes de procedimentos odontológicos não reduziu o risco de infecção posterior de prótese de quadril ou joelho".[15]

Dito isso, certos indivíduos devem cogitar profilaxia com antibióticos antes de procedimentos odontológicos, especificamente aqueles que acarretam cirurgia dentária ou na gengiva. Mas apenas um pequeno número de pessoas se enquadra nessa categoria, entre elas pessoas com:

- histórico de endocardite infecciosa

- válvulas cardíacas artificiais

- malformações cardíacas cianóticas congênitas não corrigidas, incluindo válvulas *shunt* e condutos paliativos

- malformações cardíacas congênitas totalmente corrigidas com próteses ou aparelhos, quer tenham sido instalados cirurgicamente ou por intervenção por cateter, nos seis meses posteriores ao procedimento

- malformações congênitas corrigidas, com malformações residuais na região ou adjacentes à região de uma correção prostética ou por aparelho prostético

- transplantes cardíacos e desenvolvimento de valvulopatia cardíaca

Caso você não saiba o que significam esses termos, não está entre aqueles que necessitam de profilaxia com antibióticos antes de uma cirurgia oral.

A PÍLULA

Milhões de mulheres em idade fértil adotam o controle de natalidade. Desde que a pílula, como é conhecida, foi criada, nos anos 1960, ela tem sido saudada como um dos pilares do movimento feminista. Mas pílulas de controle de natalidade são, no fim das contas, hormônios sintéticos que exercem efeitos biológicos imediatos no corpo humano e inevitavelmente cobram um preço da comunidade microbiana. Embora praticamente todos os medicamentos tenham algum impacto sobre o microbioma, drogas como a pílula, tomadas diariamente e muitas vezes por longos períodos, são as mais insidiosas. Entre as diversas consequências de seu uso prolongado (acima de cinco anos) estão:

- redução dos hormônios da tireoide e da testosterona disponível na circulação

- aumento da resistência à insulina, do estresse oxidativo e dos marcadores de inflamações

- supressão de certas vitaminas, minerais e antioxidantes

Considerando tudo que já expliquei sobre o papel da flora intestinal no metabolismo, na imunologia, na neurologia e até na endocrinologia, não admira que todos sejam impactados pela "pilulinha safada", termo que a dra. Kelly Brogan, uma médica de Manhattan, usa para descrever a pílula a suas pacientes. Não admira tampouco que entre os efeitos colaterais mais comuns observados no uso da pílula estejam transtornos de humor e ansiedade. Uma das vitaminas que a pílula suprime é a B6, um cofator na produção de serotonina e GABA — duas moléculas fundamentais para a saúde do cérebro. Mais recentemente, os cientistas também descobriram que o uso de anticoncepcionais orais pode estar relacionado a doenças inflamatórias do intestino — especialmente um risco maior da doença de Crohn, caracterizada por um processo inflamatório do revestimento e da parede do intestino grosso, do intestino delgado ou de ambos.[16] A inflamação no revestimento pode levar até a sangramentos.

Embora se desconheça o mecanismo exato dessa associação, a crença atual é que os hormônios alteram a permeabilidade do revestimento intestinal, uma vez que o cólon se mostrou mais vulnerável a processos inflamatórios quando hormônios como o estrogênio são ministrados (talvez por isso algumas mulheres que usam anticoncepcionais se queixem de problemas gastrointestinais). Sabe-se o que representa para a saúde humana um aumento da permeabilidade: eleva a probabilidade de que materiais do intestino, sobretudo os produzidos pela flora intestinal, caiam na corrente sanguínea, onde despertarão o sistema imunológico, e se desloquem para outras partes do corpo, inclusive o cérebro, onde causarão danos. Em um estudo de 2012 comandado pelo dr. Hamed Khalili, clínico e pesquisador associado em gastroenterologia do Hospital Geral de Massachusetts, em Boston, pesquisadores analisaram dados obtidos de 233 mil mulheres alistadas no gigantesco Estudo de Saúde das Enfermeiras dos Estados Unidos, acompanhadas de 1976 a 2008.[17] Comparando aquelas que nunca usaram pílulas anticoncepcionais com aquelas que usaram, ele descobriu que as que tomavam pílula tinham um risco aproximadamente três vezes mais elevado de contrair a doença de Crohn. Em suas conclusões, o dr. Khalili advertiu que é preciso conscientizar sobretudo as mulheres que tomam anticoncepcionais e têm um forte histórico familiar de doenças inflamatórias intestinais das pesquisas que mostram um elo entre ambos.

Então, quais são as alternativas? A dra. Brogan, uma militante da saúde feminina, quer que todas as suas pacientes parem de tomar contraceptivos orais. Ela recomenda que tentem dispositivos intrauterinos (DIU) não hormonais, medidores de fertilidade que monitoram a temperatura do corpo feminino com precisão suficiente para determinar quando a ovulação ocorre, ou o bom e velho preservativo masculino. Nas palavras dela:

> Não existe almoço grátis no tratamento com medicação, e é muito difícil fazer uma análise de risco/benefício quando se desconhecem os riscos ambientais e genéticos que um indivíduo traz à mesa. Se existe uma opção de tratamento que apresenta riscos mínimos ou desprezíveis e algum grau de benefício baseado em evidências, esse representaria, na minha opinião, o caminho mais suave, mais tranquilo para a saúde. Hoje em dia, a liberação da mulher me parece muito mais um ciclo menstrual saudável e feliz, livre das amarras de uma receita médica.[18]

OS ANTI-INFLAMATÓRIOS NÃO ESTEROIDAIS

No passado, uma série de estudos, que remontam até os anos 1990, mostrou que pessoas que tomam medicamentos anti-inflamatórios não esteroidais como o ibuprofeno (Advil) e o naproxeno (Aleve) durante dois ou mais anos têm um risco 40% menor de desenvolver Alzheimer ou Parkinson.[19] Isso faz sentido quando se leva em conta que são doenças antes de tudo inflamatórias e que quando o processo inflamatório é controlado você controla o risco.

Mas estão surgindo novos estudos que revelam uma virada nessa história. Demonstrou-se que esses medicamentos podem aumentar o risco de danos ao revestimento intestinal, principalmente na presença de glúten. Pesquisadores espanhóis concluíram que, ao tratar camundongos geneticamente suscetíveis à sensibilidade ao glúten com indometacina, um poderoso anti-inflamatório não esteroidal usado no tratamento da artrite reumatoide em geral, houve um pronunciado aumento na permeabilidade do intestino, que amplificou os efeitos nocivos do glúten. Eles concluíram que "fatores ambientais que alteram a barreira intestinal podem predispor os indivíduos a um aumento da sensibilidade ao glúten".[20] Pesquisas futuras ajudarão a esclarecer esse impasse, mas por ora eu advertiria contra o uso desses medicamentos, a não ser quando verdadeiramente necessário.

SUBSTÂNCIAS QUÍMICAS NO AMBIENTE

Hoje em dia existe um número imenso de substâncias químicas sintéticas em nosso meio ambiente, muitas delas presentes em coisas que tocamos, inalamos, esfregamos na pele ou consumimos. A maioria dos indivíduos nas nações industrializadas carrega centenas de substâncias químicas no corpo, vindas do ar, da água e dos alimentos. Traços de 232 substâncias químicas sintéticas foram encontrados no cordão umbilical de bebês ao nascer.[21] E não foram feitos testes apropriados dos efeitos da grande maioria dessas substâncias sobre a saúde. Nas últimas três décadas, foi aprovado o uso de mais de 100 mil substâncias químicas nos Estados Unidos, entre elas 82 mil substâncias industriais, mil ingredientes ativos de pesticidas, 3 mil ingredientes de cosméticos, 9 mil aditivos alimentares e 3 mil drogas farmacêuticas.[22] A Agência de Proteção Ambiental dos Estados Unidos (EPA) e a Food and Drug Administration (FDA) regulamentam apenas uma minúscula fração desse total. Desde que a Lei de Controle de Substâncias Tóxicas foi aprovada, em 1976, restrições orçamentárias e litígios judiciais fizeram com que a EPA só tenha conseguido solicitar testes de segurança para cerca de duzentas das 84 mil substâncias químicas relacionadas no inventário de substâncias da lei. E, dessas 84 mil, 8 mil são produzidas em volumes anuais iguais ou superiores a dez toneladas. Atualmente, suspeita-se que pelo menos oitocentas dessas substâncias químicas sejam capazes de interferir em nosso sistema hormonal.

Embora gostemos de acreditar que os cientistas há décadas medem os poluentes industriais, relacionando-os à saúde humana, só recentemente começamos a monitorar a chamada "carga corporal", o nível de toxinas no sangue humano, na urina, no cordão umbilical e no leite materno. A grande maioria das substâncias químicas atualmente em uso comercial não foi inteiramente analisada em relação a seus efeitos sobre a saúde humana. Por isso, desconhecemos a verdadeira extensão dos riscos que elas apresentam e o quanto podem perturbar a fisiologia normal do corpo humano — e do seu microbioma. Por essa razão, é prudente manter a cautela e partir do princípio de que elas são nocivas até que uma sólida base de pesquisas prove o contrário.

Uma das razões pelas quais as substâncias químicas ambientais podem ser nocivas é que elas tendem a ser lipofílicas, isto é, a se acumularem nas glândulas e nos tecidos adiposos. Além disso, quando o fígado fica sobrecarregado de toxinas para processar, ele pode se tornar menos eficiente na retirada delas do corpo. Isso, por sua vez, altera todo o habitat do corpo, assim como a comunidade microbiana.

Uma preocupação central entre os pesquisadores, ultimamente, é o fato de diversas substâncias imitarem o estrogênio no corpo, e estamos expostos a várias delas ao mesmo tempo. Tomemos, por exemplo, o composto onipresente bisfenol-A (BPA). Mais de 93% de nós carregam traços dessa substância química no corpo.[23] O BPA foi produzido pela primeira vez em 1891 e usado como estrogênio medicamentoso sintético em mulheres e animais na primeira metade do século XX. Foi receitado às mulheres no tratamento de condições relacionadas à menstruação, à menopausa e a náuseas durante a gravidez; pecuaristas o utilizaram para ajudar o gado a crescer. Mas o risco de provocar câncer foi revelado, e ele foi proibido. No final dos anos 1950, o BPA encontrou um novo lar, quando fabricantes começaram a empregá-lo em plásticos. Isso ocorreu quando químicos da Bayer e da General Electric descobriram que o BPA, quando unido por cadeias longas (polimerizadas), forma um plástico duro chamado policarbonato, material transparente o bastante para substituir o vidro e forte o bastante para substituir o aço. Não demorou para ele chegar a produtos eletrônicos, equipamentos de segurança, automóveis e embalagens de alimentos. Desde então, o BPA passou a ser usado em muitos produtos comuns, de recibos de caixa a selantes dentais. Mais de quatrocentas toneladas dessa substância são lançadas anualmente no ambiente. Demonstrou-se que o BPA utilizado em embalagens alimentares de plástico gera desequilíbrios hormonais tanto nas mulheres quanto nos homens. Atualmente, há estudos em andamento que visam mostrar que tipo de dano uma substância química como o BPA pode acarretar às células microbianas. Embora algumas pesquisas indiquem que certas bactérias do intestino conseguem degradar o BPA, tornando-o assim menos tóxico para as células humanas, meu receio é que o BPA possa favorecer a proliferação dessas bactérias e resultar numa comunidade desequilibrada.

O BPA é apenas uma de várias substâncias químicas que encontramos na vida cotidiana. Ele pode desaparecer em breve de nossos produtos comerciais e alimentos, graças a campanhas agressivas de defesa do consumidor, mas milhares de outras substâncias químicas com potencial igualmente nocivo continuarão a inundar nosso ambiente.

Como eu disse, é impossível saber ao certo a quantas substâncias químicas estamos expostos atualmente e quais são realmente nocivas às células microbianas e humanas. Mas é melhor pecar por cautela e tentar reduzir nosso nível de exposição a elas. Isso começa em casa. No capítulo 9, mostrarei todos os passos que você pode dar para minimizar exposições nocivas. Duas substâncias específicas que devem ser evitadas ao máximo são os pesticidas e o cloro. Os efeitos negativos de ambos sobre a flora intestinal foram demonstrados. Os pesticidas, por exemplo, foram criados para matar bichinhos! E são extremamente tóxicos para as mitocôndrias. Estão surgindo estudos que relacionam pesticidas populares a alterações no microbioma, que, por sua vez, levam a problemas de saúde, de transtornos metabólicos a doenças cerebrais. Um estudo particularmente incômodo, publicado em 2011 por pesquisadores coreanos, descobriu uma quantidade desproporcional de metanogênicos, um tipo de micróbio, nos intestinos de mulheres obesas.[24] Os pesquisadores também mediram os chamados pesticidas organoclorados no sangue das mulheres e encontraram um padrão notável entre a quantidade de pesticidas no sangue, o grau de obesidade e o volume de metanogênicos no intestino. Quanto mais "tóxico" o sangue de uma pessoa, mais "tóxico" seu intestino. Metanogênicos são reconhecidamente relacionados não apenas à obesidade, mas também à periodontite, ao câncer de cólon e a diverticulose, um transtorno intestinal. A toxicidade dos pesticidas é uma preocupação tão grande que, mais à frente, comentarei por que é importante evitar a maior parte dos organismos geneticamente modificados (OGMS), devido à relação que têm com os herbicidas.

Substâncias químicas encontradas na nossa água, principalmente cloro residual, também podem ser danosas ao microbioma. O cloro é bactericida; na prática, mata uma grande variedade de patógenos microbianos nascidos na água. É óbvio que não desejamos micro-organismos nocivos ou mortais em nossa água. Na verdade, se há uma coisa nos países desenvolvidos que consideramos natural é o acesso a água limpa. Atribui-se ao cloro o fim, nos países desenvolvidos, de surtos de doenças provocadas pela água. Até a revista *Life*, certa vez, afirmou que a filtragem da água potável e o uso de cloro "talvez [tenham sido] o mais importante avanço na área da saúde pública neste milênio".[25]

No entanto, a água nas cidades tende a ser supertratada, o que resulta numa mistura química tóxica para a flora intestinal. Além disso, o cloro ingerido pode reagir com compostos orgânicos, gerando subprodutos tóxicos que só pioram a confusão. Com base em estudos dos efeitos do cloro nas células humanas, a Agência de Proteção Ambiental dos Estados Unidos estabelece um nível seguro para a água potável em não mais que quatro partes por milhão. Mesmo tão diluído, ele consegue eliminar vários organismos, como sabe qualquer um que já tenha matado um peixinho de aquário usando água da torneira. No capítulo 9, darei ideias de como evitar a água clorada. É mais fácil do que você pensa, e não será preciso nem chamar um encanador nem investir num serviço de entrega de água.

Ainda que instalemos filtros de ar e de água em casa, minimizando nosso uso de qualquer produto contendo substâncias químicas suspeitas, é difícil controlar todos os poluentes. Mas podemos, com certa facilidade, realizar algumas mudanças naquilo que compramos para limitar nossa exposição a substâncias químicas potencialmente nocivas.

Outra grande preocupação em relação às toxinas no ambiente é o fato de nós, humanos, estarmos no topo da cadeia alimentar. Embora isso tenha inegavelmente suas vantagens, também significa que estamos expostos a quantidades maiores de substâncias tóxicas, através de um processo chamado de "bioacumulação". Ingerir carne, laticínios e peixes constitui uma importante forma de exposição. Certos tipos de peixe, como o peixe-espada, por exemplo, têm uma concentração de substâncias químicas em seus tecidos exponencialmente maior que a concentração encontrada nas águas que habitam. Em terra, grande parte do rebanho ingere grãos borrifados de pesticidas, armazenando na gordura essas substâncias tóxicas, juntamente com toxinas em potencial, como hormônios, antibióticos e outras substâncias químicas. Ao consumir esses produtos, você pode estar exposto a substâncias químicas usadas ao longo da cadeia agrícola como um todo.

OS ALIMENTOS GENETICAMENTE MODIFICADOS TRATADOS COM HERBICIDAS

Permita-me prefaciar esta seção afirmando que ainda são necessárias muitas pesquisas em relação às potenciais consequências de saúde ligadas a organismos geneticamente modificados (OGMS). Isso é um fato, quer estejamos falando dos efeitos biológicos diretos dos OGMS sobre o corpo ou de seu impacto sobre o microbioma. Por definição, OGMS são plantas ou animais geneticamente modificados com o DNA de outras coisas existentes, entre elas bactérias, vírus, plantas e animais. As combinações genéticas resultantes não ocorrem na natureza nem no cruzamento de espécies tradicional.

As duas maiores culturas de OGMS nos Estados Unidos são o milho e a soja (e, por extensão, todos os produtos que contêm esses ingredientes; estima-se que haja OGMS em até 80% dos alimentos processados convencionais). Em mais de sessenta países de todo o mundo, inclusive todos os da União Europeia, Japão e Austrália, importantes restrições ou puras e simples proibições foram impostas à produção e venda de OGMS. Nos Estados Unidos, o governo os aprovou, e muitos lutam por rótulos alimentares mais claros, de modo a possibilitar a opção de não participar daquilo que alguns chamam de "a experiência". Um assunto espinhoso: muitos dos estudos em que os OGMS se mostraram seguros foram realizados pelas mesmas empresas que os criaram e que agora lucram com eles.

Como você pode imaginar, um dos maiores problemas enfrentados pelos produtores são as ervas daninhas em suas plantações. Por isso, em vez de recorrer à remoção manual dessas ervas, surgiu uma alternativa. Hoje em dia, os produtores americanos borrifam em suas plantações uma substância química que mata as ervas daninhas, o glifosato (Roundup). A colheita é poupada pelo herbicida porque as sementes empregadas são geneticamente alteradas para serem resistentes a seus efeitos. No mundo agrícola, essas sementes foram apelidadas de "Roundup ready" [adaptadas para o Roundup].

O uso de OGMS adaptados para o Roundup permitiu que os produtores utilizassem enormes quantidades de herbicida. E isso tem ocorrido em escala global. Calcula-se que até 2017 os agricultores terão aplicado 1,35 milhão de toneladas de glifosato em suas plantações, um número espantoso.[26] Mas o problema é o seguinte: os resíduos de glifosato representam uma ameaça à saúde humana. Na produção de trigo, principalmente, os produtores saturam os campos com Roundup alguns dias antes da colheita, para gerar uma safra maior e melhor. Isso traz uma nova perspectiva à questão da sensibilidade ao glúten: o aumento da intolerância e da doença celíaca pode se dever em grande parte ao aumento do uso de Roundup. Quando cruzamos em um gráfico a incidência de doença celíaca e os níveis de glifosato aplicados ao trigo nos últimos 25 anos, surge um paralelismo impressionante.[27]

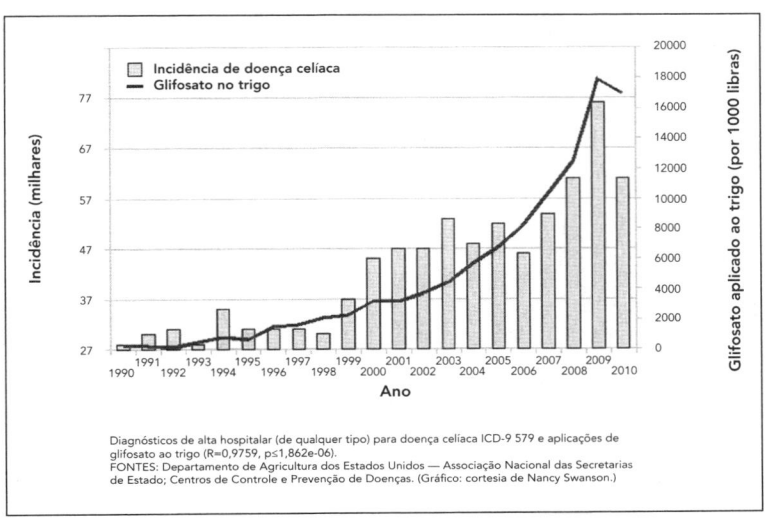

Diagnósticos de alta hospitalar (de qualquer tipo) para doença celíaca ICD-9 579 e aplicações de glifosato ao trigo (R=0,9759, p≤1,862e-06).
FONTES: Departamento de Agricultura dos Estados Unidos — Associação Nacional das Secretarias de Estado; Centros de Controle e Prevenção de Doenças. (Gráfico: cortesia de Nancy Swanson.)

Note bem, correlação não é sinônimo de causalidade. Embora o gráfico dê a impressão de mostrar uma relação total entre a quantidade de glifosato empregada no trigo (e supostamente consumida através dos derivados de trigo) e a incidência de doença celíaca, não podemos dizer que o glifosato *provoca* a doença celíaca. Essa seria uma interpretação incorreta dos dados e uma conclusão falsa a partir de uma única evidência. No entanto, é interessante notar o aumento paralelo da incidência de doença celíaca e dos níveis de glifosato na alimentação. Há provavelmente muitas outras variáveis em jogo nessa associação, e até onde sabemos pode haver outros fatores ambientais que influem no aumento dos casos de doença celíaca. Mas o certo é que as pesquisas recentes mostram que o glifosato de fato tem um impacto sobre a flora intestinal.

Num relatório publicado em 2013 no *Journal of Interdisciplinary Toxicology*, de onde foi tirado esse gráfico, a cientista e pesquisadora do MIT Stephanie Seneff e um colega independente alardearam os efeitos do glifosato sobre o corpo (chegaram a afirmar que a prática de "amadurecer" a cana-de-açúcar com glifosato poderia estar por trás de um aumento recente dos casos de insuficiência renal entre trabalhadores agrícolas na América Central).[28] Eles apontaram que, entre os efeitos do glifosato no corpo, está a inibição das enzimas citocroma P450 (CYP), produzidas pelas bactérias intestinais. Trata-se de enzimas cruciais para nossa biologia, pois elas desintoxicam inúmeros compostos químicos estranhos ao corpo. Quando faltam as enzimas CYP, há uma probabilidade muito maior de que a parede intestinal fique comprometida e que substâncias nocivas passem para a corrente sanguínea.

O relatório dos cientistas defende uma nova política em relação à segurança dos resíduos de glifosato nos alimentos e descreve como o glifosato residual altera a composição das bactérias intestinais e cria o caos na fisiologia humana. Vou poupá-lo do jargão bioquímico, mas basta dizer que o glifosato:

- compromete nossa capacidade de "limpar" toxinas

- compromete a função da vitamina D, importante chave hormonal para a saúde do cérebro

- elimina o ferro, o cobalto, o molibdênio e o cobre

- compromete a síntese do triptofano e da tirosina (importantes aminoácidos na produção de proteínas e neurotransmissores)

O relatório dos cientistas se concentra no elo entre o glifosato e a doença celíaca. Os autores descrevem como peixes expostos ao glifosato desenvolvem problemas digestivos comparáveis à doença celíaca. E sabemos que a doença celíaca está associada a desequilíbrios na flora intestinal. Na verdade, os cientistas dão a entender que o glifosato é o mais importante fator causal no aumento da sensibilidade ao glúten, através de seus conhecidos efeitos sobre a flora intestinal. E terminam afirmando: "Conclamamos os governos do mundo inteiro a rever suas políticas em relação ao glifosato e a propor uma nova legislação, que restrinja seu uso".

Não entre em pânico. Vou ajudá-lo a limpar seu ambiente e a tomar decisões amigas do intestino — alimentos orgânicos, carne de boi alimentado no pasto sempre que possível, gorduras de boa qualidade, comidas pobres em carboidratos e livres de ingredientes tóxicos. Esse é o tema do meu programa de reabilitação dos amigos da mente, na parte III.

"SEM OGMs": VERDADE OU MENTIRA?

Atualmente, a FDA não exige a rotulagem de OGMS, mas muitas indústrias alimentícias colocam em seus produtos a frase "sem OGMS". Dá para confiar nesses rótulos? Em 2014, a revista *Consumer Reports* testou essas embalagens, analisando mais de oitenta alimentos processados à base de milho ou soja. Concluiu que o selo "Non-GMO Project Verified", o selo orgânico do Departamento de Agricultura dos Estados Unidos, e outras afirmações de certificação orgânica eram, em geral, confiáveis.[29] No entanto, a afirmação mais enganosa nas embalagens era "natural". À exceção dos produtos com um selo de aprovação "Non-GMO" ou de certificação orgânica, "os alimentos quase sempre continham níveis consideráveis de OGMS".

PARTE III

A CLÍNICA DO CÉREBRO

Parabéns. Se você chegou até aqui, já sabe mais a respeito do corpo, do cérebro e da fisiologia de ambos, interligada pelo intestino, que a maioria das pessoas no mundo atual, inclusive os médicos. Talvez já tenha jogado fora o pão ou cogitado comprar probióticos orais. Ou talvez tenha mergulhado de cabeça no consumo diário de iogurte e pesquisado alimentos que afirmam conter cepas bacterianas "amigas do intestino". Certamente você adotou algumas das estratégias que vou alinhavar nesta parte III, que termina com meu cardápio para sete dias.

Embora minhas recomendações não sejam particularmente exigentes — ao contrário do que você encontraria nos típicos livros de dieta, com um passo a passo explícito e tudo o que precisa ser feito durante x dias —, meu objetivo é apresentar ideias que poderão ser adequadas a seus gostos e preferências. Quero capacitá-lo a assumir o controle de seu corpo e o futuro de sua saúde. As sugestões aqui oferecidas são mais princípios gerais — linhas mestras para refletir sobre suas opções de vida e circunstâncias pessoais à luz de todas as informações. Meus conselhos propõem um reinício do seu jeito, para uma vida vibrante, feliz e saudável, com brilho na mente e no espírito.

Siga no seu próprio ritmo à medida que modifica sua dieta e seu regime de suplementação. Leve o tempo que for necessário para corrigir seu ambiente doméstico e encontrar probióticos de alta qualidade. Mas não se esqueça de que, quanto mais rápido executar essas recomendações para alimentar a mente e quanto mais à risca segui-las, mais cedo sentirá — e provavelmente enxergará — os resultados. Na verdade, não é apenas uma questão de transformar sua saúde por dentro. Sua cintura vai diminuir. E todas essas coisas intangíveis a seu respeito — suas emoções, seus níveis de energia, sua capacidade de realizar coisas e sentir-se gratificado — também vão mudar para melhor.

8. Alimento para o microbioma
Seis dicas para estimular o cérebro estimulando o intestino

A toda hora me perguntam quanto tempo leva para reabilitar um microbioma disfuncional ou com mau desempenho. As pesquisas mostram que alterações significativas na variedade de bactérias intestinais podem ocorrer em apenas seis dias após a introdução de um novo protocolo alimentar, como aquele que apresento neste capítulo. Mas cada pessoa é diferente; a reabilitação vai depender do estado atual do seu intestino e da rapidez com que você se comprometer integralmente com as modificações.

Eis as seis dicas para nutrir um microbioma saudável, segundo as descobertas científicas mais recentes.

DICA NÚMERO 1: ESCOLHA ALIMENTOS RICOS EM PROBIÓTICOS

Em grande parte do planeta, os alimentos fermentados proporcionam bactérias probióticas para a dieta. As evidências indicam que a fermentação de alimentos remonta a 7 mil anos, na produção de vinho na Pérsia. Os chineses fermentavam repolho 6 mil anos atrás.

Ao longo dos séculos, as civilizações não compreenderam o mecanismo por trás do processo de fermentação. Mas os benefícios à saúde associados aos alimentos fermentados eram bem conhecidos. Muito antes de haver probióticos em cápsulas à venda nas lojas de alimentos saudáveis. O kimchi, um acompanhamento popular e tradicional da cozinha coreana, é considerado um prato nacional na Coreia. Em geral, é feito de repolho ou pepino, mas as variedades são infindáveis. O *sauerkraut* (chucrute), outro tipo de repolho fermentado, sempre foi popular em toda a Europa Central. Há ainda laticínios fermentados, como o iogurte, que há séculos são consumidos no mundo inteiro.

O que há de tão especial nos alimentos fermentados? A fermentação é o processo metabólico de conversão de carboidratos, como os açúcares, em álcool e dióxido de carbono ou em ácidos orgânicos. Ela exige a presença de levedura, de bactérias ou de ambas. Ocorre em condições em que esses organismos ficam privados de oxigênio. Na verdade, a fermentação foi descrita como "a respiração sem ar" pelo químico e microbiologista francês Louis Pasteur, no século XIX. Pasteur celebrizou-se pela descoberta dos princípios da fermentação microbiana, assim como da pasteurização e da vacina.

Embora alguns possam ter familiaridade com a fermentação que ocorre, por exemplo, na produção de cerveja ou vinho, é o mesmo processo que faz o pão crescer. A levedura converte o açúcar em dióxido de carbono, e isso aumenta o pão (mas, por motivos óbvios, não vamos mais falar de pão. E o pão não é probiótico).

O tipo de fermentação responsável pela maior parte dos alimentos probióticos (ricos em bactérias benéficas) é chamado de fermentação do ácido lático. Nesse processo, as bactérias boas convertem as moléculas de açúcar dos alimentos em ácido lático. Ao fazê-lo, as bactérias se multiplicam e proliferam. Esse ácido lático, por sua vez, evita que o alimento fermentado seja invadido por bactérias patogênicas, ao criar um ambiente com baixo pH (isto é, um ambiente ácido), que mata as bactérias nocivas, cujo pH é mais alto. Hoje em dia, na produção de alimentos fermentados, por exemplo, certas cepas de bactérias do bem, como a *Lactobacillus acidophilus*, são introduzidas em alimentos açucarados para acelerar o processo. Para fazer iogurte, por exemplo, tudo de que você precisa é de uma cultura inicial (cepas de bactérias vivas e ativas) e leite. A fermentação do ácido lático também é usada para preservar alimentos, aumentando seu prazo de validade.

No próximo capítulo, vou compartilhar detalhes daquilo que se deve olhar ao procurar suplementos probióticos. Mas sem dúvida a melhor maneira de consumir um monte de bifidobactérias e lactobacilos é obtê-los de fontes integralmente naturais, o que os torna excepcionalmente "biodisponíveis" (facilmente aceitos pelo corpo). São essas as cepas que agirão de diversas maneiras dentro do seu corpo. Elas ajudam a manter a integridade do revestimento intestinal; equilibram o pH do corpo; atuam como antibióticos, antivirais e até antifúngicos naturais; regulam a imunidade; e controlam processos inflamatórios. Além disso, bactérias probióticas impedem o crescimento e até a invasão de bactérias potencialmente patogênicas, ao produzir substâncias antimicrobianas chamadas "bacteriocinas". Além disso, como essas bactérias probióticas metabolizam suas fontes de energia a partir da sua dieta, elas liberam diversos nutrientes contidos nos alimentos que você ingere, facilitando sua absorção. Por exemplo, aumentam a disponibilidade das vitaminas A, C e K, assim como das vitaminas do complexo B.

Foi apenas na virada do século xx que o cientista russo Élie Mechnikov investigou e revelou como os lactobacilos poderiam estar relacionados à saúde. Mechnikov é considerado o pai da imunologia, e pode-se afirmar também que é o pai do movimento probiótico. Ele recebeu o prêmio Nobel de Medicina em 1908. De notável clarividência, ele previu muitos dos aspectos da imunobiologia atual e foi o primeiro a propor a teoria de que as bactérias do ácido lático são benéficas à saúde humana. Suas ideias se baseavam, em grande parte, no reconhecimento da correlação entre a longevidade dos camponeses búlgaros e o consumo, por eles, de laticínios fermentados. Ele chegou a cogitar que "a administração oral de culturas de bactérias fermentadas implantaria as bactérias benéficas no trato intestinal".[1, 2] E isso mais de um século atrás!

Mechnikov acreditava que o envelhecimento é causado por bactérias tóxicas no intestino e que o ácido lático podia prolongar a vida. Ele bebia leite azedo todos os dias. Era um autor prolífico, que escreveu três livros revolucionários: *A imunidade nas doenças infecciosas*, *A natureza do homem* e *O prolongamento da vida: Estudos otimistas*. Neste último, ele documenta em detalhes o tempo de vida anormalmente longo de vários povos que ingerem regularmente alimentos fermentados e culturas bacterianas conhecidas como kefir. Ele realizou diversos registros empíricos de centenários que ainda levavam vidas ativas e saudáveis. E foi ele quem cunhou o termo "probiótico" para se referir às bactérias benéficas. No século xx, sua obra inspirou o microbiologista japonês Minoru Shirota a investigar a relação causal entre as bactérias e a saúde intestinal. Os estudos do dr. Shirota acabariam por levar à expansão mundial das vendas de kefir e de outras bebidas lácteas fermentadas, ou probióticos.

A comunidade científica enfim recuperou o terreno perdido em relação às ideias de Mechnikov.

No capítulo 10, darei muitas receitas de refeições deliciosas com alimentos fermentados. Aqui, vou relacionar e descrever as principais, muitas das quais já mencionadas por mim.

- Iogurte com culturas vivas. A prateleira de laticínios tem sido invadida por uma explosão de marcas de iogurte, mas tome cuidado com aquelas que você vai comprar; muitas delas — tanto de iogurte grego quanto comum — estão repletas de açúcar, adoçantes e sabores artificiais. Leia os rótulos. Para os sensíveis à lactose, o iogurte de coco é uma excelente forma de incluir muitas enzimas e probióticos na dieta.

- Kefir. Esse laticínio fermentado é muito parecido com o iogurte. É uma combinação sem igual de "grãos" de kefir (uma combinação de levedura e bactérias) e leite de cabra, rica em lactobacilos e bifidobactérias. Também é rico em antioxidantes. Para os sensíveis ao leite ou intolerantes à lactose, o kefir de coco também é delicioso e igualmente benéfico.

- Chá de kombucha. É uma espécie de chá preto fermentado, usado há séculos. Gaseificado e geralmente servido gelado, também se acredita que ajuda a aumentar a energia e pode ajudá-lo a perder peso.

- Tempeh. Muitas pessoas, sobretudo os vegetarianos, ingerem tempeh como substituto da carne. O tempeh é feito à base de grãos de soja fermentados. Trata-se de uma proteína completa, com todos os aminoácidos. No geral, eu não sou muito fã dos derivados de soja, por diversas razões, mas pequenas quantidades de tempeh são aceitáveis. Ótima fonte de vitamina B12, o tempeh pode ser ralado sobre as saladas.

- Kimchi. Além de proporcionar bactérias benéficas, o kimchi também é uma ótima fonte de cálcio, ferro, betacaroteno e vitaminas A, C, B1 e B2. O único problema, para alguns, é ser picante. Mas trata-se de um dos melhores alimentos probióticos que você pode adicionar à sua dieta, se aguentar o ardido.

- Chucrute. Esse repolho fermentado não apenas alimenta as bactérias sadias do intestino como também contém colina, uma substância química necessária para a transmissão apropriada dos impulsos nervosos do cérebro para o sistema nervoso central.

- Picles. Não é à toa que muitas grávidas sentem desejo de picles, um dos probióticos naturais mais fundamentais e amados. Para muitos, o picles pode ser a porta de entrada para outros alimentos fermentados, mais exóticos.

- Frutas e vegetais em conserva. Conservá-los como picles, como os bastões de cenoura, transforma o que é comum em extraordinário. Seja a conserva feita por você, seja ela comprada no supermercado, lembre-se de que os benefícios probióticos só estão presentes em alimentos não pasteurizados, conservados em salmoura, e não em vinagre.

- Condimentos em cultura. Acredite se quiser, é possível lactofermentar tipos de maionese, mostarda, raiz-forte, molhos fortes, *relish*, salsa, guacamole, molhos de salada e *chutney* de frutas. O creme de leite azedo (*sour cream*), embora tecnicamente um laticínio fermentado, tende a perder o poder probiótico no processamento. Alguns fabricantes, porém, adicionam culturas vivas no final do processo de fermentação; dê preferência a essas marcas.

- Carnes, peixes e ovos fermentados. Se você não acredita, vá à página 270 em busca de receitas de dar água na boca, de carne seca a sardinhas em conserva e ovos cozidos fermentados.

Como observação geral, caso você não pretenda preparar em casa esses pratos (usando minhas receitas fáceis, a partir da página 251), fique de olho nos produtos que compra no mercado. Cuidado com os açúcares adicionados, os conservantes químicos e os corantes. O ideal é optar pelos orgânicos.

DICA NÚMERO 2: CORTE OS CARBOIDRATOS, ADOTE AS GORDURAS DE ALTA QUALIDADE

Na qualidade de *Homo sapiens*, somos praticamente idênticos a todos os humanos que já caminharam sobre este planeta. E nossa espécie foi moldada pela natureza ao longo de milhares de gerações. Na maior parte dos últimos 2,6 milhões de anos, a dieta de nossos antepassados consistiu em animais selvagens e frutas e vegetais da estação. Hoje em dia, a dieta da maioria das pessoas se baseia em grãos e carboidratos — muitos dos quais contendo glúten, destruidor do intestino e danoso para o microbioma, cujos efeitos secundários atingem o cérebro.

Mesmo que ignoremos o fator glúten, uma das principais razões para que o consumo excessivo de grãos e carboidratos seja ruim é o fato de provocarem picos de glicemia, ao contrário de outros alimentos, como carne, peixe, frango e vegetais. Já apresentei os fatos relativos àquilo que o excesso de glicose no sangue provoca no corpo e no equilíbrio da flora intestinal. Quanto mais açúcares — mesmo os artificiais — são consumidos, mais doente fica o microbioma.

De um ponto de vista puramente tecnológico, evoluímos muito desde o Paleolítico. Mas milhões de nós ainda sofrem desnecessariamente e têm problemas de saúde. É inaceitável o fato de doenças evitáveis e não transmissíveis representarem hoje um número de óbitos maior que o de todas as outras doenças somadas. Como isso é possível? Vivemos mais tempo que as gerações anteriores, mas não vivemos necessariamente melhor. Fracassamos na tentativa de evitar e curar doenças às quais ficamos suscetíveis na velhice. Não conheço ninguém que queira viver até os cem anos se os últimos vinte anos forem de sofrimento.

Para mim, está claro que a mudança na nossa dieta, ao longo do último século, é a culpada de muitos de nossos males contemporâneos. À medida que trocamos uma dieta rica em gordura, rica em fibras e pobre em carboidratos por uma dieta pobre em gordura, pobre em fibras e rica em carboidratos, ao mesmo tempo começamos a sofrer de condições crônicas relacionadas ao cérebro.

Embora possa ser difícil acreditar, por mais inteligente e antenado que você seja, seu cérebro não é tão diferente do cérebro de um antigo ancestral, nascido dezenas de milhares de anos atrás. Ambos evoluíram para procurar alimentos ricos em gordura e açúcar — um mecanismo básico de sobrevivência. Seu semelhante das cavernas passou muito tempo caçando alimento e só comia carne (rica em gordura), peixes e um ou outro açúcar natural a partir das plantas; e, na estação certa, frutas. Você não precisa caçar, porque dispõe de acesso abundante a gorduras e açúcares processados. Você e seu semelhante das cavernas possuem cérebros que funcionam da mesma forma, mas suas fontes nutritivas são tudo menos parecidas.

A esta altura, você já sabe que uma dieta rica em açúcar e pobre em fibras alimenta bactérias indesejadas e aumenta a chance de permeabilidade intestinal, danos às mitocôndrias, comprometimento do sistema imunológico e processos inflamatórios generalizados que atingem o cérebro. E é um círculo vicioso: todos esses efeitos pioram o ataque ao equilíbrio microbiano.

Um pressuposto central de *A dieta da mente* é o fato de as gorduras — e não os carboidratos — serem o combustível favorito do metabolismo humano, o que elas têm sido ao longo de toda a evolução humana. Apresentei os argumentos em favor de gorduras de alta qualidade e de não nos preocuparmos tanto com os chamados alimentos "ricos em colesterol". Permita que eu resuma, aqui, os pontos principais, para pôr essas informações no contexto do microbioma.

O famoso Estudo Cardíaco de Framingham é um dos mais valorizados e reverenciados já realizados nos Estados Unidos. Acrescentou toneladas de dados à nossa compreensão dos fatores de risco de certas doenças. Embora tenha sido originalmente concebido para identificar fatores ou características em comum que contribuem para doenças cardiovasculares, desde então ele revelou fatores de risco para inúmeras condições, entre elas transtornos relacionados ao cérebro. Também trouxe à luz as relações entre os traços físicos e os padrões genéticos.

Entre os muitos estudos reveladores surgidos a partir do estudo original de Framingham está o realizado em meados da década de 2000 por pesquisadores da Universidade de Boston. Eles analisaram a relação entre o nível total de colesterol e o desempenho cognitivo, através do exame de 789 homens e 1105 mulheres, todos isentos de demência e derrames no início do estudo. Eles foram acompanhados durante dezesseis a dezoito anos. A cada quatro ou seis anos eram realizados exames cognitivos, para avaliar as características que haviam sofrido comprometimento nos portadores de Alzheimer — como memória, aprendizado, formação de conceitos, concentração, atenção, raciocínio abstrato e habilidades organizacionais.

Segundo o relatório da pesquisa, publicado em 2005, "níveis inferiores de colesterol de ocorrência natural estão associados a um desempenho inferior nas mensurações cognitivas, que impunham alta demanda de raciocínio abstrato, atenção/concentração, fluência verbal e funcionamento executivo".[3] Em outras palavras, aqueles com níveis de colesterol *mais altos* tinham um desempenho melhor nos testes cognitivos que aqueles com níveis mais baixos. Isso indicava um fator protetor, quando se trata de cérebro e colesterol.

As pesquisas mais recentes do mundo inteiro continuam a subverter o senso comum. As doenças arteriais coronarianas, uma das principais causas de ataques cardíacos, podem ter mais a ver com processos inflamatórios que com colesterol alto. E o raciocínio por trás disso tem relação com o papel do colesterol como nutriente crucial para o cérebro, essencial para o funcionamento dos neurônios. Ele também desempenha um papel fundamental na construção das membranas celulares. Além disso, o colesterol atua como antioxidante e precursor de importantes moléculas auxiliares do cérebro, como a vitamina D, assim como de hormônios relacionados aos esteroides (por exemplo, hormônios sexuais como a testosterona e o estrogênio). O cérebro demanda altas quantidades de colesterol como fonte de combustível, mas os neurônios não conseguem, sozinhos, gerá-lo em quantidades significativas. Por isso, eles dependem do colesterol distribuído pela corrente sanguínea, por meio de uma proteína portadora especial, chamada LDL, ou lipoproteína de baixa densidade. É a mesma proteína tantas vezes demonizada como "colesterol ruim". Mas não há nada de ruim no LDL, que não é de modo algum uma molécula de colesterol, nem boa, nem ruim. É um veículo para o transporte do colesterol que sustenta a vida, do sangue para os neurônios do cérebro.

Todas as descobertas científicas recentes mostram que, quando os níveis de colesterol estão baixos, o cérebro simplesmente não funciona da maneira ideal. Quem tem colesterol baixo corre um risco muito maior de problemas neurológicos, de depressão a demência. Um dos primeiros estudos a determinar a diferença no conteúdo de gordura entre um cérebro saudável e outro com Alzheimer foi realizado por pesquisadores dinamarqueses e publicado em 1998. Em seu estudo com pacientes falecidos, os cientistas descobriram que portadores de Alzheimer sofriam de uma significativa redução na quantidade de gordura no fluido cerebroespinhal, principalmente colesterol e ácidos graxos livres, se comparados ao grupo de controle.[4] Isso ocorreu quer os pacientes de Alzheimer tivessem ou não o gene defeituoso — conhecido como apoE4 — que predispõe as pessoas à doença.

Considerando os elos estabelecidos entre excesso de peso, controle da glicemia e risco de doenças cerebrais, estudos que analisam os efeitos de diversas dietas também são reveladores. Um estudo esclarecedor, nesse aspecto, foi publicado em 2012 no *Journal of the American Medical Association*.[5] Nesse estudo, pesquisadores de Harvard apresentaram os efeitos de três dietas populares em um grupo de adultos jovens obesos ou com sobrepeso. Os participantes do estudo experimentaram cada uma das dietas durante um mês. Uma delas era pobre em gorduras (60% das calorias vinham de carboidratos, 20% de gordura e 20% de proteínas); outra era de baixa glicemia (40% das calorias vinham de carboidratos, 40% de gordura e 20% de proteínas); e a terceira era muito pobre em carboidratos (10% das calorias vinham de carboidratos, 60% de gordura e 30% de proteínas). Embora todas as dietas fornecessem o mesmo número de calorias, os resultados foram marcantes. Aqueles que seguiram a dieta pobre em carboidratos e rica em gordura queimavam mais calorias. O estudo também analisou a sensibilidade dos participantes à insulina durante o período de quatro semanas em cada dieta. Concluiu-se que a dieta pobre em carboidratos resultava na maior melhora na sensibilidade à insulina — quase o dobro da ocorrida com a dieta pobre em gordura. Os autores do estudo também observaram que os que fizeram a dieta pobre em gordura apresentaram alterações na química do sangue que os deixou vulneráveis ao ganho de peso. Concluíram que a melhor dieta para manter a perda de peso é pobre em carboidratos e rica em gordura. Em outras palavras, do ponto de vista da redução do risco de doenças cerebrais, em razão do elo entre a obesidade, o sobrepeso e os transtornos neurológicos, a melhor opção é uma dieta pobre em carboidratos e rica em gordura.

Se você ainda não foi capaz de ligar os pontos entre o microbioma e uma dieta pobre em carboidratos e rica em fibras e gorduras, vou explicar para você. Essa dieta específica fornece os ingredientes que nutrem não apenas uma biologia saudável (e, por conseguinte, um microbioma saudável), mas também um cérebro saudável. Uma dieta que mantém equilibrada a glicemia mantém equilibrada a flora intestinal. Uma dieta rica em fontes de fibras, que você obterá de frutas e vegetais integrais, alimenta as bactérias boas do intestino e produz o equilíbrio ideal dos ácidos graxos de cadeia curta, para manter o controle do revestimento intestinal. Uma dieta livre do nocivo glúten fará a balança pender ainda mais em favor de uma ecologia saudável do intestino, assim como de uma fisiologia saudável do cérebro. E uma dieta intrinsecamente anti-inflamatória é boa para o intestino e para o cérebro.

Quais são, exatamente, os ingredientes permitidos nessa dieta? Os cardápios e receitas do capítulo 10 vão ajudá-lo a seguir esse protocolo, mas eis algumas dicas que vão ajudá-lo nas compras e no planejamento de suas refeições. Note que a dieta que proponho pede que a entrada principal seja majoritariamente composta por frutas e vegetais que crescem acima da terra, com proteínas como acompanhamento. Com frequência indesejada as pessoas acham que uma dieta pobre em carboidratos consiste apenas em ingerir grandes quantidades de carne e outras fontes de proteína. Ao contrário, no nosso protocolo o prato ideal é uma porção considerável de vegetais (dois terços do prato) e cerca de cem gramas de proteína. A carne e os produtos de origem animal devem ser o acompanhamento, e não o prato principal. Você obterá gorduras a partir daquelas naturalmente encontradas nas proteínas, dos ingredientes usados no preparo do prato de proteínas e de vegetais, como a manteiga e o azeite de oliva, e de castanhas e sementes. A beleza da dieta dos amigos da mente consiste no fato de não ser preciso se preocupar com o tamanho das porções. Se você se concentrar naquilo que come e obedecer às instruções, os sistemas de controle de apetite naturais do seu corpo serão ativados e você irá ingerir a quantidade certa para seu corpo e suas necessidades energéticas.

AS COMIDAS AMIGAS DA MENTE:

- Vegetais: verduras folhosas e alface, couve, espinafre, brócolis, acelga, repolho, cebola, cogumelos, couve-flor, couve-de-bruxelas, alcachofra, broto de alfafa, vagem, aipo, couve-chinesa, rabanete, agrião, nabo, aspargos, alho, alho-poró, funcho, chalotas, cebolinha, gengibre, jicama, salsinha, castanha-de-água

- Frutas e legumes com pouco açúcar: abacate, pimentão, pepino, tomate, abobrinha, abóbora, berinjela, limão, lima

- Alimentos fermentados: iogurte, frutas e vegetais em salmoura, kimchi, chucrute, carne, peixe e ovos fermentados (ver dica número 1, página 203)

- Gorduras saudáveis: azeite de oliva extravirgem, óleo de gergelim, óleo de coco, banha de animais alimentados no pasto e manteiga orgânica ou de animais alimentados no pasto, manteiga clarificada, leite de amêndoas, abacate, coco, azeitonas, nozes e manteiga de karité, queijo (exceto os azuis) e sementes (linhaça, girassol, abóbora, gergelim, chia)

- Proteínas: ovos inteiros, peixes selvagens (salmão, peixe-carvão, dourado-do-mar, garoupa, arenque, truta, sardinha); mariscos e moluscos (camarão, caranguejo, lagosta, mexilhão, amêijoa, ostra); carne de animais alimentados no pasto, aves e carne de porco (carne de boi, carneiro, fígado, bisão, frango, peru, pato, avestruz, vitela); carne de caça

- Ervas, temperos e condimentos: mostarda, raiz-forte, tapenade e salsa, quando livres de glúten, trigo, soja e açúcar (diga adeus ao ketchup); ervas e temperos sem restrição (mas cuidado com produtos embalados, que podem ter sido fabricados em usinas que processam trigo e soja)

Os seguintes alimentos podem ser usados com moderação (por "moderação" entenda-se pequenas quantidades desses ingredientes uma vez por dia ou, melhor ainda, apenas algumas vezes por semana):

- Cenoura e chirívia

- Leite de vaca e creme de leite: use com parcimônia nas receitas, no café e no chá

- Leguminosas (feijão, lentilha, ervilha). Exceção: grão-de-bico (homus liberado)

- Grãos sem glúten: amaranto, trigo sarraceno, arroz (branco, integral ou selvagem), milheto, quinoa, sorgo, teff. Caso compre aveia, certifique-se de que ela seja verdadeiramente sem glúten; às vezes ela vem de usinas que processam derivados de trigo, o que provoca contaminação. Em geral eu recomendo que se limitem os grãos sem glúten porque, quando são processados para o consumo humano (por exemplo, a moagem da aveia e o preparo do arroz para o empacotamento), sua estrutura física pode sofrer alterações, o que pode aumentar o risco de uma reação inflamatória

- Adoçantes: estévia natural e chocolate (leia mais sobre o chocolate abaixo)

- Frutas doces integrais: as melhores são as frutas vermelhas: tome extremo cuidado com frutas açucaradas como pêssego, manga, melão, mamão, ameixa e abacaxi

Lembre-se sempre que possível de dar preferência ao alimento orgânico, sem glúten, sem OGMs (em meu site você encontra uma lista de lugares onde o glúten pode se esconder). Quando comer carne e frango, opte por aqueles sem antibióticos, alimentados no pasto, 100% orgânicos. Prefira peixe selvagem, que costuma ter níveis inferiores de toxinas em relação aos peixes de aquicultura (para uma lista de peixes pescados de maneira sustentável, os que contêm as menores quantidades de toxinas, visite o site Seafood Watch, do Aquário da Baía de Monterey, em <www.seafoodwatch.org>). Lembre-se de tomar cuidado com rótulos "sem glúten" em produtos repletos de ingredientes processados e pobres em verdadeiros nutrientes. O objetivo é selecionar alimentos naturalmente sem glúten, e não produtos cujo glúten foi simplesmente retirado.

DICA NÚMERO 3: CONSUMA VINHO, CHÁ, CAFÉ E CHOCOLATE

Deve ser motivo de alegria o fato de poder adotar o vinho, o café e o chocolate, com moderação, e o chá o quanto seu coração quiser. Eles contêm os melhores remédios de que a natureza dispõe para o bem da saúde da flora intestinal. Vou explicar.

Os flavonoides são produzidos pelas plantas como autoproteção contra vilões como os radicais livres. São polifenóis, poderosos antioxidantes encontrados nas plantas; na verdade, talvez sejam o antioxidante mais abundante na dieta humana. São o tema de pesquisa aprofundada nas áreas de doenças cardiovasculares, osteoporose, câncer e diabetes, assim como na prevenção de condições neurodegenerativas. Em inúmeros estudos, verificou-se que o acréscimo de polifenóis à dieta reduziu de maneira significativa os marcadores de estresse oxidativo, o que, por sua vez, reduz o risco de males neurológicos. As principais fontes alimentares de polifenóis são as frutas e os vegetais; bebidas de origem vegetal, entre elas o café, o vinho tinto e o chá — e o chocolate.

Os polifenóis encontrados no chá preto têm sido estudados em razão de sua capacidade de influenciar de maneira positiva a diversidade microbiana no intestino.[6] Os pesquisadores já são capazes de quantificar as alterações na flora intestinal quando uma substância específica é acrescida à dieta. Os polifenóis do chá preto, mostram os estudos, aumentam as bifidobactérias, que ajudam a estabilizar a permeabilidade do intestino; isso talvez explique por que o chá preto tem propriedades anti-inflamatórias.[7] Também se demonstrou que o chá verde multiplica as bifidobactérias, ao mesmo tempo que reduz os níveis de espécies clostridianas potencialmente nocivas.[8]

Em um estudo de quatro semanas de bastante repercussão, indivíduos receberam doses altas ou baixas de flavonoides do cacaueiro. Antes e depois dessa intervenção, foram colhidas amostras fecais, medindo-se os tipos e a diversidade das bactérias, assim como outros marcadores fisiológicos. O grupo que consumiu doses altas de flavonoides teve aumentos impressionantes das bifidobactérias, assim como dos lactobacilos, juntamente com um forte decréscimo da contagem de clostrídios. Essas alterações na flora intestinal foram acompanhadas por uma incontestável redução da proteína C-reativa, o famoso marcador de processos inflamatórios associado a um risco maior de doenças.

Em seu artigo, os autores comentam que esses compostos de origem vegetal agem como prebióticos — ao alimentar as bactérias benéficas. Eles também apontam que uma das espécies de clostrídios cuja população foi radicalmente reduzida é a *Clostridium histolyticum*. Ela está entre as espécies de clostrídios cujo aumento foi constatado nas fezes de pacientes autistas. Os autores sugerem que as alterações bacterianas observadas foram basicamente as mesmas constatadas nos estudos que analisam os benefícios do leite materno. Pesquisadores italianos, em outro estudo, demonstraram que, em idosos que sofrem de leve comprometimento cognitivo, aqueles que consumiram maiores quantidades de flavonoides do cacau e do chocolate tiveram significativa melhora da sensibilidade à insulina e da pressão sanguínea. Também apresentaram menos danos aos radicais livres e um aumento das funções cognitivas.[9]

Outros estudos não apenas confirmaram essas conclusões, como também demonstraram que o consumo de flavonoides leva a uma melhora significativa do fluxo sanguíneo para o cérebro.[10, 11] É uma descoberta importante, já que muitas pesquisas recentes têm mostrado que pessoas que sofrem de demência têm uma redução do fluxo de sangue no cérebro.

Assim como o chocolate, o café contém uma mistura saudável. Nos últimos anos, adquiriu fama, graças a descobertas que ressaltam seu impacto sobre o microbioma. Mencionei em outro momento alguns dos benefícios do café: auxilia uma proporção saudável de Firmicutes/Bacteroidetes e possui propriedades antioxidantes. O café também estimula uma via genética específica, chamada via Nrf2. Quando ela é acionada, o corpo produz níveis mais elevados de antioxidantes protetores, ao mesmo tempo que se observam uma redução nos processos inflamatórios e o reforço da desintoxicação. Outros ativadores da Nrf2 incluem o chocolate (outro bônus para o cacau), o chá verde, a cúrcuma e o resveratrol, um ingrediente do vinho tinto.

Quem já jantou comigo sabe que eu adoro tomar uma tacinha. E, na verdade, tomar uma taça de vinho tinto por dia pode ser bom para você e para seu microbioma. O resveratrol, polifenol natural encontrado na uva, retarda o processo de envelhecimento, estimula o fluxo sanguíneo para o cérebro, auxilia a saúde cardíaca e reprime as células de gordura, ao inibir seu desenvolvimento. Tem também um efeito favorável sobre as bactérias do intestino (elas também são chegadas num vinho!). Pesquisadores espanhóis concluíram que os níveis de LPS, tanto como marcador de inflamações quanto de permeabilidade intestinal, sofreram uma redução drástica nos indivíduos que consomem vinho tinto com moderação (uma ou duas taças por dia).[12] Note-se que o efeito foi o mesmo até quando se tirou o álcool. Os pesquisadores também analisaram a composição bacteriana das fezes desses indivíduos e constataram um aumento significativo das bifidobactérias. O vinho tinto também é uma rica fonte de polifenóis amigos do intestino. Certifique-se apenas de não beber demais. Uma taça por dia para as mulheres, duas, no máximo, para os homens.

DICA NÚMERO 4: ESCOLHA ALIMENTOS RICOS EM PREBIÓTICOS

Os prebióticos, ingredientes que as bactérias do intestino adoram comer para alimentar seu crescimento e atividade, podem ser facilmente ingeridos por meio de certos alimentos. Estima-se que para o consumo de cem gramas de carboidratos considerados prebióticos são produzidos trinta gramas de bactérias. Um dos benefícios de possuir bactérias boas no intestino é a capacidade que elas têm de usar os alimentos ricos em fibras que consumimos, e que do contrário não seriam digeríveis, como substrato do próprio metabolismo. Ao metabolizar esses alimentos normalmente não digeríveis, as bactérias do intestino produzem os ácidos graxos de cadeia curta já mencionados, que nos ajudam a ficar saudáveis. Como você há de lembrar, é produzido ácido butírico, por exemplo, que melhora a saúde do revestimento intestinal. Além disso, os ácidos graxos de cadeia curta ajudam a regular o sódio e a absorção de água, aumentando nossa capacidade de absorver cálcio e importantes minerais. Na prática, eles reduzem o pH do intestino, o que inibe o crescimento de patógenos em potencial ou de bactérias danosas. E melhoram as funções imunológicas.

Por definição, os prebióticos devem ter três características. A primeira e mais importante: eles devem ser não digeríveis, isto é, devem passar pelo estômago sem ser quebrados pelos ácidos gástricos ou pelas enzimas. A segunda é que devem ser fermentáveis ou metabolizáveis pelas bactérias do intestino. E a terceira é que essa atividade tem que resultar em benefícios à saúde. Todos nós já ouvimos falar dos benefícios da ingestão de fibras. Ocorre que os efeitos das fibras alimentares no crescimento de bactérias saudáveis no intestino talvez sejam o aspecto mais importante das fibras.

Os alimentos ricos em prebióticos têm sido parte de nossa alimentação desde os tempos pré-históricos. Estima-se que o típico caçador e coletor do nosso passado distante consumisse até 135 gramas diárias de inulina, um tipo de fibra.[13] Os prebióticos ocorrem naturalmente em diversos alimentos, entre eles chicória, tupinambo, alcachofra, alho, cebola, alho-poró, jicama e inhame selvagem; você verá que eu os utilizo em muitas de minhas receitas.

A ciência já estabeleceu com firmeza muitos outros efeitos positivos dos prebióticos:[14]

- Reduzem doenças febris (relacionadas a febres) associadas com a diarreia ou eventos respiratórios, assim como a quantidade de antibióticos de que os bebês necessitam

- Ajudam a reduzir os processos inflamatórios nas doenças inflamatórias do intestino, auxiliando assim na proteção contra o câncer de cólon

- Melhoram a absorção de mineirais pelo corpo, entre eles o magnésio, possivelmente o ferro, e o cálcio (em um estudo, meros oito gramas de prebióticos diários apresentaram um importante efeito na absorção de cálcio pelo corpo, levando a um aumento da densidade óssea)

- Reduzem alguns fatores de risco de doenças cardiovasculares, em grande parte por reduzirem os processos inflamatórios

- Proporcionam sensação de satisfação e saciedade, previnem a obesidade e promovem a perda de peso (o efeito sobre os hormônios está relacionado à perda de apetite; estudos mostram que os animais aos quais se ministraram prebióticos produzem menos grelina, o sinal do corpo ao cérebro de que é hora de comer. Os estudos também mostraram que prebióticos como a inulina alteram drasticamente, para melhor, a proporção Firmicutes/Bacteroidetes)

- Reduzem a glicação, processo que aumenta os radicais livres, desencadeia processos inflamatórios e reduz a resistência à insulina, comprometendo, assim, a integridade da parede intestinal

A maioria dos americanos não consome prebióticos em quantidade suficiente. Recomendo um objetivo diário de doze gramas, seja diretamente da alimentação, de suplementos ou uma combinação de ambos. Abaixo, uma lista das principais fontes naturais de prebióticos:

- Goma acácia (ou goma-arábica)

- Raiz de chicória crua

- Tupinambo cru

- Folhas de dente-de-leão cruas

- Alho cru

- Alho-poró cru

- Cebola crua

- Cebola cozida

- Aspargos crus

Embora não pareça fácil utilizar muitos desses ingredientes na cozinha, meu cardápio de sete dias vai lhe mostrar como empregá-los e atingir o mínimo de doze gramas diárias.

DICA NÚMERO 5: BEBA ÁGUA FILTRADA

Para evitar as substâncias químicas destruidoras do intestino, como o cloro presente na água da torneira, recomendo comprar um filtro de água doméstico. Existem diversas tecnologias de tratamento de água hoje em dia, de jarras filtrantes que você enche manualmente a aparelhos de pia criados para filtrar a água que chega à sua casa. A decisão é sua em relação àquele que melhor se encaixa em suas circunstâncias e seu orçamento. Certifique-se de que o filtro que você comprar retira o cloro e outros contaminantes em potencial. Obviamente, se você for locatário ou morar num condomínio, suas opções serão mais limitadas, mas usar um filtro na torneira ou uma jarra com filtro em geral dá conta do recado.

Qualquer que seja o filtro que você escolher, mantenha-o limpo e siga as instruções do fabricante para ter certeza de que ele continue a funcionar. À medida que os contaminantes se acumulam, os filtros se tornam menos eficazes e podem começar a liberar substâncias químicas em sua água filtrada. Considere, ainda, a possibilidade de instalar um filtro no chuveiro. Sistemas de filtragem do chuveiro são fáceis de encontrar e não são caros.

DICAS PARA REDUZIR A EXPOSIÇÃO A SUBSTÂNCIAS QUÍMICAS

O protocolo alimentar exposto neste capítulo fará muito para protegê-lo de diversas exposições desnecessárias a substâncias químicas do meio ambiente, que podem desequilibrar seu microbioma e a fisiologia saudável do seu cérebro. Abaixo, algumas ideias adicionais:

- Conheça os produtores de sua região. Dê preferência a alimentos produzidos localmente, com menores quantidades de pesticidas e herbicidas. Procure a feira local mais próxima e comece a fazer compras nela;

- Reduza ao mínimo o uso de alimentos enlatados, processados e preparados. As latinhas em geral são revestidas com BPA, e os alimentos processados possuem maior probabilidade de conter ingredientes artificiais, como aditivos, conservantes, corantes e sabores de origem química. É difícil saber exatamente o que tem dentro das comidas preparadas que você compra no congelador do supermercado e nos produtos prontos para comer. Cozinhe a partir do zero, para saber o que está na sua comida, mas evite panelas ou utensílios de cozinha antiaderentes. Os objetos com revestimento em teflon contêm ácido perfluoro-octanoico, considerado cancerígeno pela Agência Ambiental dos Estados Unidos;

- Não ponha no micro-ondas alimentos em recipientes de plástico, que podem liberar substâncias químicas nocivas absorvidas pelos alimentos. Use recipientes de vidro;

- Evite armazenar alimentos em recipientes de plástico e PVC;

- Jogue fora garrafas d'água de plástico (ou, pelo menos, evite plásticos com a indicação "PC", de policarbonato). Adquira garrafas reutilizáveis feitas de vidro ou aço inoxidável apropriado para alimentos;

- Ventile bem sua casa ou instale filtros de ar HEPA, se possível. Troque os filtros do ar-condicionado e do aquecedor a cada três ou seis meses. Limpe os dutos uma vez por ano. Evite desodorizadores de ambientes em spray ou de tomada;

- Reduza a poeira e resíduos tóxicos nas superfícies usando um aspirador de pó com filtro HEPA. Você pode nem ver esses resíduos, mas eles se acumulam em móveis, aparelhos eletrônicos e tecidos;

- Substitua os objetos e produtos da casa, ao longo do tempo, com opções livres de substâncias químicas sintéticas. No que diz respeito a artigos de banho, desodorantes, sabonetes e produtos de beleza, termine os que você está utilizando e adote novas marcas. Nos Estados Unidos, procure o selo orgânico do Departamento de Agricultura e dê preferência a produtos que sejam alternativas mais saudáveis. Uma ótima fonte para encontrar novas marcas é o site do Environmental Working Group [Grupo de Trabalho Ambiental], em www.ewg.org;

- Tenha em casa o maior número possível de plantas que desintoxicam naturalmente o ambiente, como gravatinha, aloé, crisântemo, gérbera, samambaia, hera e imbé.

DICA NÚMERO 6: FAÇA JEJUM A CADA ESTAÇÃO

Um mecanismo crucial do corpo humano é a capacidade de converter gordura em combustível para a sobrevivência em períodos de fome. Conseguimos quebrar a gordura em moléculas especializadas, chamadas cetonas. Uma delas, em especial — o beta-hidroxibutirato (beta-HBA) —, é um combustível superior para o cérebro. Isso propicia argumentos convincentes para os benefícios de jejuns intermitentes, assunto de que tratei detalhadamente em *A dieta da mente*.

Os pesquisadores estabeleceram que o beta-HBA, facilmente obtido acrescentando óleo de coco à dieta, melhora as funções antioxidantes, aumenta o número de mitocôndrias e estimula o crescimento de novas células cerebrais. E você sabe que tudo que ajuda a saúde e a proliferação das mitocôndrias é bom para a saúde do cérebro. Essas organelas, não se esqueça, fazem parte de nosso microbioma.

Anteriormente, mencionei a via genética Nrf2, que, quando ativada, produz um forte aumento na proteção antioxidante e na desintoxicação, assim como um decréscimo nos processos inflamatórios. Ela também representa um poderoso estímulo ao crescimento mitocondrial. Essa via é ativada por meio do jejum.

Como você sabe, um dos processos mais importantes do corpo, ditado pelas mitocôndrias, é a morte programada das células, quando estas cometem suicídio. Somente nos últimos anos os cientistas finalmente delinearam os passos na cascata de eventos químicos que culminam na morte apoptótica das células, que pode ser devastadora quando foge do controle e leva à destruição de células cruciais, como as do cérebro. Um dos pesquisadores mais renomados nessa área é o dr. Mark Mattson, do Instituto Nacional do Envelhecimento, em Baltimore. O dr. Mattson publicou diversos trabalhos sobre o tema da redução da apoptose para proteger as células nervosas. Sua pesquisa, mais especificamente, centrou-se nos hábitos alimentares, mais exatamente o papel da restrição calórica na neuroproteção, ao minimizar a apoptose, melhorar a produção de energia das mitocôndrias, reduzir a formação de radicais livres mitocondriais e incentivar o crescimento das mitocôndrias. É um trabalho convincente, que nos dá uma clara validação científica da prática do jejum, uma intervenção médica descrita já nos textos védicos, mais de 3 mil anos atrás. Na verdade, sabe-se empiricamente há vários séculos que a redução na ingestão de calorias retarda o envelhecimento, reduz as doenças crônicas relacionadas à idade e prolonga a vida. Mas só recentemente a ciência recuperou o terreno perdido em relação às evidências empíricas.[15, 16] Além dos benefícios que eu já relacionei, a restrição calórica também mostrou aumentar a sensibilidade à insulina, reduzir o estresse oxidativo do corpo em geral e colocá-lo em modo de queima de gordura. Todos esses benefícios, por sua vez, ajudam a sustentar um microbioma saudável.

A ideia de reduzir substancialmente a ingestão diária de calorias não agrada a muitos. Mas jejuns intermitentes — uma restrição total de calorias durante 24 a 72 horas, em intervalos regulares ao longo do ano — são mais administráveis e podem gerar os mesmos resultados da restrição calórica. Além disso, o jejum faz mais que melhorar a saúde e o funcionamento das mitocôndrias; estudos de laboratório têm mostrado finalmente que a restrição calórica promove alterações na flora intestinal, que também podem ser responsáveis por parte do papel benéfico em nossa saúde. Um importante estudo, publicado em uma edição especial da revista *Nature* em 2013, demonstrou que a restrição calórica enriquece as cepas bacterianas associadas a um tempo de vida mais longo, reduzindo as cepas "que têm correlação negativa com o tempo de vida".[17] No artigo, os pesquisadores observam que "animais sob restrição calórica podem estabelecer uma arquitetura estruturalmente equilibrada da microbiota intestinal, que pode exercer um efeito benéfico à saúde do hospedeiro". Embora esses estudos tenham se debruçado sobre a restrição calórica, lembre-se de que jejuns intermitentes proporcionam benefícios à saúde comparáveis e são uma estratégia mais prática para a maioria das pessoas.

Meu protocolo de jejum é simples: nada de comida, mas bastante água (evite a cafeína) por um período de 24 horas. Se você está tomando algum medicamento, não deixe de tomá-lo (se você toma remédios para o diabetes, por favor consulte antes o seu médico). Depois que você tiver adotado a dieta dos amigos da mente pelo resto da vida e quiser jejuar para aumentar seus benefícios, experimente um jejum de 72 horas (supondo que você já consultou seu médico, se houver qualquer condição médica a levar em conta). Recomendo pelo menos quatro jejuns anuais; uma excelente prática pode ser o jejum a cada mudança de estação (por exemplo, as últimas semanas de setembro, dezembro, março e junho).

UMA OBSERVAÇÃO PARA AS GRÁVIDAS

Você está grávida e planejando a experiência do parto? Converse com seu médico a respeito do uso da chamada "técnica da gaze", caso por algum motivo você precise passar por uma cesariana. A dra. Maria Gloria Dominguez-Bello apresentou um trabalho que sugere que o uso da gaze para coletar bactérias do canal de parto da mãe e depois passá-las ao bebê nascido de cesariana, esfregando a gaze na boca e no nariz, de fato ajuda a fazer com que as populações bacterianas desses bebês se aproximem daquelas dos bebês nascidos em parto normal. Embora não seja um substituto do parto vaginal, é melhor que uma cesariana estéril.

Planeje com antecedência, também, a forma de proporcionar a seu bebê a melhor nutrição possível. Até que ponto são eficientes as fórmulas para bebês que contêm bactérias benéficas? Os benefícios do leite materno estão tão bem estabelecidos que os fabricantes de fórmulas tentam imitar o leite humano o máximo possível. Mas o velho ditado americano continua a ser verdadeiro: "*Breast is best*" [o peito é melhor]. E que tal suplementar as fórmulas tradicionais com probióticos criados para bebês? Os conhecimentos científicos nessa área ainda estão evoluindo, mas alguns estudos já mostraram que proporcionar probióticos, seja com fórmula ou com suplemento, pode ter efeitos positivos (darei mais detalhes no capítulo 9). Eles podem reduzir as cólicas e a irritabilidade, e também o risco de infecções que demandam antibióticos. Com certeza não podem ser considerados substituto do leite materno.

A complexidade do microbioma é praticamente insondável. O microbioma é dinâmico. Muda o tempo todo, em resposta ao nosso ambiente — o ar que respiramos, as pessoas que tocamos, os remédios que tomamos, a poeira e os germes que encontramos, os produtos que consumimos e até os pensamentos que nos vêm à mente. Assim como a comida dá informação ao corpo, nossa flora intestinal fala ao DNA, à nossa biologia e, no fim das contas, à nossa longevidade.

Ainda que você tenha vindo ao mundo em parto natural e sido amamentado no peito por pelo menos seis meses, isso não garante que seu microbioma, hoje, não esteja adoentado. Da mesma forma, você pode ter vindo ao mundo pela barriga da sua mãe, tomado leite em pó e mesmo assim ter uma saúde vibrante, graças à forma como cuidou de si mesmo — e de seu microbioma — ao longo dos anos. É uma faca de dois gumes. Por sorte, as sugestões deste capítulo para garantir a saúde da sua flora intestinal funcionam para todos.

A beleza das ideias deste capítulo reside no fato de que, embora os dados científicos pareçam complexos, adotar esses princípios é tudo, menos complexo. Assim que você abrir a porta para os seis hábitos essenciais que nutrem e sustentam um microbioma saudável, vai melhorar a química do corpo inteiro — do intestino ao cérebro, e de tudo que fica entre os dois.

9. Como um profissional
O guia dos suplementos

Entre em qualquer loja de alimentação saudável que tenha uma seção de suplementos e é provável que você se sinta perdido. E não apenas pelo volume de opções, mas pelas afirmações feitas em muitas embalagens. De fato, pode ser uma seção difícil de atravessar. Mas vou facilitar as coisas para você.

Antes de entrar nos detalhes da compra de suplementos probióticos, permita-me compartilhar uma história tirada dos arquivos de meus pacientes.

Christopher veio se consultar comigo quando tinha treze anos de idade. Ele havia sido diagnosticado com a síndrome de Tourette aos seis anos, quando começou a apresentar tiques, movimentos descontrolados e espontâneos característicos dessa doença neurológica de origem desconhecida. Embora não saibamos exatamente quantas pessoas sofrem da síndrome de Tourette, um estudo dos Centros de Controle e Prevenção de Doenças concluiu que, nos Estados Unidos, uma em cada 360 crianças de seis a dezessete anos foi diagnosticada com essa síndrome. Isso se traduz em 138 mil crianças americanas, ao todo, atualmente. A síndrome de Tourette afeta todos os grupos étnicos e raças, mas os meninos são afetados três a cinco vezes mais do que as meninas. Outros problemas comumente vistos em pacientes de Tourette incluem o seguinte: TDAH em 63%, depressão em 25%, transtorno do espectro autista em 35% e ansiedade em 49%. Há também um risco profundamente maior de síndrome de Tourette em crianças com alergias. E as alergias são a marca registrada de um desequilíbrio nas bactérias do intestino e de um aumento do risco de intestino permeável. Na verdade, em um revelador estudo de 2011, um grupo de pesquisadores em Taiwan realizou um exame populacional nacional de caso-controle com pessoas portadoras da síndrome de Tourette. Eles confirmaram que existe uma correlação negativa entre esse transtorno e as doenças alérgicas. Por exemplo, as pessoas com rinite alérgica — sinais de uma alergia ou febre do feno, caracterizadas por espirros, olhos lacrimejantes, coceira nos ouvidos, nariz e garganta — apresentaram um risco duas vezes maior de ter a síndrome de Tourette. Então, sem dúvida, o sistema imunológico está envolvido e algo está ocorrendo ali.

De volta a Christopher. As pistas rapidamente começaram a se acumular em minha mente à medida que eu falava com a mãe dele. Ela explicou que seus tiques ocorriam quando ele consumia "certos alimentos, especialmente alimentos processados e que utilizam corantes". De início, foram feitas mudanças alimentares específicas que podem, de fato, ter sido relativamente úteis, mas ainda assim sua situação piorou. E ainda que ele tenha nascido de parto vaginal, a termo, e tenha sido amamentado no peito durante o primeiro ano de vida, ele recebeu um agressivo tratamento com antibióticos contra uma pneumonia quando tinha três anos de idade. Depois, aos cinco anos, contraiu uma infecção de garganta por estreptococos que também exigiu antibióticos. No ano seguinte, ele novamente tomou antibióticos para uma cirurgia dentária.

Esses eventos representavam, claramente, ataques significativos à microbiota intestinal de Christopher. Quando o examinei, ele estava na oitava série e não estava tomando nenhuma medicação. Embora tivesse sido excelente aluno, segundo a mãe, suas notas vinham declinando nos últimos tempos. Os exames de Christopher deram, na maior parte, resultado normal, exceto pelos tiques evidentes e frequentes, sob a forma de espasmos incontroláveis do pescoço e da cabeça. Seus músculos abdominais se contraíam de uma maneira que contorcia seu tronco, e também notei contorções faciais. Embora as pessoas com síndrome de Tourette muitas vezes apresentem "vocalizações" — sons vocais descontrolados e expressões repetitivas —, Christopher não parecia ter esse problema.

De todas as pistas para o diagnóstico de Christopher, o que acendeu a luz divina sobre mim foi sua infecção estreptocócica anos antes. A literatura médica está repleta de estudos que mostram uma correlação entre infecções estreptocócicas anteriores e a síndrome de Tourette. Muitas dessas crianças também sofrem de transtorno obsessivo-compulsivo. Na literatura, o fenômeno é chamado de PANDAS, sigla em inglês de "Transtornos Pediátricos Autoimunes Neuropsiquiátricos Associados a Infecções Estreptocócicas". O termo é usado para descrever as crianças que têm esses transtornos e cujos sintomas pioram depois de infecções por estreptococos, como infecções na garganta e escarlatina. Não fiquei surpreso ao constatar que seu exame de sangue voltou do laboratório acusando anticorpos elevados para estreptococos. Um nível normal estaria na faixa de oitenta a 150 unidades; o de Christopher deu 223. Grande parte da pesquisa sobre síndrome de Tourette nos dias de hoje enfatiza o papel dessa bactéria específica (a propósito, os anticorpos para estreptococos também são encontrados em níveis mais elevados nas crianças com TDAH). Mas, como os estreptococos são uma bactéria comum, que nos infecta sem efeitos colaterais de longo prazo, uma vez que o sistema imunológico cuida dela, a pergunta se impõe: o que ocorre no sistema imunológico de um paciente de Tourette para permitir que essa bactéria se torne um problema?

Parece que, em algumas pessoas, ocorre uma falha na resposta imune a esse organismo. Uma teoria sólida, que os pesquisadores estão investigando, é que a infecção estreptocócica desencadeia uma resposta imune, que produz anticorpos. Estes atacam não apenas os estreptococos. Esses anticorpos também atacam o cérebro, por não serem capazes de distinguir entre as proteínas encontradas na parede celular dos estreptococos e as proteínas que se encontram no cérebro, responsáveis pela parte motora e pelo comportamento. Essa reação situa a síndrome de Tourette na categoria de transtorno autoimune. Também a insere na categoria de transtorno de origem inflamatória. Os estudos que investigam essa relação também chamaram a atenção para o fato de que as citocinas — moléculas que sinalizam os processos inflamatórios — aumentam a ativação do sistema de resposta ao estresse no corpo, o que resulta em aumento dos níveis de cortisol. E o cortisol aumenta a permeabilidade do intestino, que estimula o sistema imunológico de forma adversa e leva a uma maior produção de citocinas. Esta, por sua vez, pode afetar o cérebro e desencadear os sintomas da síndrome de Tourette. Além disso, os pesquisadores constataram uma maior incidência da síndrome naqueles que sofreram estresse psicossocial — circunstâncias que também resultam em aumento da produção de cortisol.

Em relação a Christopher, eu sabia que no cerne de seus desafios estava um intestino disfuncional. Discuti com a mãe dele alternativas de tratamento. A medicina convencional optaria por medicá-lo com drogas potencialmente perigosas, incluindo antibióticos e antidepressivos, dependendo dos sintomas individuais e da gravidade do transtorno. Ela não queria adotar essa via com o filho, e certamente ficou contente de saber que eu estava do lado dela nessa decisão.

Não tardei a me surpreender mergulhado numa discussão sobre a flora intestinal, explicando tanto a Christopher quanto a sua mãe que era muito provável que o histórico médico de Christopher houvesse causado um grande estrago à saúde e ao funcionamento de seu microbioma. Passamos muito tempo conversando sobre a exposição significativa dele aos antibióticos e como isso pode ter mudado seu sistema imunológico. E tivemos essa discussão no contexto da síndrome de Tourette como uma doença autoimune, ideia sustentada por estudos respeitados.

Christopher e a mãe estavam desesperados. Àquela altura ele já estava sendo escanteado na escola e assediado pelos colegas. A mãe, em lágrimas, ficou arrasada com o que estava acontecendo com o filho, bem na hora em que ele estava entrando na adolescência. Recomendei a Christopher e à mãe que, em vez de tomar os probióticos por via oral, eles cogitassem usar um enema (clister) de farmácia simples, enriquecido com seis cápsulas de um suplemento probiótico.

Devo reconhecer meu espanto quando nem Christopher nem a mãe demonstraram qualquer surpresa com a minha recomendação.

Na verdade, eles pareceram encarar bem a ideia e estar ansiosos para seguir em frente. Depois da consulta, foram direto à farmácia local comprar o enema e puseram em prática o plano. Na manhã seguinte, meu consultório recebeu um telefonema da mãe de Christopher. O recado era tão importante que minha equipe sentiu necessidade de interromper a consulta com outro paciente. Prendi a respiração por um momento antes de atender o telefone. Ela me disse que o enema tinha sido ministrado e que em questão de horas "o corpo dele ficou mais calmo". Ela imediatamente me perguntou quando poderiam repetir o procedimento e se poderiam aumentar a dosagem. Eu dei meu o.k., e ela começou a ministrar 1,2 bilhão de unidades de probióticos diárias com o enema. Os sintomas de Tourette em Christopher praticamente desapareceram.

Conto essa história não para propor uma "cura" para a doença, pois cada caso é diferente do outro, mas para ilustrar o papel fundamental das bactérias intestinais e as relações complexas entre um transtorno cerebral misterioso — nesse caso, a síndrome de Tourette — e o sistema imunológico. O fato de Christopher ter produzido anticorpos contra uma bactéria que o infectara muito tempo antes (e que seu sistema imunológico deve ter atacado com êxito na época) era uma clara indicação de que seu sistema imunológico estava variando de maneira anormal e que isso também estava provocando processos inflamatórios. Esses fatos, somados ao histórico de Christopher com antibióticos, fizeram com que a escolha da terapia não exigisse muita massa cinzenta, com o perdão do trocadilho. Louis Pasteur é o autor de uma frase famosa: "A sorte favorece a mente preparada". Suspeito que a melhora e o excepcional desfecho do caso de Christopher poderiam ser considerados sorte, mas, de minha parte, fico contente por ter tido a mente preparada para recolocá-lo no rumo da saúde.

Muitas vezes encontro pessoas que consideram essas ideias muito "fora da caixa", mas encaro isso de maneira positiva. Explico que a verdadeira missão não é manter fora da caixa o pensamento e a ação, e sim aumentar a caixa para que essas ideias se tornem mais amplamente aceitas e beneficiem muito mais pessoas, para as quais nosso "padrão de saúde" não está dando certo.

PROBIÓTICOS: CINCO ESPÉCIES CRUCIAIS

O número de probióticos disponíveis hoje pode parecer avassalador. Esse setor não existia em meus tempos de faculdade de medicina e durante as primeiras décadas da minha carreira. Agora, o número de combinações diferentes disponíveis em lojas de alimentos saudáveis, ou a adição a diversos alimentos, não para de crescer. São milhares as diferentes espécies de bactérias que compõem o microbioma humano. Mas alguns atores importantes foram identificados e profundamente estudados em animais e seres humanos. Vou me concentrar nesse grupo principal.

Para facilitar ao máximo a tarefa de encontrar e comprar as fórmulas corretas, restringi minha recomendação a apenas cinco espécies probióticas fundamentais, de ampla disponibilidade: *Lactobacillus plantarum*, *Lactobacillus acidophilus*, *Lactobacillus brevis*, *Bifidobacterium lactis* e *Bifidobacterium longum*. Diferentes cepas proporcionam diferentes benefícios, mas estas são as que vão, como temos discutido desde o início do livro, auxiliar a saúde do cérebro, das seguintes formas:

- Fortificando o revestimento intestinal e reduzindo a permeabilidade do intestino

- Reduzindo os LPS, as moléculas inflamatórias que podem ser perigosas quando atingem a corrente sanguínea

- Aumentando o BDNF, o hormônio de crescimento do cérebro

- Mantendo um equilíbrio global para expulsar quaisquer colônias de bactérias potencialmente nocivas

Embora se discuta se determinadas preparações permitem ou não que os organismos permaneçam viáveis quando tomadas por via oral, acredito que os probióticos orais possam efetuar mudanças significativas na flora intestinal. Dito isso, devo admitir que, para repovoar o intestino com bactérias boas e restabelecer uma barreira eficaz, tenho tido grande sucesso com variações desse grupo central de espécies, administrado diretamente no cólon usando um enema. Sejamos claros, isso é algo que deve ser conversado com seu clínico. Mas é uma das intervenções terapêuticas mais poderosas que já empreguei em mais de trinta anos de exercício da medicina e de luta contra problemas cerebrais (ver na página 236 um protocolo passo a passo para um enema probiótico).

A indústria de probióticos está prestes a decolar. Estou certo de que, com o tempo, outras espécies de organismos serão identificadas como úteis e incluídas em diversas combinações vendidas no balcão. Não tenha medo de fazer experiências com diferentes combinações. Mas comece pelas cinco espécies que identifiquei, porque sinto que são as mais importantes, considerando a literatura científica atual. Tenha em mente que, se você estiver usando probióticos, é importante certificar-se de tomar os prebióticos adequados para permitir que esses organismos floresçam e persistam no intestino. Você deve obter doze gramas por dia, comendo alimentos prebióticos duas vezes por dia. Meu plano de refeições vai mostrar como você pode conseguir isso facilmente. Suplementos de fibras prebióticas também estão disponíveis, e há até combinações de pré e probióticos. É crucial tomar probióticos com água filtrada. Caso contrário você vai sabotar seu propósito. Produtos químicos como o cloro, que são adicionados a diversas fontes de água para matar as bactérias ruins, também matam as bactérias boas e probióticas.

Para encontrar os probióticos de mais qualidade, vá a uma loja conhecida por sua seção de suplementos naturais e fale com a pessoa mais familiarizada com o leque de marcas da loja (e que pode oferecer uma opinião imparcial). Os probióticos não são regulados pela FDA, e você não vai querer comprar uma marca cuja descrição na embalagem não coincide com os ingredientes reais. Os preços também podem variar muito. O vendedor pode ajudá-lo a se orientar em meio a toda a nomenclatura, já que algumas dessas cepas específicas são vendidas sob diferentes nomes. A maioria dos produtos contém várias cepas, e estimulo meus pacientes a procurar suplementos com a indicação "hipoalergênico" e contendo pelo menos as seguintes espécies:

- *Lactobacillus plantarum:*[1, 2] Encontrado no kimchi, no chucrute e em outros vegetais cultivados, esse bichinho é uma das bactérias mais benéficas para o seu corpo. Subsiste no estômago durante um longo período de tempo e realiza muitas funções que ajudam a regular a imunidade e a controlar processos inflamatórios no intestino. Em virtude de sua ação sobre os micróbios patogênicos, ajuda a prevenir doenças e mantém o equilíbrio certo da flora intestinal para evitar o crescimento de colônias nocivas. Também ajuda a fortalecer o revestimento do intestino, afastando potenciais invasores que possam comprometer a parede intestinal e esgueirar-se para a corrente sanguínea. Na verdade, o impacto benéfico do *L. plantarum* no revestimento do intestino é, talvez, seu atributo mais importante, pois reduz a permeabilidade intestinal, reduzindo assim os riscos associados a um intestino permeável — entre eles, um aumento do risco de praticamente todos os transtornos cerebrais. Além disso, o *L. plantarum* pode digerir proteínas rapidamente. Isso tem o efeito final de prevenir alergias alimentares e até mesmo tratar essas alergias quando elas surgem. Em estudos com animais, tem sido demonstrado que ele impede que os ratinhos de laboratório apresentem os sintomas clínicos da esclerose múltipla, e ainda reduz a resposta inflamatória típica dessa condição. Finalmente, o *L. plantarum* tem uma incrível capacidade de absorver e manter os níveis de nutrientes importantes, como os ácidos graxos ômega 3, amigos do cérebro, as vitaminas e os antioxidantes. Todas essas ações tornam o *L. plantarum* essencial para combater infecções, controlando as inflamações e as bactérias patogênicas.

- *Lactobacillus acidophilus:*[3] o *L. acidophilus* é o queridinho dos produtos lácteos fermentados, entre os quais o iogurte. Ele ajuda o sistema imunológico, mantendo o equilíbrio das bactérias boas contra as ruins. Nas mulheres, ajuda a conter o crescimento da *Candida albicans*, um fungo que pode causar infecções. O *L. acidophilus* também ganhou fama por sua capacidade de ajudar a manter os níveis de colesterol. No intestino delgado, o *L. acidophilus* produz muitas substâncias benéficas que combatem os micróbios patogênicos, entre elas a acidolfilina, a acidolina, a bacteriocina e a lactocidina. Também fabrica lactase, necessária para digerir o leite, e vitamina K, que promove a coagulação saudável do sangue.

- *Lactobacillus brevis:*[4] o chucrute e o picles devem muito de seus benefícios a esse bichinho, que melhora a função imune por aumentar a imunidade celular e até mesmo melhorar a atividade matadora das células T. É tão eficaz no combate à vaginose, uma infecção bacteriana comum da vagina, que é adicionado aos produtos farmacêuticos utilizados para tratá-la. O *L. brevis* também inibe os efeitos de determinados agentes patogênicos intestinais. E, talvez o melhor de tudo, constatou-se que aumenta os níveis do hormônio-estrela do crescimento do cérebro, o BDNF.[5]

- *Bifidobacterium lactis* (também chamado de *B. animalis*):[6] produtos lácteos fermentados, como iogurte, contêm essa joia, que, como estudos já documentaram bem, tem um efeito poderoso na prevenção de males digestivos e no aumento da imunidade. Um estudo publicado em fevereiro de 2009 no *Journal of Digestive Diseases* concluiu que as pessoas saudáveis que consumiram um produto com esse tipo de bactéria diariamente, durante duas semanas, relataram melhorias no conforto digestivo em relação ao grupo de controle, indivíduos que seguiram sua dieta habitual.[7] Também é conhecido por ser útil para nocautear patógenos como a salmonela, que provoca diarreia. O que é realmente fundamental em relação a esse bichinho é que tem sido demonstrado que ele aumenta a imunidade. Em 2012, o *British Journal of Nutrition* publicou um estudo em que indivíduos tomaram diariamente, durante seis semanas, um suplemento probiótico contendo *B. lactis*, outro probiótico ou um placebo.[8] Ao cabo de duas semanas eles tomaram uma vacina contra a gripe, e seus níveis de anticorpos foram medidos seis semanas depois. Aqueles que tinham tomado qualquer dos suplementos probióticos apresentaram maior aumento nos anticorpos em relação aos participantes que tomaram o placebo, demonstrando que esses probióticos podem ajudar a melhorar a função imunológica. Outros estudos vêm confirmando essa conclusão.

- *Bifidobacterium longum:*[9] apenas uma das 32 espécies que pertencem ao gênero *Bifidobacterium*, é um dos primeiros micróbios a colonizar o corpo no instante do nascimento. Tem sido associado à melhoria da tolerância à lactose e à prevenção de diarreia, alergias alimentares e proliferação de micróbios patogênicos. Também é conhecido por ter propriedades antioxidantes, bem como a capacidade de eliminar os radicais livres. Em camundongos de laboratório, demonstrou-se que o *B. longum* reduz a ansiedade. Como o *L. acidophilus*, também ajuda a manter níveis saudáveis de colesterol. Em estudos com animais, demonstrou-se que o *B. longum* aumenta a produção de BDNF, assim como a *L. brevis*. E alguns estudos têm demonstrado que o *B. longum* pode ajudar a reduzir a incidência de câncer, suprimindo tumores cancerosos no cólon. A teoria é que, como um pH elevado no cólon cria um ambiente que pode promover o surgimento do câncer, a *B. longum* pode ajudar a prevenir o câncer colo-retal, pela redução eficaz do pH intestinal.

EXPERIMENTE UM ENEMA PROBIÓTICO, COM A DEVIDA AUTORIZAÇÃO

Nem todos aceitariam, mas eu não teria como listar o número de pacientes que se beneficiaram desse procedimento doméstico. É a melhor maneira de introduzir as bactérias probióticas diretamente no intestino. O enema, um dos remédios mais antigos do planeta e que remonta aos antigos egípcios e maias, é usado para lavar o intestino grosso através da injeção de fluido no reto (a palavra "enema" quer dizer "injetar" em grego). O enema também é usado para administrar certas terapias medicinais diretamente no cólon. É fundamental que você obtenha autorização de seu médico antes de usar um enema, de modo a não acarretar prejuízo a si mesmo. Caso você tenha obtido o o.k., eis aquilo de que você vai precisar:

• Uma bolsa de água para enema

• Três a seis cápsulas probióticas ou $1/_8$ de colher (chá) de probiótico em pó (certifique-se de que incluem bifidobactérias, já que estas

---

são a flora dominante no cólon, enquanto os acidófilos preferem o intestino delgado)

• Água filtrada (sem cloro)

• Lubrificante (opcional)

• Privacidade

Programe a realização do enema para a manhã, depois de ter ido ao banheiro. Encha um copo grande com 350 ml de água morna, filtrada. Abra as cápsulas probióticas e esvazie o conteúdo na água, agitando para dissolver. Encha a bolsa de enema com a mistura de probiótico, e feche a bolsa usando o fecho que vem com o dispositivo. Deite-se de lado (qualquer lado serve) em cima de uma toalha ou na banheira. Insira o bico no reto (use um lubrificante se isso ajudar). Segurando a bolsa acima do bico, solte o fecho para que a água flua para o cólon. Tente manter o enema durante trinta minutos, se possível.

O número de vezes que recomendo realizar esse procedimento depende das necessidades específicas do paciente. Naqueles que passaram por uma antibioticoterapia agressiva, por exemplo, eu prescrevo enemas probióticos até três vezes por semana, durante quatro a seis semanas, e depois reavalio a situação. O seu programa pessoal de tratamento vai depender da sua situação; peça conselho a seu médico.

SOCORRO, ESTOU TOMANDO ANTIBIÓTICOS

Em algum momento na vida, a maioria de nós terá que tomar antibióticos para tratar uma infecção. É importante seguir exatamente a receita do médico (ou seja, não pare de tomar o medicamento, mesmo quando se sentir melhor, pois isso pode gerar novas cepas de bactérias que podem piorar a situação). Continue a tomar os probióticos, mas faça isso "no intervalo", ou seja, em um horário entre as doses de antibióticos. Por exemplo, se lhe mandaram tomar o antibiótico duas vezes por dia, tome-o uma vez pela manhã e outra à noite, e os pro-bióticos na hora do almoço. E não se esqueça de colocar um pouco de *L. brevis* na mistura. Muitas cepas desse bichinho são resistentes aos antibióticos. Por isso, o *L. brevis* pode ser útil na manutenção de um microbioma saudável quando se tomam antibióticos por prescrição médica.

Hoje em dia, parece que todas as infecções bacterianas, mesmo as menores, são tratadas com poderosos antibióticos "de amplo espec-tro". Recomendo discutir com seu médico como identificar exatamen-te quais cepas estão causando a infecção e usar um antibiótico mais específico para tratar aquele patógeno específico.

O QUE POSSO DAR A UM BEBÊ?

Existem probióticos especialmente formulados para bebês e crian-ças de colo. Pergunte ao pediatra que tipo ele ou ela recomenda, com base nas necessidades do seu filho. Esses produtos normalmente vêm em forma líquida ou em pó e podem ser adicionados ao leite materno ou em pó. Embora sejam necessárias mais pesquisas, dispomos de evi-dências de que probióticos para bebês podem ajudar a aliviar doenças comuns, como cólicas, diarreia, eczema e problemas intestinais gerais. Um estudo publicado na revista *Pediatrics*, em 2007, por exemplo, des-cobriu que bebês com cólica que tomaram *Lactobacillus reuteri* apre-sentaram resultados em uma semana.[10] Na quarta semana, esses bebês choravam apenas 51 minutos por dia, em média, em comparação aos 145 minutos por dia nos que tomaram simeticona, ingrediente ativo de muitos remédios contra gases vendidos nas farmácias.

De acordo com outro estudo da revista *Pediatrics*, o grupo probió-tico *Lactobacillus* (em especial o *Lactobacillus rhamnosus GG*, ou LGG) tem se mostrado eficaz no tratamento da diarreia infecciosa em crianças.[11] E em um estudo finlandês em andamento, publicado na *Lancet*, crian-ças cujos familiares tinham histórico de eczema ou alergia receberam LGG ou um placebo desde o período pré-natal (ou seja, as mães toma-ram a dose durante a gravidez) até os seis meses de idade. Os pesquisadores concluíram que as crianças que tomaram LGG tinham metade da probabilidade de desenvolver eczemas em relação às que tomaram o placebo.[12]

Até uma criança ter idade suficiente para consumir alimentos sólidos que contenham probióticos, é bom ter esses probióticos orais à mão. Mas não deixe de discutir o assunto com o pediatra do seu filho.

OUTROS SUPLEMENTOS A LEVAR EM CONTA

Além dos probióticos que eu recomendo, muitas vezes incentivo meus pacientes a adicionar à dieta os cinco suplementos abaixo. Todos eles ajudam a manter uma comunidade microbiana saudável e equilibrada no intestino. Muitas dessas substâncias, na verdade, devem seus benefícios ao corpo à forma como atuam em sincronia com as bactérias do intestino.

- DHA: o ácido docosahexaenoico (DHA) é uma estrela no reino dos suplementos e um dos mais bem documentados queridinhos da proteção do cérebro. O DHA é um ácido graxo ômega 3, que constitui mais de 90% das gorduras ômega 3 do cérebro. Cerca de 50% do peso da membrana dos neurônios é de DHA, um componente-chave no tecido cardíaco. A mais rica fonte de DHA na natureza é o leite materno, o que explica por que a amamentação é sempre apontada como importante para a saúde neurológica. O DHA também é adicionado à fórmula de leite, bem como a centenas de produtos alimentares. Tome 1000 mg por dia. Não há risco em comprar DHA combinado ao EPA (ácido eicosapentaenoico), e não importa se ele é derivado de óleo de peixe ou de algas.

- Cúrcuma: membro da família do gengibre, a cúrcuma é o tempero que dá ao curry sua cor amarela. É conhecida há muito tempo por suas propriedades anti-inflamatórias e antioxidantes, e suas aplicações na neurologia têm sido hoje em dia amplamente estudadas. Pesquisas recentes mostram que ela pode melhorar o crescimento de novas células cerebrais. Em algumas pessoas, pode até competir com os efeitos antidepressivos do Prozac. Tem sido usada há milhares de anos na medicina chinesa e indiana como um remédio natural para uma série de males. A curcumina, componente mais ativo da cúrcuma, ativa os genes que produzem uma vasta gama de antioxidantes protetores das nossas preciosas mitocôndrias. Além disso, melhora o metabolismo da glicose, o que é bom para manter um equilíbrio saudável da flora intestinal. Se você não costuma comer pratos com curry, recomendo um suplemento de 500 mg duas vezes ao dia.

- Óleo de coco: esse supercombustível para o cérebro também reduz os processos inflamatórios. Por isso é reconhecido na literatura científica por prevenir e tratar doenças neurodegenerativas. Tome uma colher (chá) ou duas, puro, ou use-o ao preparar as refeições. O óleo de coco é estável sob calor, por isso, se estiver cozinhando em altas temperaturas, prefira-o ao óleo de canola.

- Ácido alfa-lipoico: esse ácido graxo é encontrado em todas as células do corpo, onde é necessário para produzir energia para as funções normais. Ele atravessa a barreira hematoencefálica e atua como um antioxidante poderoso no cérebro. Os cientistas o estão estudando como um tratamento potencial para derrames e outras doenças cerebrais que envolvem danos aos radicais livres, como a demência. Embora o corpo possa produzir um suprimento adequado desse ácido graxo, muitas vezes é preciso suplementá-lo, em razão de nosso estilo de vida contemporâneo e de nossa dieta inadequada. Tente tomar 300 mg diários.

- Vitamina D: é, na verdade, um hormônio, não uma vitamina. É produzida na pele com a exposição aos raios ultravioleta (uv) do sol. Embora a maioria das pessoas a associe ao cálcio e à saúde óssea, a vitamina D tem efeitos bem mais amplos sobre o corpo e, especialmente, o cérebro. Sabe-se que existem receptores para a vitamina D ao longo de todo o sistema nervoso central, e também que ela ajuda a regular as enzimas no cérebro e no fluido cerebroespinhal, envolvidas na produção de neurotransmissores e no estímulo do crescimento nervoso. Estudos tanto em animais quanto em humanos indicam que a vitamina D protege os neurônios contra os efeitos prejudiciais dos radicais livres e reduz processos inflamatórios. E eis um fato importantíssimo: a vitamina D desempenha todas essas tarefas através da regulagem da flora intestinal.[13] Somente em 2010 se descobriu que a flora intestinal interage com nossos receptores de vitamina D, controlando-os, seja para aumentar, seja para reduzir sua atividade.

Convido-o a fazer um teste de seus níveis de vitamina D e pedir a seu médico que o ajude a encontrar a dose ideal para você. Essa dose vai variar de uma pessoa a outra. Para os adultos, geralmente recomendo uma dose inicial diária de 5000 UI de vitamina D3. Alguns pacientes necessitam de mais, outros de menos. É importante pedir a seu médico que monitore seus níveis de vitamina D, até identificar uma dose que o mantenha no topo da faixa "normal" no exame de sangue.

Minha esperança é que um dia disponhamos de mais dados para saber exatamente quais probióticos e outros suplementos tomar para tratar os problemas X, Y, Z. Em uma palestra sobre o assunto numa conferência em 2014, o dr. R. Balfour Sartor, renomado professor de medicina, microbiologia e imunologia e diretor do Centro Multidisciplinar para Doenças Inflamatórias Intestinais da Universidade da Carolina do Norte, disse antever o dia em que bactérias criadas sinteticamente serão ministradas a pessoas com condições inflamatórias crônicas. Esses probióticos repovoariam o intestino de forma orientada, conforme a doença específica do paciente. Imagine entrar na loja local de alimentos saudáveis e encontrar nas prateleiras remédios para a obesidade, a colite ulcerativa e a depressão. Eu mal posso esperar esse dia.

10. O Plano de 7 Dias para alimentar a mente
O caminho para um cérebro saudável

Se a ideia de comer alimentos fermentados e coisas como folhas de dente-de-leão e kimchi lhe parece estranha ou até certo ponto irrealizável, tranquilize-se: comê-los será uma experiência revigorante. E trata-se de alimentos amplamente disponíveis hoje em dia. Vou propor ideias de refeição para uma semana inteira, para mostrar a variedade de escolhas possíveis e como é fácil incorporar probióticos naturais somente com a alimentação. Você perceberá a diversidade de legumes, peixes, carnes, aves, nozes e ovos. E poderá facilmente criar pratos simples, com base nas diretrizes apresentadas aqui (por exemplo, para o almoço ou jantar, escolher um peixe ou uma carne com acompanhamento de legumes fermentados ["em cultura"] e uma salada verde; no café da manhã, escolher ovos cozidos com um iogurte rico em probióticos). Você também vai encontrar algumas ideias para aperitivos, bebidas e condimentos na seção de receitas, que começa na página 251.

Os pratos para os quais existem receitas neste livro estão indicados em negrito. Observação: muitos dos pratos fermentados exigem tempo para, bem, fermentar. Então, planeje com antecedência! O processo de fermentação, muitas vezes, precisa de certos ingredientes básicos, como soro de leite e salmoura. Por isso, é bom tê-los à mão em grandes quantidades (aqui você encontra instruções passo a passo básicas). Recomendo a leitura de todas as ideias de pratos e a criação de uma estratégia para cumprir o Plano de 7 Dias.

Este plano foi, em última instância, criado como vitrine de sete dias diferentes na criação de um novo modo de vida para o cérebro; não é realista achar que você vai segui-lo ao pé da letra, começando hoje, e usando criações caseiras. No entanto, use as orientações no capítulo anterior e as ideias expostas aqui para começar imediatamente a criar refeições que sejam amigas da sua mente. Até que você acabe por produzir seus próprios alimentos fermentados em casa, faça por ora o melhor possível para comprar substitutos de alta qualidade. E não tenha medo de fazer substituições aceitáveis para os alimentos de que você simplesmente não gosta. Se você não liga para salmão, por exemplo, troque-o por outro peixe selvagem de água fria, como o peixe-carvão. Se o kimchi é muito picante para você, escolha outro acompanhamento rico em probióticos. Quero que você se divirta com essas refeições e saboreie a apresentação a novos sabores e técnicas de cozinha. Lembre-se, o seu objetivo será o de consumir pelo menos doze gramas de prebióticos. As folhas de dente-de-leão, por exemplo, são uma rica fonte de prebióticos; compre para a semana inteira e adicione-as a saladas e pratos de legumes. Para colher os benefícios da goma-arábica, compre acácia em pó e misture com água. Uma só colher de sopa lhe dará seis gramas de fibra insolúvel — o tipo de fibra que os bichinhos do intestino amam comer.

Em www.DrPerlmutter.com/Resources você encontrará minhas recomendações para marcas específicas de alimentos que seguem minhas orientações. Mesmo que esteja consumindo mais alimentos fermentados diariamente e cortando o glúten e a maior parte do açúcar de sua dieta, você ficará surpreso com a variedade de opções disponíveis. Se houver na lista abaixo algum ingrediente que você não reconhece, meu site terá orientações. Caso você não conheça a acácia em pó, por exemplo, ela pode ser encontrada na maioria das lojas de alimentos saudáveis que vendem suplementos.

Quando você frita alimentos na frigideira, pode usar manteiga, azeite de oliva orgânico extravirgem ou óleo de coco. Evite óleos processados e sprays para fritar, a menos que sejam à base de azeite de oliva orgânico.

Lembre-se também de escolher produtos orgânicos, selvagens ou alimentados no pasto, sempre que possível. Eu uso apenas produtos animais alimentados no pasto, porque eles são mais saudáveis para os seres humanos, bem como melhores para o meio ambiente, a economia e os agricultores. Por exemplo, a carne de boi alimentado no pasto é pobre em gordura saturada e também oferece até seis vezes mais ácidos graxos ômega 3. Ao escolher peixes, não se esqueça: tente comprar os frescos (pergunte ao seu peixeiro) e consulte o site Seafood Watch, do Aquário da Baía de Monterey, em www.seafoodwatch.org, para escolher peixes sustentáveis da mais alta qualidade, com menos toxinas como o mercúrio. Todos os ingredientes listados nas receitas abaixo foram escolhidos porque estão disponíveis em versões sem glúten, mas sempre confira os rótulos para ter certeza. Se você optar por um produto industrializado, como iogurte ou chucrute, leia os rótulos para garantir que somente os melhores ingredientes estejam sendo usados (nada de açúcar adicionado, aditivos, conservantes etc.). Não se esqueça de visitar a feira local para se abastecer com os produtos cultivados organicamente mais frescos da semana. Vá visitar o mercado local: lá podem lhe dizer o que acabou de chegar e de onde vêm seus alimentos. Busque produtos da estação, e esteja aberto a experimentar novos alimentos.

Listei algumas ideias de lanches na página 249. Quando faltar tempo e você não tiver como cozinhar, como é o caso de muitas pessoas na hora do almoço no trabalho, prepare uma marmita. Planeje suas refeições com antecedência e faça quantidades maiores para dispor de sobras.

Antes de iniciar este Plano de 7 Dias, compre seus suplementos — sobretudo seus probióticos. E cogite fazer pelo menos um dos seguintes procedimentos: jejum de 24 horas antes de começar e um enema probiótico na manhã do primeiro dia. Isso o ajudará a começar em grande estilo!

Faça diariamente o máximo esforço para incorporar exercícios à sua rotina. Tente elevar sua frequência cardíaca por pelo menos trinta minutos na maioria dos dias da semana. Saia para uma caminhada pesada de trinta minutos à noite ou experimente uma aula em grupo. Os bichinhos do seu intestino vão adorar; eles também precisam de exercício. E também precisam que você durma bem à noite. Tente ir para a cama e acordar sempre no mesmo horário todos os dias na semana que vem (e nas demais). Você deve lembrar, do capítulo 3, que as bactérias do intestino têm uma grande influência numa boa noite de sono. À medida que você reabilitar seu microbioma, sentirá a melhora na qualidade do seu sono.

O PLANO DE 7 DIAS

DIA 1

- Café da manhã: 1 copo de **Iogurte** (p. 258) com nozes e amoras prensadas. Opcional: Café ou chá preto.

- Almoço: Salmão grelhado com **Limão-siciliano em conserva** (p. 278), com acompanhamento de folhas verdes em molho de vinagre balsâmico e azeite de oliva. Opcional: **Kombucha** (p. 285) ou chá verde.

- Jantar: 100 g de bife coberto com **Molho em conserva** (p. 283), com acompanhamento de verduras e legumes salteados em manteiga e alho. Opcional: Taça de vinho tinto.

- Sobremesa: 2 a 3 quadradinhos de chocolate amargo.

DIA 2

- Café da manhã: 1 copo de iogurte coberto com **Mirtilo e hortelã em conserva** (p. 279). Opcional: Café ou chá preto.

- Almoço: salada verde mista com 100 g de frango grelhado e dois **Ovos cozidos fermentados** (p. 276), com molho de vinagre balsâmico e azeite de oliva; **Limonada de água de coco** (p. 289) ou **Kefir de água** (p. 287).

- Jantar: 100 g de bife coberto com **Molho em conserva**, com acompanhamento de verduras e legumes salteados em manteiga e alho. Opcional: Taça de vinho tinto.

- Sobremesa: ½ xícara de frutas vermelhas cobertas com um fio de creme sem açúcar.

DIA 3

- Café da manhã: 2 ovos mexidos com cebolas, cogumelos e espinafre refogados, e 1 xícara de **Kefir à base de leite** (p. 256). Opcional: Café ou chá preto.

- Almoço: Legumes refogados com **Lombo de porco curado temperado** (p. 271). Opcional: Água filtrada com 1 colher (sopa) de acácia em pó ou **Kombucha**.

- Jantar: 100 g de **Peixe cru fermentado** (p. 275), com acompanhamento de verduras e legumes salteados em manteiga e alho. Opcional: Taça de vinho tinto.

- Sobremesa: ½ xícara de **Queijo quark** (p. 259) com um fio de mel.

DIA 4

- Café da manhã: 1 copo de iogurte com frutas frescas e uma pitada de sementes de linhaça, e ½ abacate regado com azeite. Opcional: Café ou chá preto.

- Almoço: Bife grelhado com **Cebola cipollini doce** (p. 265), com acompanhamento de legumes assados. Opcional: **Kombucha** ou **kefir de água**.

- Jantar: 100 g de peixe de água fria selvagem de sua escolha, com acompanhamento de **Kimchi** (p. 267) e aspargos no vapor. Opcional: Taça de vinho tinto.

- Sobremesa: Fruta inteira com uma pitada opcional de estévia e canela.

DIA 5

- Café da manhã: 3 a 4 fatias de salmão defumado com **Ricota** (p. 260) e um ovo mole cozido. Opcional: Café ou chá preto.

- Almoço: Salada verde misturada com folhas de dente-de-leão, frango em cubinhos e **Aspargos temperados** (p. 264), com molho de vinagre balsâmico e azeite de oliva. Opcional: **Kombucha**, chá verde, limonada ou água de coco.

- Jantar: Grelhado ou carne assada de sua escolha, com acompanhamento de verduras e legumes salteados em manteiga e alho. Opcional: Taça de vinho tinto.

- Sobremesa: 2 quadrados de chocolate amargo mergulhados em 1 colher de sopa de manteiga de amêndoa.

DIA 6

- Café da manhã: 2 ovos feitos como desejar, com vegetais refogados sem restrição (por exemplo, cebola, cogumelos, espinafre, brócolis) e 1 xícara de **Kefir à base de leite**. Opcional: Café ou chá preto.

- Almoço: Frango assado com **Alho em conserva** (p. 282), acompanhado de folhas de dente-de-leão e ½ xícara de arroz selvagem. Opcional: água filtrada com 1 colher (sopa) de acácia em pó ou chá verde.

- Jantar: **Carne curada** (p. 270) e **Chucrute básico** (p. 262), com acompanhamento de legumes no vapor regados com azeite de oliva. Opcional: Taça de vinho tinto.

- Sobremesa: 1 fruta inteira de sua escolha mergulhada em 1 colher (sopa) de chocolate amargo derretido.

DIA 7

- Café da manhã: 1 copo de **Iogurte** coberto com frutas vermelhas misturadas frescas, coco ralado e nozes picadas, com um ovo cozido tradicional. Opcional: Café ou chá preto.

- Almoço: Salada mista de folhas com tupinambo ralado e 100 g de atum ahi, com molho de vinagre balsâmico e azeite de oliva. Opcional: **Kefir de água** ou chá verde.

- Jantar: **Salmão fermentado escandinavo** (p. 274) sobre salada mista, com acompanhamento de legumes salteados em manteiga e alho e ½ xícara de arroz integral. Opcional: Taça de vinho tinto.

- Sobremesa: Nenhuma.

IDEIAS DE LANCHES

- **Jicama em conserva**
- Homus com **alho em conserva** e bastões de aipo
- Camarão mergulhado em **molho em conserva**
- **Ovos cozidos fermentados**
- **Sardinhas em conserva**
- Legumes crus picados (aspargos, alho-poró, pimentão, brócolis, vagem) mergulhados em guacamole, queijo de cabra, tapenade ou manteiga de nozes
- Salmão defumado em fatias ou com **ricota**

- Metade de um abacate regado com azeite, sal e pimenta

- Nozes e azeitonas

Seguir os princípios da dieta dos amigos da mente é mais fácil do que você pensa, e em breve você vai se acostumar com um monte de sabores novos e maravilhosos. Mesmo que esse estilo de vida limite sua ingestão de carboidratos, especialmente trigo e açúcar, não há de fato nenhuma escassez de alimentos e ingredientes para brincar na cozinha. Você vai ter que ser um pouco criativo na preparação daqueles seus pratos favoritos que dependem muito de farinha, trigo e açúcar, mas com o tempo você vai aprender a fazer substituições e em breve será capaz de voltar ao seu livro de receitas favorito. Eu gosto de usar farinha de coco, de castanhas (por exemplo, amêndoas) e linhaça em vez de farinha regular ou trigo. Para adoçar um prato, tente estévia, em vez de açúcar. E cozinhe com manteiga e azeite extravirgem, jogando fora os óleos vegetais processados. Depois de concluir o Plano de 7 Dias, adote como objetivo incorporar pelo menos um alimento fermentado ao seu cardápio diário daqui para a frente. Repita o Plano de 7 Dias quando sentir que se afastou muito das orientações e deseja "resetar" o microbioma. Talvez isso possa ser feito durante as férias, depois de uma festa de casamento, durante um período de estresse agudo ou em relação com algum acontecimento em sua vida que o fez voltar aos velhos hábitos alimentares. Este protocolo pode ser a qualquer momento a sua tábua de salvação para uma maneira mais saudável de viver.

Receitas

BÁSICAS

SORO DE LEITE

O soro de leite, o líquido que sobra depois que o leite é coalhado e fermentado, costuma ser usado como cultura inicial em receitas de fermentados. O leite cru não refrigerado que azeda naturalmente forma grumos e líquidos conhecidos como coalhada e soro, como num famoso verso infantil da língua inglesa, "Little Miss Muffet":

Miss Muffet, pequenina
sentou-se numa almofada
para comer coalhada.
Então uma aranha chegou
ao lado dela se sentou
E fez fugir a menina.

Quando a coalhada seca, resta o soro, rico em nutrientes.

Quando drenado, o iogurte de leite orgânico libera soro líquido, deixando um queijo cremoso espesso que pode ser espalhado no pão.

O soro também é produzido quando se faz ricota caseira (ver p. 260) ou outros queijos cremosos, e pode igualmente ser utilizado na fermentação. O soro de leite ajuda na produção dos micro-organismos que tornam os alimentos fermentados tão saudáveis; também reduz a quantidade de sal necessária para a fermentação.

Você pode usar um iogurte caseiro ou industrializado, desde que tenha sido produzido com leite orgânico integral (de cabra, ovelha ou vaca) a partir de animais alimentados no pasto e que contenha culturas vivas; no entanto, não use iogurte grego, porque grande parte do soro já foi drenada. Você vai precisar de um coador grande ou de uma peneira fina e um morim (um pano de algodão cru) para preparar a receita.

Rendimento: 1 litro

8 copos de iogurte comum, integral, caseiro ou industrial, de vaca, ovelha ou cabra alimentada no pasto (ver p. 258), em temperatura ambiente

Umedeça o morim o bastante para cobrir o interior de um grande coador ou de uma peneira. Monte o morim no coador, cuidando de cobri-lo completamente. Ponha o coador sobre uma grande tigela de vidro ou um recipiente de material não reagente grande o bastante para permitir alguns centímetros de espaço entre o fundo da peneira e seu próprio fundo.

Jogue o iogurte no coador e deixe-o escorrer em temperatura ambiente por 4 horas ou até que uma quantidade substancial de soro tenha sido drenada para a tigela. Despeje o soro num recipiente de vidro limpo, tampe e reserve (não é preciso pôr na geladeira).

Tire o morim sem derramar o creme espesso que ficou e amarre as pontas formando uma trouxa apertada, pressionando para continuar a drenagem. Deixe a trouxa na peneira por pelo menos mais 8 horas, ou durante a noite, ou até que não drene mais líquido.

Junte o soro restante com o soro do recipiente, tampe e leve à geladeira por até 2 meses. O soro pode ser congelado por até 3 meses, mas depois disso os micro-organismos começam a morrer.

Coloque o restante do iogurte cremoso em um recipiente limpo, cubra e leve à geladeira para uso como queijo ou para passar no pão. Ele pode ser armazenado, tampado e mantido na geladeira por até 1 semana.

SORO DE LEITE DE KEFIR

O kefir é um produto lácteo fermentado, semelhante ao iogurte, mas substancialmente mais fino na consistência. A diferença mais notável entre os dois é que o kefir inicial consiste de "grãos" que são combinações de bactérias e leveduras existentes em componentes lácteos, e os micróbios se dão melhor em temperatura ambiente. Em compensação, o iogurte é o resultado da fermentação bacteriana do leite, e seus micróbios prosperam acima de cerca de 35 graus. Além disso, o kefir costuma ser bebido, e não comido, como o iogurte.

Rendimento: 1 xícara

2 xícaras de kefir orgânico comum, à base de leite, caseiro ou industrializado (ver p. 256)

Umedeça o morim o bastante para cobrir o interior de um grande coador ou de uma peneira. Monte o morim no coador, cuidando de cobri-lo completamente. Ponha o coador sobre uma grande tigela de vidro ou um recipiente não reagente grande o bastante para permitir alguns centímetros de espaço entre o fundo da peneira e seu próprio fundo.

Despeje o kefir na peneira. Cubra com filme plástico e ponha a tigela na geladeira. Deixe escorrer durante 8 horas ou durante a noite, ou até que todo o soro escorra e o kefir engrosse.

Passe o soro para um recipiente limpo de vidro, cubra e leve à geladeira por até 1 mês, embora as bactérias no soro sejam mais ativas quando preparadas na hora. Raspe o kefir grosso e cremoso que restou no morim, passe para um recipiente limpo, cubra e leve à geladeira por até 1 mês para usar como um queijo ou passar no pão (não ponha no congelador.)

SALMOURA BÁSICA

Uma vez que muitos alimentos fermentados exigem salmoura, é uma boa ideia ter uma à mão. A receita abaixo rende uma quantidade mínima, mas pode ser aumentada para atender às suas necessidades. Refrigerada, a salmoura dura indefinidamente.

Devido à importância da água na fermentação, é fundamental que você use água destilada ao fazer uma salmoura. Em geral a água da torneira é tratada com cloro ou cloramina, que matam os micro-organismos bons de que você precisa; a água de poço artesiano pode conter produtos químicos ou sais que irão afetar negativamente o processo de fermentação; a água filtrada também pode conter traços de produtos químicos; e a água mineral que não tem "destilada" no rótulo também pode conter substâncias químicas indesejáveis.

Recomendo o uso apenas de sal marinho puro em salmouras e todas as formas de fermentação. O sal de mesa contém o indesejável iodo e produtos químicos. Por isso, nunca deve ser usado em salmoura, pois impedirá a fermentação e pode levar à deterioração.

Rendimento: 1 litro

4 xícaras de água fria destilada
3 colheres (sopa) de sal marinho fino puro (ou 4 ½ colheres (sopa) de sal grosso marinho puro)

Misture a água e o sal em qualquer recipiente com fechamento hermético, mexendo para misturar (o sal acabará por se dissolver). Cubra e leve à geladeira até que esteja pronta para uso. Se a salmoura for necessária de imediato, dissolva o sal em 1 xícara de água destilada muito quente e, em seguida, misture com as 3 xícaras de água fria restantes.

SALMOURA TEMPERADA

A salmoura temperada costuma ser usada para curar carnes e peixes, já que as especiarias e a doçura acrescentam a complexidade que essas receitas exigem. Ao imprimir sua marca pessoal a um prato, você pode usar qualquer combinação de especiarias orgânicas e ervas secas que lhe agradar. Todas as informações da salmoura básica (ver receita anterior) se aplicam à salmoura temperada.

Rendimento: 1 litro

4 xícaras de água fria destilada
3 colheres (sopa) de sal marinho fino puro (ou 4 ½ colheres (sopa) de sal grosso marinho puro)
2 colheres (sopa) de mel puro
2 folhas de louro orgânico
¼ de colher (chá) de pimenta-do-reino orgânico
¼ de colher (chá) de pimenta-da-jamaica orgânica
¼ de colher (chá) de zimbro orgânico
¼ de colher (chá) de coentro orgânico
¼ de colher (chá) de sementes de mostarda integrais orgânicas
Pimenta integral seca orgânica ou pimenta vermelha em flocos a gosto, opcional

Misture a água e o sal em uma panela grande com o mel, o louro, a pimenta-do-reino, a pimenta-da-jamaica, o zimbro, o coentro e as sementes de mostarda. Caso queira ardência, acrescente a pimenta a gosto. Deixe em fogo médio até começar a ferver. Tire do fogo e deixe descansar até esfriar.

DERIVADOS DO LEITE

KEFIR À BASE DE LEITE

O kefir é uma antiga bebida de leite fermentada, surgida na região do Cáucaso, entre a Europa e a Ásia, e feita a partir do leite de camela. Embora hoje em dia costume-se produzi-lo a partir do leite de vaca, também pode ser feito a partir do leite de cabra ou ovelha, bem como do leite de coco ou de amêndoa sem açúcar. De fermentação moderada, é um pouco azedo e lembra um iogurte líquido em grumos. Tem sido apontado como segredo de longevidade e excelente saúde.

Rendimento: 1 litro

¼ de xícara de grãos de kefir (ver observação abaixo)
4 xícaras de leite integral orgânico de vacas alimentadas no pasto

Coloque os grãos de kefir em um recipiente limpo, esterilizado, como um frasco de vidro de conserva de 1 litro com tampa esterilizada. Adicione o leite, feche hermeticamente o frasco e separe-o em temperatura ambiente durante 24 horas. Após a fermentação inicial, você pode deixá-lo repousar em temperatura ambiente durante várias semanas, mas lembre-se de que quanto mais repousar mais azedo ficará, até ficar demasiado azedo para beber. Na geladeira, o kefir dura meses.

Após 24 horas de fermentação, abra o frasco e despeje o líquido através de uma peneira fina em um recipiente limpo, reservando os grãos de kefir, conforme explicado na observação abaixo. Retorne o kefir ao frasco de 1 litro, feche hermeticamente e leve à geladeira.

A essa altura o kefir pode ser consumido, refrigerado, durante até 1 ano. No entanto, quanto mais tempo ele for refrigerado, mais azedo ficará.

Se você quiser dar gosto ao kefir, a essa altura você pode fazê-lo passar por um segundo período de fermentação, utilizando o mesmo recipiente. Adicione os sabores que você desejar, como frutas frescas, paus de canela, noz-moscada inteira, sementes de cardamomo, chá do tipo chai ou cascas de laranja. É difícil fornecer quantidades exatas para esses ingredientes, já que isso depende da intensidade de sabor que você almeja. Quanto mais aromatizantes você adicionar, mais intenso, naturalmente, será o sabor. Mas é melhor começar devagar; por exemplo, ¼ de xícara de frutas frescas, 1 ou 2 porções de uma especiaria, 1 colher de chá do tipo chai ou a casca de uma laranja.

Misture o kefir com o aromatizante, feche hermeticamente e separe para fermentar em temperatura ambiente durante 12 a 24 horas; quanto mais tempo você deixá-lo, mais sabor ele vai absorver. O kefir pode ser consumido nesta altura ou mantido na geladeira durante até 1 ano. Uma vez mais, quanto mais tempo ele for refrigerado, mais azedo ficará.

Observação: Os grãos de kefir são uma mistura de leveduras e bactérias unidas em proteínas do leite e açúcares complexos. Variam do tamanho de um pequeno grão de arroz ao de uma avelã e incorporam ao leite organismos amigáveis, como fermento. Por serem organismos vivos, têm que ser continuamente nutridos. Isso faz com que, após o uso, tenham que ser armazenados em leite integral fresco, cobertos e refrigerados. Numa proporção de uma colher (sopa) de grãos para uma xícara de leite, permanecem ativos durante uma semana. Se você precisar armazená-los por períodos mais longos, adicione 1 xícara de leite (para cada colher (sopa) de grãos) a cada semana de armazenamento. Embora possa parecer que armazená-los dessa forma transformaria o leite em kefir, isso não acontece, porque o frio inibe o processo de fermentação. Os grãos de kefir também morrem rapidamente se expostos a calor forte, como num recipiente recém--esterilizado muito quente.

Ao fazer kefir de coco ou leite de amêndoa, será necessário recolocar os grãos no leite integral, uma vez que esses leites alternativos não contêm a lactose necessária para nutri-los.

IOGURTE

O iogurte é muito rápido e fácil de preparar. Tudo de que você precisa é leite, um iogurte inicial — e tempo. Um dos alimentos originais preparados pela natureza, o iogurte provavelmente foi descoberto por tribos nômades da Ásia e da Europa Oriental quando o calor do sol fermentou inadvertidamente o leite transportado em suas bolsas de pele de ovelha ou cabra. Assim como o kefir, acredita-se que o iogurte é um fator da longevidade extraordinária dos povos da região do Cáucaso e da Bulgária.

Para fazer um bom iogurte na cozinha de casa, você vai precisar de um termômetro instantâneo para comida e de uma iogurteira, ou de alguma coisa que permaneça numa temperatura quase constante entre 43°C e 46°C, como um forno com luz piloto e temperatura constante de 45°C. Depois de fazer o próprio iogurte, lembre-se sempre de separar ¼ de xícara para fazer o próximo.

Rendimento: 1 litro

4 xícaras de leite integral orgânico de vacas, ovelhas ou cabras alimentadas no pasto

¼ de copo de iogurte orgânico integral fabricado a partir de leite de vacas, ovelhas ou cabras alimentadas no pasto

Coloque o leite em uma panela funda de tamanho médio, em fogo médio. Aqueça a 85°C medindo em um termômetro instantâneo, olhando com cuidado para que o leite não ferva. Quando a temperatura for atingida, tire do fogo e reserve. Deixe o leite arrefecer até 45°C. Se você estiver com pressa, ponha a panela em banho-maria e mexa para esfriar mais rápido, mas não deixe que o leite esfrie abaixo dos 45°C.

Bata o iogurte em leite morno até misturar totalmente. Despeje a mistura em recipientes limpos e esterilizados com tampas esterilizadas, como quatro vidros de geleia de 250 ml ou um vidro de 1 litro; se você estiver usando uma iogurteira, despeje a mistura no recipiente dela.

Se usar os vidros de geleia, cubra-os hermeticamente e coloque-
-os num local a temperatura quase constante de 43ºC a 46ºC, durante
8 a 12 horas, até que atinja a consistência e espessura que você deseja.
Passe para a geladeira e guarde por até 2 semanas. Se estiver usando
uma iogurteira, siga as instruções específicas do fabricante do aparelho.

Observação: Tanto o leite de ovelha quanto o de cabra tendem
a produzir iogurtes um pouco menos consistentes em textura que o
iogurte feito de leite de vaca.

QUARK

Quark, palavra em alemão para "coalhada", é um queijo fresco
comum em toda a Europa. A textura obtida depende do tipo de leite
utilizado e do tempo de fermentação. Pode ser fino como creme de
leite ou grosso como cream cheese. Pode ser aromatizado com ervas
ou raspas de limão. Muito picante, o quark é usado em molhos, saladas
e sobremesas. Como a ricota, pode ser servido como sobremesa com
um fio de mel, um pedaço de fruta ou uma taça de frutas vermelhas.

Depois de ter feito o seu próprio quark, separe cerca de ¼ de
xícara de cada lote para usar como cultura, no lugar do leitelho, na
próxima preparação.

Rendimento: 1 copo

4 xícaras de leite integral de vacas, cabras ou ovelhas alimentadas
no pasto
3 colheres (sopa) de leitelho integral orgânico de vacas, cabras ou
ovelhas alimentadas no pasto

Coloque o leite em uma panela funda, de tamanho médio, com
tampa hermética, em fogo médio. Aqueça a 75ºC com um termômetro
de leitura instantânea, cuidando para não deixar o leite subir. Atingida a
temperatura, tire do calor e cubra hermeticamente. Separe por 1 hora ou
até que o leite volte em temperatura ambiente (mas não abaixo de 20ºC).

Abra e misture o leitelho. Cubra de novo e deixe descansar por 18 horas ou até que o leite tenha azedado e coalhado, ficando grosso e ligeiramente azedo, como um iogurte.

Umedeça um morim o bastante para cobrir o interior de um grande coador ou de uma peneira. Monte o morim no coador, cuidando de cobri-lo completamente. Ponha o coador sobre uma grande tigela de vidro ou um recipiente não reagente grande o bastante para permitir alguns centímetros de espaço entre o fundo da peneira e seu próprio fundo.

Usando uma colher de metal, transfira o leite batido para a peneira forrada com o morim, cubra com filme plástico e leve à geladeira por 8 horas ou até que a consistência desejada seja atingida. Você pode ter que mexer o leite batido de vez em quando para manter o soro (líquido) fluindo. Não descarte o soro; ele pode ser utilizado como uma bebida ou em qualquer receita que o exija. Armazene o soro, conforme indicado na página 251.

Armazene o quark, coberto, na geladeira, por até 1 mês.

RICOTA

Esta receita — muito fácil de fazer e muito mais cremosa que a maioria das ricotas feitas comercialmente — vai se tornar obrigatória em sua cozinha. É útil para passar no pão, como componente de saladas e na sobremesa, com uma taça de frutas vermelhas ou temperada com um pouco de mel ou conserva de mirtilo com hortelã (ver p. 279). Tradicionalmente, os italianos do Norte não gostam de salgar a ricota, enquanto os italianos do Sul preferem-na salgada. Se você for usar a ricota apenas como sobremesa, pode adicionar sabor com 1 ou 2 colheres (sopa) de mel, ao ferver o leite.

Rendimento: cerca de 1 ½ xícara

2 xícaras de leite integral orgânico de vacas alimentadas no pasto
1 xícara de creme de leite orgânico de vacas alimentadas no pasto
½ colher (sopa) de sal marinho fino puro (opcional)
1 ½ colher (chá) de suco de limão fresco

Umedeça um morim o bastante para cobrir o interior de um grande coador ou de uma peneira. Monte o morim no coador, cuidando de cobri-lo completamente. Ponha o coador sobre uma grande tigela de vidro ou um recipiente não reagente grande o bastante para permitir alguns centímetros de espaço entre o fundo da peneira e seu próprio fundo. Reserve.

Misture o leite e o creme de leite, e sal, se desejar, em uma panela funda, em fogo médio. Quando começar a ferver, deixe por 1 minuto. Retire do fogo e misture o suco de limão.

Separe para descansar por cerca de 4 minutos ou até que soro e coalho se separem visivelmente. Usando uma escumadeira, passe a coalhada para o morim com a peneira, cubra com filme plástico e deixe escorrer por cerca de 2 horas ou até que a consistência desejada seja atingida. Quanto mais tempo a mistura drenar, mais denso o queijo resultante. Não descarte o soro; ele pode ser utilizado como uma bebida ou em qualquer receita que o exija. Guarde o soro conforme indicado na página 251.

Raspe a ricota do morim e coloque em um recipiente não reagente. Guarde, coberto, na geladeira por até 5 dias.

VEGETAIS

CHUCRUTE BÁSICO

Esta é, talvez, a receita mais fácil para introduzir os fermentados em sua vida; não é necessário nada além de repolho orgânico, sal marinho e tempo. Você pode usar qualquer tipo de repolho — couve-roxa, napa, couve-lombarda, couve-de-bruxelas. Como queira. Chucrute não só é fácil de fazer, mas é muito bom para a sua saúde. Ele contém *Lactobacilli*, bactérias benéficas que ajudam no funcionamento do trato digestivo, e é uma excelente fonte de nutrientes essenciais e fibras. Na geladeira, o chucrute se conserva por um tempo longo, geralmente até um ano, sem perder o sabor. É melhor comer chucrute fresco ainda cru, enquanto o chucrute curtido, de sabor intenso, em geral é melhor cozido.

Para certificar-se de que a proporção de sal no repolho está correta, recomendo pesar o repolho depois de tirar o miolo e quaisquer folhas externas murchas ou danificadas.

Rendimento: 1 litro

1,5 kg de repolho orgânico, sem miolo e sem folhas externas murchas ou danificadas
3 colheres (chá) de sal marinho fino puro

Pique o repolho em fatias grosseiras, com um processador de alimentos, um ralador, uma mandoline ou um facão de chef afiado.

Coloque o repolho em uma tigela grande e polvilhe o sal. Com as mãos, esfregue o sal no repolho, até que ele comece a soltar líquido facilmente. O tempo necessário dependerá do frescor do repolho e da sua força, podendo variar de alguns minutos a meia hora.

Embale o repolho e o líquido em um recipiente limpo, esterilizado, como um frasco de conserva de vidro, com tampa esterilizada, ou uma panela de 1 litro com fechamento hermético. Usando a ponta dos dedos, um frasco de vidro que caiba dentro do maior ou um espreme-dor de batatas, pressione com a maior força possível até o líquido subir e cobrir o repolho picado. Você deve deixar uns 3 a 5 cm de espaço entre o repolho e a boca do frasco, para que o repolho tenha espaço para se expandir ao fermentar. Caso a mistura não tenha criado líquido suficiente para cobrir o repolho, adicione água fria destilada até cobri-la completamente.

Coloque um pouco de água fria em uma pequena bolsa plástica reutilizável limpa, apertando firme para eliminar todo o ar da bolsa. Você precisa apenas de água suficiente para criar um peso que mante-nha o repolho sob o líquido. Feche a bolsa, coloque-a sobre o repolho no frasco e empurre-o para baixo para garantir que a bolsa de água tenha peso o bastante. Tampe o recipiente e vede-o hermeticamente.

Reserve em local arejado e escuro durante 5 dias. Confira o pro-cesso de fermentação diariamente para garantir que o repolho con-tinue coberto de líquido. Caso contrário, adicione água destilada até cobrir.

Dois dias depois, comece a provar o chucrute. Retire a bolsa de água e reserve-a. Tire e jogue fora qualquer espuma ou mofo que se formar; ela não é nociva, apenas pouco apetitosa. Usando um garfo, faça furinhos em vários pontos, e tire um pouquinho para provar. Isso lhe permite determinar quando o chucrute está do seu agrado. Mas não se esqueça de apertar o chucrute de volta para dentro do líquido, de colocar a bolsa de água em cima para pressionar o repolho para baixo, de fechar hermeticamente e de reservar como antes.

Dependendo da temperatura ambiente, depois de 1 semana o chu-crute deve formar gruminhos e adquirir um aroma ácido e azedo. Quando o chucrute atingir o sabor e a textura desejados, ponha o fras-co na geladeira para impedir mais fermentação. O repolho continuará a fermentar, mas num ritmo muito mais lento.

É possível servir-se do chucrute em qualquer ponto do processo de fermentação. No início do processo, ele estará mais crocante, com gosto de repolho; depois fica mais macio e com um sabor mais forte e azedo. Tampado e na geladeira por até 6 meses, continuará lentamente a ganhar azedume.

Observação: O repolho fermenta muito rapidamente em temperatura ambiente (em torno de 20ºC), e o chucrute costuma ficar pronto para comer em 1 semana. Você pode também levar à geladeira desde o início, mas a fermentação ocorrerá muito lentamente (um pouco mais que o dobro do tempo de fermentação em temperatura ambiente); no entanto, o gosto final será mais acentuado. Se mantido a uma temperatura superior a 25ºC, ele fica rapidamente marrom-escuro e estraga. Se isso ocorrer, jogue fora o chucrute e comece de novo.

Para acentuar o sabor, adicione cominho, endro ou sementes de mostarda no repolho com sal.

ASPARGOS TEMPERADOS

Aspargos preparados dessa maneira são um acréscimo elegante a saladas e embutidos, servem como entrada rápida e, o melhor de tudo, são saudáveis! É uma ótima maneira de conservar esse produto perfeito e barato.

Rendimento: 1 litro

500 g de aspargos orgânicos (cerca de 16 rebentos)
4 dentes de alho orgânico, descascados e fatiados
2½ xícaras de salmoura temperada (ver p. 255) em temperatura ambiente

Corte as raízes dos aspargos. Depois corte cada rebento em três pedaços de mais ou menos 5 centímetros cada ou apenas apare a ponta e use os rebentos inteiros.

Se usar os aspargos em pedaços, coloque-os em uma tigela, adicione o alho e misture bem. Coloque tudo num frasco de conserva esterilizado de 1 litro, com tampa esterilizada, ou numa panela de 1 litro com tampa hermética e esterilizada. Disponha o alho fatiado em torno dos aspargos. Despeje a salmoura no recipiente, de modo a cobrir completamente os aspargos.

Se usar os aspargos inteiros, coloque os rebentos em pé, com a ponta para cima, num frasco de conserva esterilizado de 1 litro, com tampa esterilizada, ou numa panela de 1 litro com tampa hermética e esterilizada. Disponha o alho fatiado em torno dos aspargos. Deite a salmoura no recipiente, de modo a cobrir completamente os aspargos.

Se o líquido não for suficiente para cobrir os aspargos, adicione água destilada fria. Deixe 2 a 5 cm de espaço entre os aspargos e a boca do frasco para que os aspargos, uma vez fermentados, tenham espaço para se expandir.

Coloque um pouco de água fria em uma pequena bolsa plástica reutilizável limpa, apertando firme para eliminar todo o ar da bolsa. Você precisa apenas de água suficiente para criar um peso que mantenha os aspargos sob o líquido. Feche a bolsa, coloque-a sobre os aspargos no frasco e empurre-o para baixo para garantir que a bolsa de água tenha peso o bastante. Tampe o recipiente e vede-o hermeticamente. Reserve em local arejado e escuro.

Verifique o frasco com frequência para se certificar de que os aspargos permanecem cobertos pelo líquido. Se o nível do líquido estiver baixo, remova a bolsa de água e reserve. Tire e jogue fora qualquer espuma ou mofo que se formar; ela não é nociva, apenas pouco apetitosa. Acrescente água destilada até cobrir os aspargos, empurre-os para dentro do líquido, coloque a bolsa de água em cima para pressionar os aspargos para baixo, feche hermeticamente e reserve como antes.

Após cerca de 1 semana os aspargos estarão prontos para comer, mas deixá-los fermentar por 2 semanas vai acentuar o sabor. Passe para a geladeira e guarde por até 3 meses.

CEBOLA CIPOLLINI DOCE

Se você não conseguir encontrar cebolas cipollini pequenas e achatadas brancas ou roxas, pode usar nesta receita cebolas pequenas amarelas ou roxas, ou chalotas. O mesmo vale para o sal rosa do Himalaia, à venda em lojas especializadas, alguns supermercados e na internet. Outros sais marinhos finos podem ser usados, mas eles não vão adicionar às cebolas prontas aquele gostinho que tem o sal rosa.

Embora deliciosas quando consumidas direto do frasco, grelhar as cebolas em conserva rapidamente acentua seu sabor ácido e faz delas o acompanhamento perfeito para um bife ou costeleta grelhada.

Rendimento: 1 litro

10 cravos inteiros
10 cebolas cipollini descascadas (cerca de 750 g)
1 pedaço de raiz de gengibre fresca de 3 cm, descascado e cortado em fatias
2 paus de canela de 5 cm
1 colher (sopa) de sal rosa do Himalaia fino
Água destilada (cerca de 2 xícaras — o suficiente para cobrir as cebolas)

Espete um cravo em cada cebola. Ponha metade das cebolas em um frasco de vidro de conserva esterilizado de 1 litro. Disponha metade do gengibre em torno das cebolas e acrescente os paus de canela. Encaixe as cebolas restantes dentro do frasco e aninhe em volta delas as fatias de gengibre restantes.

Misture o sal com água, agitando para dissolver. Despeje a água salgada sobre as cebolas, até cobri-las completamente. Se o líquido não for suficiente para cobrir as cebolas, adicione água destilada fria. Deixe 2 a 5 cm de espaço entre as cebolas e a boca do frasco para que as cebolas, uma vez fermentadas, tenham espaço para se expandir.

Coloque um pouco de água fria em uma pequena bolsa plástica reutilizável limpa, apertando firme para eliminar todo o ar da bolsa. Você precisa apenas de água suficiente para criar um peso que mantenha as cebolas sob o líquido. Feche a bolsa, coloque-a sobre as cebolas no frasco e empurre-o para baixo para garantir que a bolsa de água tenha peso o bastante. Tampe o recipiente e vede-o hermeticamente. Reserve em local arejado e escuro por 3 semanas ou até que as cebolas atinjam o sabor desejado.

Verifique o frasco com frequência para se certificar de que as cebolas permanecem cobertas com líquido. Se o nível do líquido estiver baixo, remova a bolsa de água e reserve. Tire e jogue fora qualquer espuma ou mofo que se formar; ela não é nociva, apenas pouco apeti-tosa. Acrescente água destilada até cobrir as cebolas, empurre-as para dentro do líquido, coloque a bolsa de água em cima para pressionar as cebolas para baixo, feche hermeticamente e reserve como antes.

Após 3 semanas a cebola deve estar pronta para comer, mas 2 se-manas adicionais de fermentação em temperatura ambiente não farão mal. Ponha na geladeira e guarde por até 9 meses.

KIMCHI

O kimchi é um daqueles pratos tradicionais para os quais todo cozinheiro amador coreano tem um segredo ou uma receita antiga. Historicamente, ele era preparado em panelas de barro e enterrado em solo profundo para maturar durante longos períodos, mas hoje isso é feito raramente.

O kimchi fresco é usado na salada; quando maduro, como acom-panhamento ou condimento; e, quando muito maduro, é apenas para os fortes, pois fica extremamente azedo e de sabor intenso. É um prato que você pode fazer do seu jeito, adicionando pimenta ou alterando os legumes utilizados. No entanto, não importa qual a combinação que você escolha, não deixe de incluir uma pera ou uma maçã, pois os açúcares dessas frutas auxiliam na fermentação.

Recomendo pesar a couve depois de tirar o miolo duro e quais-quer folhas externas murchas ou danificadas.

Rendimento: 1 litro

1 kg de couve-chinesa ou couve-lombarda orgânica, cortada em quadradinhos de cerca de 5 cm
¼ de xícara mais 1 colher (sopa) de sal marinho fino puro
¼ de copo de gochugaru ou de pimenta em pó orgânica pura (ver observação)
1 pera asiática, pera comum ou maçã grande orgânica, com a cas-ca, sem caroço e picada
2 colheres (sopa) de alho picado

1 colher (sopa) de raiz de gengibre orgânica

1 colher (sopa) de pasta de anchovas natural

2 alhos-porós orgânicos, brancos com algumas partes verdes, bem lavados e picados

1 rabanete japonês grande orgânico (daikon), aparado e cortado em palitos

1 cenoura orgânica, aparada e cortada em palitos

1 chicória (endívia) orgânica crua, bem lavada, descascada e cortada em palitos (opcional — ver observação)

½ xícara (cerca de 100 g) de tupinambo orgânico picado

Misture a couve com ¼ de xícara de sal em uma tigela grande. Adicione água quente destilada o suficiente para cobri-la. Com as mãos, misture a couve com a água salgada. Separe, destampada, durante 4 a 8 horas.

Escorra a couve salgada com um coador e enxágue em água corrente fria, sacudindo o excesso de água. Coloque a couve em uma tigela grande.

Misture o gochugaru com a pera, o alho, o gengibre e a pasta de anchova em um processador de alimentos com lâmina metálica. Adicione 1 xícara de água destilada quente e processe até virar um purê uniforme. Reserve.

Junte à couve o alho-poró, o rabanete, a cenoura, a raiz de chicória e os tupinambos. Usando uma espátula de borracha, raspe o purê de pimenta e junte aos legumes. Ponha luvas de borracha (para evitar que a pimenta irrite sua pele) e use as mãos para esfregar cuidadosamente essa pasta e o sal restante nos legumes.

Ainda usando as luvas, embale a mistura e o líquido que se formou num recipiente esterilizado, como um frasco de vidro de conserva de 1 litro com tampa esterilizada ou uma panela de 1 litro com tampa esterilizada e hermética. Usando as pontas dos dedos das luvas, um frasco de vidro menor que caiba dentro do maior ou um espremedor de batatas, empurre para baixo, com a maior força possível, até que o líquido suba e cubra os legumes. Se a mistura não tiver criado suficiente líquido para cobri-los, adicione água destilada até cobri-los completamente. Você deve deixar uns 3 a 5 cm de espaço entre os legumes e a boca do frasco, para que o kimchi tenha espaço para se expandir ao fermentar.

Coloque um pouco de água fria em uma pequena bolsa plástica reutilizável limpa, apertando firme para eliminar todo o ar da bolsa. Você precisa apenas de água suficiente para criar um peso que mantenha os legumes sob o líquido. Feche a bolsa, coloque-a sobre o kimchi no frasco e empurre-o para baixo para garantir que a bolsa de água tenha peso o bastante. Tampe o recipiente e vede-o hermeticamente

Reserve em local arejado e escuro por três dias. Verifique o kimchi diariamente para se certificar de que ele permanece coberto com líquido. Caso contrário, adicione água destilada para cobrir.

Diz-se que o período de tempo ideal para a fermentação do kimchi é de 3 dias, mas vários cozinheiros permitem que a fermentação aconteça por períodos muito mais longos. Depende na verdade de quão azedo e/ou picante você o deseja. Após 3 dias, comece a provar o kimchi para ver se ele está tão saboroso quanto você gostaria. Ponha o saco de água em cima de novo, vede e reserve como antes.

Quando o kimchi atingir o sabor desejado, ponha o frasco na geladeira para retardar o processo de fermentação. O kimchi vai continuar a fermentar, mas num ritmo muito mais lento.

Observação: O gochugaru, ingrediente essencial na culinária coreana, é simplesmente pimenta vermelha seca e triturada. Tem uma textura grossa, um vermelho profundo e berrante, e é muito picante, deixando na boca um suave gosto adocicado. Não há substituto para ele na autêntica culinária coreana. A coisa mais próxima seria moer sua própria pimenta vermelha seca, ardida e orgânica. Você só deve comprar gochugaru feito a partir de pimenta vermelha pura, 100% coreana; no entanto, se não tiver como encontrá-la, use pimenta em pó orgânica pura.

Eu uso raiz de chicória, excelente fonte de antioxidantes, assim como um fantástico limpador dos sistemas do corpo. Mas, uma vez que nem sempre é fácil encontrá-la, eu a considerei opcional; isso não terá impacto sobre o sabor ou a textura do kimchi acabado.

CARNE CURADA

Tradicionalmente servida com repolho cozido comum. No entanto, para maximizar seu potencial como amiga da mente, sirvo a carne curada com chucrute básico (ver p. 262). Um corte grande de carne vai demorar cerca de 2 semanas para fermentar; cortes mais finos, como o peito, curam em cerca de 5 dias.

Rendimento: 3 a 4 kg

6 litros de salmoura temperada (ver p. 255)
2 xícaras de mel natural
3 a 4 kg de coxão-mole de boi alimentado no pasto
12 grãos de pimenta-do-reino orgânica
6 raminhos de salsa orgânica
4 folhas de louro
3 dentes de alho orgânico, descascados e picados
Água destilada para cozinhar
6 alhos-porós orgânicos com um pouco da parte verde, aparados e bem lavados
4 cenouras, descascadas e cortadas em pedaços
Chucrute (opcional)
Mostarda forte (opcional)

Misture a salmoura e o mel numa panela grande em fogo alto e ponha para ferver. Abaixe o fogo e cozinhe em fogo brando durante cerca de 5 minutos ou apenas até que o mel se dissolva. Retire do fogo e deixe esfriar.

Coloque a carne na salmoura fria, cobrindo-a completamente com a água salgada. Se não houver o bastante, adicione água destilada fria o suficiente. Tampe e leve à geladeira por até 2 semanas, verificando constantemente para garantir que a carne esteja completamente coberta. Após 1 semana, comece a verificar o quanto do sabor da salmoura passou para a carne. Tire a carne do líquido e fatie uma pontinha. Toste ligeiramente esse pedaço, apenas o suficiente para permitir prová-lo. O ideal é que prevaleça o sabor picante, sem ficar muito salgado. Caso queira um sabor mais acentuado de conserva, recoloque a carne na salmoura, feche e leve à geladeira por mais 1 semana adicional, sempre verificando se a carne está totalmente coberta e testando o sabor dia sim, dia não.

Quando estiver pronta para cozinhar, retire a carne da salmoura e descarte o líquido.

Misture a pimenta, a salsa, as folhas de louro e o alho em um pequeno morim. Usando um barbante, amarre o pano em uma trouxa. Reserve.

Coloque a carne em um panelão. Adicione água destilada fria até cobrir. Junte o morim, o alho-poró e as cenouras. Ponha em fogo alto e deixe ferver. Abaixe o fogo e cozinhe em fogo brando — juntando mais água destilada se necessário, para manter a carne submersa — por umas 3 horas ou até que a carne esteja macia quando perfurada com a ponta de uma faquinha afiada.

Retire a carne do líquido e corte-a no sentido contrário à fibra, em fatias finas. Coloque as fatias em uma travessa juntamente com o alho-poró. Sirva com chucrute e mostarda forte, se desejar.

LOMBO DE PORCO CURADO TEMPERADO

O lombo de porco magro funciona melhor para salga, já que a gordura suína não costuma ter boa aparência ou sabor quando em salmoura. Embora seja delicioso servido quente com chucrute, este lombo de porco temperado é um saboroso complemento a uma salada gourmet, salteado ou em sopas.

Rendimento: 2 kg

3 litros mais 1 xícara de água destilada
¾ de xícara de sal marinho fino puro

1 colher (sopa) de açúcar mascavo orgânico
6 folhas de louro
5 anises-estrelados inteiros
1 pau de canela
1 colher (chá) de sementes de mostarda
1 colher (chá) de bagas de zimbro inteiro
1 colher (chá) de coentro
1 colher (chá) de pimenta-da-jamaica inteira
½ colher (chá) de pimenta vermelha em flocos
¼ de xícara de sal grosso, de preferência sal rosa do Himalaia
2 kg de lombo de porco, livre de todo o excesso de gordura
4 dentes de alho, descascados e cortados no comprimento
6 xícaras de chucrute (ver p. 262)
2 xícaras de cebola cortada em fatias finas
Mostarda forte ou raiz-forte (opcional)

Misture os 3 litros de água com o sal marinho e o açúcar em uma panela grande não reagente, mexendo até dissolver. Leve ao fogo alto e adicione as folhas de louro, o anis-estrelado, o pau de canela, as sementes de mostarda, as bagas de zimbro, o coentro, a pimenta-da-jamaica e os flocos de pimenta. Deixe ferver por 5 minutos. Retire do fogo, adicione o sal grosso e deixe esfriar.

Coloque a carne de porco e o alho em uma grande bolsa de plástico hermeticamente fechada (use bolsas de armazenamento de 2 litros ou sacos de salmoura). Despeje a salmoura fria na bolsa, tire o ar e sele. Coloque a bolsa em um recipiente grande o bastante para armazenar a carne de porco em uma posição que garanta que ela fique coberta pela salmoura. Ponha na geladeira e deixe em salmoura por 1 semana, verificando de tempos em tempos se a carne está completamente coberta pela salmoura.

Retire da geladeira, escorra e descarte a salmoura.

Coloque a carne em um panelão. Adicione o chucrute e a cebola em fatias, junto com a xícara restante de água destilada. Leve ao fogo alto e deixe ferver. Baixe imediatamente o fogo, tampe e cozinhe por cerca de 90 minutos ou até que a carne esteja macia quando perfurada com a ponta de uma faquinha afiada.

Ponha a carne numa tábua de corte. Com um facão afiado, corte-a transversalmente em fatias finas. Coloque as fatias, ligeiramente sobrepostas, no centro de uma bandeja. Distribua a mistura chucrute/cebola em torno e sirva com mostarda forte como acompanhamento, se desejar.

SARDINHAS EM CONSERVA

Esta receita é baseada no clássico arenque em conserva sueco, mas eu uso sardinhas, ricas em nutrientes, no lugar do arenque tradicional. Você pode, é claro, usar o arenque ou alguns outros peixes pequenos, como o salmão.

Rendimento: 750 g

750 g de filé de sardinha selvagem
Cerca de 4 xícaras de salmoura temperada (ver p. 255) em temperatura ambiente
1 xícara de água destilada
2 xícaras de vinagre comum
¼ de xícara de mel natural
3 folhas de louro
3 cravos inteiros
1 cebola suave orgânica, descascada e cortada transversalmente em fatias finas
1 limão Meyer orgânico, cortado transversalmente em fatias finas

Coloque os filés em um recipiente raso. Adicione água salgada o suficiente para cobrir completamente os peixes. Cubra todo o recipiente com filme plástico e leve à geladeira por 24 horas.

Misture a água destilada com o vinagre e o mel em uma panela pequena em fogo médio. Deixe ferver, abaixe o fogo e cozinhe em fogo muito brando por 5 minutos. Retire do fogo e deixe esfriar.

Retire as sardinhas da geladeira. Abra e jogue fora a água salgada. Coloque os filés em um recipiente limpo, esterilizado, como um frasco de conserva de vidro de 1 litro, e adicione aleatoriamente as folhas de louro, o cravo, a cebola e as rodelas de limão até encher o frasco. Adicione a mistura de vinagre fria. Se o peixe não estiver completamente coberto, adicione água fria destilada o bastante para cobrir. Deixe 2 a 5 cm de espaço entre o peixe e a boca do frasco para permitir que os gases da fermentação do peixe sejam liberados. Deixe repousar em temperatura ambiente durante 24 horas; conserve na geladeira por um dia antes de comer. Pode ser armazenado, tampado e na geladeira, durante 1 mês.

Observação: Para fazer sardinhas em conserva ao creme, retire as sardinhas do líquido no final do processo de conserva e reserve ¼ de xícara do líquido. Coloque as sardinhas em uma travessa. Misture o líquido reservado com 1 xícara de quark (ver p. 259), mexendo para misturar bem, e despeje a mistura sobre as sardinhas. Adicione 2 cebolas suaves em fatias finas e 1 colher (sopa) de endro fresco picado e mexa até misturar. Tampe e leve à geladeira por pelo menos 1 hora para permitir que os sabores se misturem. Sirva ou guarde, tampado e refrigerado, por até 2 semanas.

SALMÃO FERMENTADO ESCANDINAVO

Embora muitas receitas escandinavas de peixe fermentado resultem em pratos de sabor forte, que são um gosto para poucos, esta cria um sabor cítrico que é muito mais atraente para o paladar americano. Este salmão rende um maravilhoso canapé ou uma cobertura excelente para uma salada mista ou de folhas.

Rendimento: 1 kg

Cerca de 3 xícaras de salmoura temperada (ver p. 255) em temperatura ambiente
¼ de xícara de soro de leite (ver p. 251) em temperatura ambiente
1 colher (sopa) de mel natural
1 kg de salmão selvagem sem espinhas, sem pele, cortado em pedaços pequenos

6 raminhos de endro orgânico fresco
1 limão orgânico inteiro, cortado em fatias finas

Misture a salmoura com o soro de leite e o mel, mexendo para misturar bem.

Coloque os pedaços de peixe em um recipiente limpo, esterilizado, como um frasco de vidro de conserva de 1 litro com tampa esterilizada, juntando aleatoriamente os raminhos de endro e as rodelas de limão à medida que encher o frasco. Adicione a mistura de salmoura. Se o peixe não estiver completamente coberto, adicione água fria destilada o suficiente para cobrir. Deixe 2 a 5 cm de espaço entre o peixe e a boca do frasco para permitir que os gases da fermentação do peixe sejam liberados. Deixe repousar em temperatura ambiente durante 24 horas; deixe na geladeira por pelo menos 4 horas, ou até 1 semana, antes de servir.

PEIXE CRU FERMENTADO

Esta receita é muito parecida com o sushi de gerações passadas, que era feito com peixe salgado e fermentado, em vez do peixe cru com o qual estamos agora acostumados. Ao contrário de muitos outros pratos de peixe de cheiro forte, que são fermentados por períodos mais longos, esta breve cura cria um prato suave, que ainda oferece o auxílio à digestão e o valor nutricional das fermentações mais prolongadas.

Faço esta receita tanto com soro de leite quanto com suco de chucrute e acho que, embora as duas fiquem boas, com o suco de chucrute o sabor fica melhor.

Rendimento: 750 g

750 g de filé de peixes selvagens, cortados em pedaços pequenos
5 fatias finas de raiz de gengibre orgânico descascado
1 cebola orgânica, descascada e picada
Cerca de 1½ xícara de suco de chucrute básico (ver p. 262) ou industrializado

Coloque o peixe em um recipiente limpo e esterilizado, como um frasco de conserva de vidro de 1 litro com tampa esterilizada, juntando aleatoriamente os pedaços de gengibre e cebola à medida que encher o frasco. Adicione o suco de chucrute. Se o peixe não estiver completamente coberto, adicione água fria destilada o suficiente para cobrir. Deixe 2 a 5 cm de espaço entre o peixe e a boca do frasco para permitir que os gases da fermentação do peixe sejam liberados. Deixe repousar em temperatura ambiente durante 8 horas; deixe na geladeira curando durante no máximo 3 dias.

Uma vez resfriado, o peixe pode ser consumido puro ou com um fio de azeite extravirgem de oliva, suco de limão e sal marinho.

OVOS COZIDOS FERMENTADOS

Esses ovos em conserva dão um excelente lanche ou complemento para salada. Você também pode usar a salmoura temperada (ver p. 255) para uma fermentação que adicione mais sabor.

Rendimento: 1 dúzia

1 dúzia de ovos duros cozidos, descascados
6 dentes de alho orgânico, descascados e cortados no comprimento
3 ramos de endro orgânico
3 pimentas vermelhas orgânicas secas
¼ de xícara de soro de leite (ver p. 251) em temperatura ambiente
Cerca de 2 xícaras de salmoura básica (ver p. 254) em temperatura ambiente

Coloque 3 ovos no fundo de um recipiente limpo, esterilizado, como um frasco de conserva de vidro de 1 litro com tampa esterilizada ou uma panela com tampa esterilizada e hermética. Adicione aleatoriamente o alho, o endro e a pimenta, e continue a juntar os ovos à medida que enche o recipiente. Adicione o soro de leite, seguido de salmoura suficiente para cobrir os ovos. Deixe 2 a 5 cm de espaço entre os ovos e a boca do frasco para permitir que os gases da fermentação dos ovos sejam liberados. Feche bem e reserve em local fresco e escuro durante 3 dias. Como os ovos são cozidos, não haverá uma grande quantidade de bolhas; deve ocorrer apenas um leve borbulhar no topo quando a fermentação estiver completa. Ocorrida a fermentação, conserve na geladeira por até 3 semanas.

FRUTAS

LIMÃO-SICILIANO EM CONSERVA

O limão-siciliano em conserva é um ingrediente essencial na culinária marroquina. É usado para saladas da estação, tajine e pratos de grãos. Gosto dos limões picados em saladas e caldos, fatiados com peixe grelhado e misturados com ervas no tempero do frango assado. São fáceis de fazer e duram para sempre.

Usando um limão por vez, coloque os limões em uma superfície plana e role-os, pressionando-os ligeiramente para amaciá-los. Não pressione com força demais, porque os limões podem quebrar e ficar inutilizados.

Corte cada limão ao meio transversalmente, e depois corte cada metade, longitudinalmente, em quatro partes iguais, sem separá-lo inteiramente. O ideal é abrir o limão um pouco como uma flor que desabrocha. Remova e descarte os caroços.

Coloque um pouco de sal nas fendas de cada limão. Em seguida, usando uma pequena porção do sal restante, ponha uma fina camada de sal no fundo de um recipiente limpo e esterilizado de 500 ml, como um frasco de conserva de vidro de 1 litro com tampa esterilizada ou uma panela com tampa esterilizada e hermética. O recipiente deve ser apenas grande o bastante para que caibam os limões, pois é essencial que eles fiquem muito apertados. Comece a enfiar os limões bem apertados no recipiente, e depois de cada camada de limões coloque uma camada de sal. Continue a enfiar os pedaços de limão até utilizar todo o sal e todos os limões. À medida que você os insere, vai comprimi-los, e eles vão começar a liberar uma grande quantidade de suco. Se estiver usando paus de canela, coloque-os aleatoriamente entre os limões. Se os limões não liberarem suco suficiente para cobri-los completamente, adicione suco de limão até cobrir. Deixe uns 2 cm de espaço entre os limões e a boca do frasco para permitir que os limões se expandam durante a fermentação.

Coloque um pouco de água fria em uma pequena bolsa plástica reutilizável limpa, apertando firme para eliminar todo o ar da bolsa. Você precisa apenas de água suficiente para criar um peso que mantenha os limões sob o líquido. Feche a bolsa, coloque-a sobre os limões no frasco e empurre-os para baixo para garantir que a bolsa de água tenha peso o bastante.

Tampe o recipiente e vede hermeticamente. Deixe os limões fermentar à temperatura ambiente durante 1 semana, verificando o recipiente com frequência para se certificar de que permanecem cobertos pelo líquido. Se o nível do líquido estiver baixo, usando um pouco de força, empurre os limões para baixo de modo que o líquido suba até cobri-los. Coloque a bolsa de água de volta ao topo para pressioná-los para baixo, sele hermeticamente e reserve em temperatura ambiente por pelo menos mais 2 semanas antes de usar.

Limões em conserva podem ser armazenados em temperatura ambiente por até 1 ano. Ao longo da fermentação, remova e jogue fora qualquer espuma ou mofo que se formar (não é nocivo, apenas pouco apetitoso). Os limões podem ser armazenados, tampados e na geladeira, por um período ainda mais longo.

Rendimento: 500 ml

Observação: Embora a maioria dos limões orgânicos não seja polida, se você tiver alguma dúvida a respeito dos seus, escalde-os em água fervente por 1 minuto antes de usá-los. Escorra bem e deixe-os esfriar completamente antes de continuar a fazer a receita.

MIRTILO E HORTELÃ EM CONSERVA

Esta conserva é bem diferente das geleias industrializadas, altamente adoçadas. O mel até acrescenta um sabor suave e açucarado, mas a fermentação e o soro adicionam uma forte nota de acidez. Você pode usar qualquer fruta vermelha, exceto morangos (que não parece "virar geleia" durante a fermentação), e qualquer erva ou tempero para dar um toque especial a sua geleia.

Rendimento: 500 ml

3 xícaras de mirtilos orgânicos
½ xícara de mel natural
1 colher (chá) de sal marinho fino puro
2 colheres (sopa) de folhas de hortelã orgânica fresca
1 colher (chá) de suco de limão orgânico
¼ de copo de soro de leite (ver p. 251) ou de fermento vegetariano
(consulte meu site)

Misture 2½ xícaras do mirtilo com o mel e o sal em uma panela média, em fogo médio. Leve para ferver levemente, e comece a esmagar os mirtilos com as costas de uma colher de pau. Cozinhe por 5 minutos. Retire do fogo e deixe esfriar.

Misture a ½ xícara de mirtilos restante com as folhas de hortelã e o suco de limão em um processador de alimentos com lâmina de metal. Processe durante cerca de 1 minuto ou até que se forme um purê. Despeje o purê na mistura de frutas resfriada. Adicione o soro de leite, agitando para misturar bem.

Deite a mistura em recipientes limpos, como dois vidros de geleia esterilizados de 250 g com tampas esterilizadas, ou duas panelas de 250 ml com tampas esterilizadas e herméticas. Feche hermeticamente e deixe repousar em temperatura ambiente durante 2 dias para permitir a fermentação. As conservas podem ser consumidas imediatamente. Depois de abertas, podem ser armazenadas na geladeira por até 1 mês ou no congelador por até 3 meses.

CONDIMENTOS

JICAMA EM CONSERVA

A jicama é um dos melhores alimentos probióticos. O tupinambo também pode ser utilizado nesta receita. São conservas simples de fazer e ótimas para lanches ou saladas. Você pode alterar o sabor usando outras ervas, adicionando especiarias ou pimentas ou utilizando casca de limão ou de lima no lugar da laranja.

Rendimento: cerca de 1 litro

1 laranja orgânica grande (ver observação)
600 g de jicama orgânica, descascada e cortada em cubos de 2 cm
6 raminhos de endro orgânico fresco
6 raminhos de hortelã orgânica fresca
2 xícaras de salmoura básica (ver p. 254) em temperatura ambiente

Usando uma faquinha afiada, descasque a laranja, cuidando para que não sobre nenhuma membrana. Ponha metade da casca no fundo de um recipiente esterilizado, como um frasco de conserva de vidro de 1 litro com tampa esterilizada ou uma panela de 1 litro com tampa esterilizada e hermética. Adicione metade da jicama, metade do endro e da hortelã. Em seguida, ponha outra camada de casca de laranja e a jicama, o endro e a hortelã. Despeje a solução salina dentro do recipiente. Deixe uns 2 a 5 cm de espaço entre a jicama e a boca do frasco para permitir que ela se expanda durante a fermentação.

Coloque um pouco de água fria em uma pequena bolsa plástica reutilizável, apertando firme para eliminar todo o ar. Você precisa apenas de água suficiente para criar um peso que mantenha a jicama sob o líquido. Feche a bolsa, coloque-a sobre a jicama e empurre-a para baixo para garantir que a bolsa de água tenha peso o bastante. Tampe o recipiente e vede-o hermeticamente.

Deixe fermentar em temperatura ambiente em local fresco e escuro durante 3 dias. Verifique o recipiente diariamente para garantir que a jicama permaneça coberta pelo líquido. Se não estiver, adicione água destilada fria até cobrir.

Após 3 dias, abra o recipiente. Retire a bolsa de água e reserve. Remova e descarte as ervas. Pode dar um pouco de trabalho, mas, se você deixar as ervas por um período longo, elas vão estragar e amolecer.

Aperte a jicama de volta para dentro do líquido, recoloque a bolsa de água para pressioná-la, vede hermeticamente e reserve como antes. Teste diariamente o sabor e a textura. Dependendo da temperatura no local escuro que você escolheu, a jicama deve estar pronta para consumo ao cabo de 10 dias. Quando se atingir o sabor e a textura desejados, passe o frasco para a geladeira para impedir o processo de fermentação. A jicama pode ser armazenada, tampada e na geladeira, durante até 6 semanas.

Observação: Embora a maioria das frutas cítricas orgânicas não seja polida, se você tiver alguma dúvida a respeito das suas, escalde-as em água fervente durante 1 minuto antes de usar. Escorra bem e deixe esfriar completamente antes de prosseguir com a receita.

ALHO EM CONSERVA

Estes dentes picantes são um ótimo complemento para muitas receitas e até mesmo para uma saborosa boquinha de última hora. O alho em conserva pode realçar saladas, homus, sopas, guisados ou servir como um convidadivo petisco em coquetéis, num espetinho com um pedaço de carne malpassada de boi alimentado no pasto.

Rendimento: cerca de 2 xícaras

50 dentes (cerca de 4 cabeças) de alho, descascados e livres de manchas marrons

2 xícaras de salmoura básica (ver p. 254) em temperatura ambiente

Coloque o alho em um recipiente limpo, esterilizado, como um frasco de conserva de vidro de 1 litro com tampa esterilizada. Adicione a salmoura, cuidando para que cubra o alho completamente. Do contrário, adicione água destilada fria o suficiente para cobri-lo.

Coloque um pouco de água fria em uma pequena bolsa plástica reutilizável, apertando firme para eliminar todo o ar. Você precisa apenas de água suficiente para criar um peso que mantenha o alho sob o líquido. Feche a bolsa, coloque-a sobre o alho e empurre-o para baixo para garantir que a bolsa de água tenha peso o bastante. Tampe o recipiente e vede-o hermeticamente.

Separe em temperatura ambiente em um local fresco e pouco iluminado durante 1 mês. Verifique o recipiente depois de 2 semanas para garantir que a solução salina continue a cobrir o alho. Se isso não acontecer, adicione mais salmoura.

O alho costuma ficar pronto para comer depois de 1 mês, momento em que o aroma forte, básico, é substituído por outro, ligeiramente adocicado. De tempos em tempos ao longo do mês, faça um teste de gosto; deixe fermentar até que a textura e o sabor sejam do seu agrado.

O alho em conserva se mantém, tampado e na geladeira, quase indefinidamente.

MOLHO EM CONSERVA

Como não costumo comer batatas chips, uso este molho para carnes e peixes grelhados. É particularmente delicioso num canapé de mariscos, no lugar do molho habitual. Também rende um ótimo prato no almoço, misturado com uma tigela de iogurte caseiro.

Rendimento: cerca de 1 litro

2 xícaras de tomates orgânicos cortados em cubos, descascados e sem sementes
1 xícara de cebola roxa orgânica
1 xícara de jicama picada

½ xícara de coentro orgânico picado

1 colher (sopa) de alho orgânico picado

1 colher (sopa) de pimenta orgânica picada, ou a gosto

Suco de 1 limão orgânico, e mais suco a gosto

3 colheres (sopa) de soro de leite (ver p. 251)

1 colher (chá) de sal marinho fino puro, ou a gosto

Misture os tomates, a cebola, a jicama, o coentro, o alho e a pimenta em uma tigela grande não reagente. Adicione o suco de limão, o soro de leite e o sal. Prove e, se necessário, acrescente mais suco de limão ou sal.

Ponha porções iguais do molho em cada um de três recipientes esterilizados, limpos, como um pote de vidro de ½ litro com tampa esterilizada. Deixe de 2 a 5 cm de espaço entre o molho e a boca do frasco para permitir que ele se expanda durante a fermentação. Tampe o recipiente e vede-o hermeticamente.

Reserve em temperatura ambiente em local fresco e pouco iluminado por até 3 dias ou apenas até o molho atingir o sabor e a textura desejados. Passe para a geladeira e guarde, tampado, por até 3 meses.

BEBIDAS

KOMBUCHA

O kombucha, bebida tradicional nas culturas asiáticas, só recentemente foi descoberto nos Estados Unidos. Sabe-se que é um desintoxicante muito poderoso, repleto de vitaminas e aminoácidos. Embora possa ser comprado em lojas de produtos naturais e alguns supermercados, não há nada melhor do que um lote caseiro.

Para fazer kombucha, você vai precisar de um recipiente de vidro grande (cerca de 4 litros), um pano limpo e uma coisa conhecida nos Estados Unidos como Scoby (sigla em inglês para "colônia simbiótica de bactérias e levedura"), disponível na maioria das lojas de alimentos saudáveis ou na internet (consulte meu site). O Scoby é muitas vezes chamado de "mãe" ou "cogumelo" do kombucha; "mãe" porque é a fonte da vida da bebida, e "cogumelo" porque, quando se forma na bebida, parece um grande fungo amolecido. Em geral, o kombucha pode ter uma aparência um pouco repelente, porque o Scoby parece assumir todo tipo de rosto: cheio de pintas, fibroso ou simplesmente bizarro. No entanto, essa aparência não afeta o sabor, a menos que se forme mofo. Se qualquer bolor preto ou azul aparecer no Scoby, jogue fora imediatamente tanto ele quanto o chá. Esterilize o recipiente e comece tudo de novo.

Rendimento: 3 litros

3 litros de água destilada
1 xícara de açúcar não refinado
6 saquinhos de chá verde orgânico
1 Scoby (ver observação)
1 xícara de kombucha fermentado ou de vinagre de sidra

Coloque a água em uma panela grande em fogo alto. Adicione o açúcar e ponha para ferver. Ferva por 5 minutos e, em seguida, adicione os saquinhos de chá. Retire do fogo e reserve por 15 minutos para fazer a infusão.

Feita a infusão, retire e descarte os saquinhos de chá. Deixe o chá esfriar até a temperatura ambiente.

Depois de frio, transfira o chá para uma garrafa de vidro esterilizada de 2 litros. Adicione o Scoby, com o lado brilhante voltado para cima. Adicione o kombucha fermentado ou o vinagre. O Scoby pode afundar, mas vai subir novamente durante a fermentação (se, por qualquer motivo, você sentir a necessidade de erguê-lo ou movê-lo, use uma colher de madeira limpa; o metal não reage bem com o Scoby).

Cubra o recipiente com um pano limpo e prenda o pano com um elástico grande. O pano é que impede que poeira, esporos no ar e insetos contaminem a bebida.

Deixe o frasco fermentar em temperatura ambiente (não abaixo de 18°C e não acima de 35°C) em um local escuro durante 5 a 10 dias. A temperatura é importante porque, se for muito baixa, a bebida vai demorar muito tempo para fermentar. Comece a testar o sabor após o quarto dia. O chá não pode ficar muito doce; se ficar, é porque o açúcar ainda não foi convertido. O kombucha perfeitamente fermentado deve ter uma acidez efervescente que se assemelha à sidra espumante. Quando fica muito ácido ou tem um odor muito avinagrado, é porque fermentou por muito tempo. Dá para beber, mas não é tão saboroso como deveria.

Quando o kombucha ficar bem gaseificado e com o sabor desejado, coloque-o em recipientes esterilizados de vidro, vede e leve à geladeira. Descarte o Scoby. O kombucha irá se manter, tampado e refrigerado, por até 1 ano.

Observação: Tanto o Scoby quanto o kombucha fermentado estão à venda em lojas de alimentos saudáveis e na internet. Embora o vinagre de sidra possa substituir o kombucha fermentado, sugiro começar a sua produção de kombucha com kombucha fermentado, para garantir que você comece com um lote bem-sucedido, garantia que o vinagre de sidra não lhe dará.

KEFIR DE ÁGUA

Ao contrário do kefir à base de leite, o kefir de água é uma bebida probiótica feita com água de coco, água com açúcar ou suco e aromatizada com sucos, extratos ou frutas secas. Uma cultura inicial de grãos de kefir ou kefir em pó é necessária para ativar a fermentação. Os "grãos" de kefir são compostos por bactérias e leveduras que atuam juntos em uma relação simbiótica, mas na verdade não contêm grãos de trigo (ou qualquer outro grão); o termo é usado apenas para descrever a sua aparência.

Rendimento: 1 litro

4 xícaras de água destilada quente
¼ de xícara de açúcar não refinado
3 colheres (chá) de grãos de kefir de água (ver observação e site)
¼ de xícara de suco de mirtilo (ou qualquer outra fruta) orgânico

Despeje a água em uma garrafa grande (pouco mais de 1 litro) esterilizada, tomando o cuidado de deixar pelo menos 2 cm de espaço entre a água e a parte superior do frasco, para que haja espaço para a fermentação da bebida.

Adicione o açúcar à água, agitando ocasionalmente até o açúcar se dissolver e a água esfriar. Não junte os grãos de kefir antes de a água esfriar; eles não vão ser ativados adequadamente na água morna.

Quando a água estiver fria, adicione os grãos de kefir. Cubra o recipiente com um pano limpo e prenda o pano com um elástico grande. O pano é que impede que poeira, esporos no ar e insetos contaminem a bebida.

Deixe fermentar em temperatura ambiente. Confira o andamento da fermentação após 24 horas. Não permita que a fermentação passe de 2 dias. Depois desse tempo, a fermentação pode matar os grãos de kefir. Quando estiver pronto, o kefir ficará bem doce, mas não tão doce quanto a base de água com açúcar; também pode ficar ligeiramente gaseificado. Embora já dê para beber, uma segunda fermentação (descrita abaixo) vai dar mais sabor.

Coe o líquido numa peneira de material não reagente em um recipiente de vidro de 1 litro, esterilizado, com tampa hermética esterilizada. Reserve os grãos de kefir. Os grãos podem ser armazenados para reutilização; se você desejar fazê-lo, armazene-os, tampados e refrigerados, na mesma quantidade de água com açúcar utilizada nesta receita.

Adicione o suco de mirtilo no kefir de água, tendo o cuidado de deixar pelo menos 2 cm de espaço entre o líquido e a boca do frasco, para que a pressão possa aumentar à medida que a bebida fermenta. Tampe bem e reserve em temperatura ambiente (não inferior a 18°C e não superior a 35°C) em local escuro por até 2 dias. A temperatura é importante, porque, se for muito alta, a bebida vai fermentar muito rapidamente, e, se for muito baixa, a fermentação vai demorar muito. Passe para a geladeira e deixe o kefir descansar durante 3 dias para permitir que os gases se estabilizem.

Quando ele estiver pronto para beber, abra o frasco com cuidado, porque o kefir pode estourar para fora da garrafa, devido à pressão que se acumulou.

Observação: Os grãos de kefir de água diferem dos grãos de kefir de leite e geralmente são usados para fazer kefires com base em sucos de frutas ou água com açúcar. Os grãos de kefir de água (também conhecidos como *tibicos*) são um Scoby, uma "colônia simbiótica de bactérias e levedura", e utilizados apenas em culturas de kefir de água; eles proliferam melhor em um ambiente altamente mineral, como o proporcionado pelo açúcar de cana orgânico não refinado. O kefir de água não pode ser feito com grãos de kefir de leite, porque estes são compostos por diferentes leveduras e bactérias benéficas, que dependem de leite para crescer e se reproduzir. Embora você possa usar grãos de kefir de leite para a cultura de líquidos não lácteos (como a água de coco), eles devem ser rearmazenados no leite para não perder suas propriedades.

LIMONADA DE ÁGUA DE COCO

Essa bebida refrescante lhe fará muito bem. Embora eu costume fazê-la com água de coco, você também pode usar água destilada.

Rendimento: cerca de 4½ xícaras

4 xícaras de água de coco orgânica
¼ de xícara de açúcar refinado, mais 1 colher (sopa)
4 raminhos de hortelã fresca
2 colheres (sopa) de grãos de kefir de água (consulte o site)
⅓ de xícara de suco de limão orgânico fresco

Misture ½ copo da água de coco com ¼ de xícara de açúcar e a hortelã em uma panela pequena, em fogo médio. Cozinhe, mexendo com frequência, por cerca de 3 minutos ou até que o açúcar se dissolva. Retire do fogo e deixe esfriar.

Quando esfriar, retire e descarte os raminhos de hortelã. Misture a água de coco com açúcar com as 3½ xícaras de água de coco restantes e os grãos de kefir em um recipiente de vidro grande (um pouco mais de 1 litro) e esterilizado, com tampa hermética e esterilizada. Feche bem e reserve em temperatura ambiente em local escuro durante 2 dias.

Coe o líquido numa peneira de material não reagente em um recipiente de vidro de 1 litro, esterilizado, com tampa hermética esterilizada. Reserve os grãos de kefir. Eles podem ser armazenados para reutilização; se desejar fazê-lo, armazene-os, tampados e refrigerados, na mesma quantidade de água com açúcar utilizada nesta receita.

Misture o suco de limão com a colher (sopa) de açúcar restante, mexendo até dissolver.

Adicione a mistura de suco de limão no kefir de água de coco, tendo o cuidado de deixar pelo menos 2 cm de espaço entre o kefir e a boca do frasco, para que a pressão possa aumentar à medida que a bebida fermenta. Tampe bem e reserve em temperatura ambiente em local escuro por até um dia (se fermentar por mais de 1 dia, o processo produz tanto gás que o líquido pode explodir ao se abrir a garrafa). Passe para a geladeira e deixe gelar por pelo menos 4 horas antes de servir.

Quando estiver pronto para beber, abra com cuidado, pois a limonada pode explodir para fora da garrafa devido à pressão que se acumulou. Se o gosto não estiver suficientemente doce, adicione um pouco de estévia.

Epílogo
O que o futuro nos reserva

Nos dias em que tenho a oportunidade de me desligar das responsabilidades do trabalho e desfrutar um pouco de repouso e relaxamento (outra excelente forma de nutrir o microbioma!), não raro estou em mar aberto em meu barco de pesca ou acampando sob as estrelas. Comungo regularmente com a Mãe Natureza. Sei de sua bondade e beleza, e em minha vida profissional conheci também sua ira.

No século passado, parece que tentamos controlar a natureza de diversas maneiras, na crença de que ela abriga germes e patógenos mortais. Depois que Alexander Fleming descobriu a penicilina, nós, como sociedade, ficamos presos na teoria microbiana das doenças. Em um livro fundamental, *The End of Illness* [O fim das doenças], o dr. David B. Agus escreve:[1]

> Temos tido dificuldade em deixar para trás a teoria microbiana das doenças, que dominou, e de certa forma definiu, a medicina no século xx. Segundo essa teoria, caso você consiga descobrir a espécie de germe com a qual está infectado, então seu problema está resolvido, porque isso o informa de como tratar a doença. Esse se tornou o paradigma geral da medicina [...]. O tratamento só se ocupava do organismo invasor, como a bactéria que causa a tuberculose ou o parasita que leva à malária; não se importava em definir ou compreender o hospedeiro (o ser humano), nem mesmo onde a infecção estava acontecendo.

Na verdade, compreender o hospedeiro humano é fundamental. Se tivermos esperança de progredir na melhoria de nossa saúde, não podemos mais confiar na ideia de que nossos males podem ser atribuídos diretamente a um único germe ou mesmo a uma única mutação genética. As condições crônicas de hoje, especialmente as que incapacitam ou desativam o sistema neurológico e o cérebro, são doenças do corpo inteiro como sistema. E esse sistema, evidentemente, inclui o microbioma.

O dr. Agus vai adiante, ressaltando em seu livro um interessante aspecto histórico. Assim que a teoria microbiana das doenças explodiu, com a descoberta dos antibióticos, o renomado geneticista J. B. S. Haldane advertiu, em uma palestra na Universidade de Cambridge em 1923, que o foco nos germes patogênicos nos desviaria do caminho na compreensão da fisiologia humana. Na verdade, ele fez uma previsão inesquecível: "Isso é um desastre para a medicina, porque vamos nos concentrar nesses germes e esquecer o sistema". Esse sistema — o corpo humano — é, sem dúvida, amplamente dominado, controlado, definido, composto e regido pelos habitantes microbianos do intestino. Embora tenha feito essa afirmação quase cem anos atrás, Haldane acertou na mosca. Seus sentimentos foram mais tarde ecoados pelo dr. Fleming em pessoa, o homem que descobriu o primeiro antibiótico.

Infelizmente, nós, como sociedade, chegamos a um ponto em que, por reflexo, procuramos a quem culpar por nossos problemas de saúde. E pressupomos que eles têm origem no mundo exterior. Até certo ponto, isso é verdade, no que diz respeito aos alimentos e produtos químicos que colocamos em nosso corpo. Mas é categoricamente errado pensar que nossos males modernos se originam nos germes externos. A teoria microbiana é inútil para tentar compreender males como obesidade, câncer, demência e misteriosas doenças autoimunes. Nossos problemas de saúde resultam do que está acontecendo por dentro. E não só nossas curas futuras levarão em conta esse fato, com novas tecnologias que tratem do sistema como um todo, mas também provavelmente se basearão em nossos colaboradores microbianos.

Ao longo deste livro mencionei uma dessas tecnologias, atualmente em desenvolvimento: o transplante microbiano fecal (TMF).

Acho que esta, em particular, está fadada a promover uma revolução na medicina e enfim dotar os médicos de uma arma eficaz para tratar alguns de nossos transtornos mais desafiadores — de doenças autoimunes a doenças neurológicas graves. Vamos dar uma olhada na história de uma mulher para que você possa compreender o poder e a promessa do TMF.

MUITOS SINTOMAS, NENHUM DIAGNÓSTICO, UMA SÓ SOLUÇÃO

Margaret, uma mulher de 54 anos que, ironicamente, é proprietária e gerente de uma loja de comida natural, veio me consultar em razão de cansaço generalizado, confusão mental, dores no corpo e, essencialmente, incapacidade de tocar a vida. Fazia dez longos anos que ela vinha passando por esse estado terrível. Os problemas começaram quando ela voltou de uma viagem à Amazônia, depois da qual desenvolveu uma infecção de origem desconhecida, caracterizada por tosse e febre. Receitaram-lhe vários ciclos de antibióticos, mas eles não resolveram. Ela passou um ano inteiro doente, apesar de ter sido examinada por vários especialistas em doenças infecciosas, das renomadas clínicas Mayo e Cleveland.

Nada específico foi encontrado — nenhuma prova do crime ou germe invasor. Logo após esses exames não revelarem qualquer diagnóstico definitivo, ela foi hospitalizada com outra infecção, dessa vez nos pulmões. Ela me disse que, nesse período, sentia o surgimento repentino de náuseas, instabilidade, desorientação e a sensação de que "o corpo parecia pesado, juntamente com suores". Os sintomas se tornaram recorrentes, com intervalos de poucos meses, depois de sua internação. Por fim, ela consultou um neurologista, que realizou um checkup completo, incluindo um exame para convulsões. Mais uma vez, todos os testes deram em impasse; nada foi encontrado. Margaret foi parar de novo no hospital, dessa vez com uma colite — uma infecção do intestino —, e começou a receber antibióticos intravenosos e, depois, orais.

Ao falar de seu histórico médico, ela contou ter sido exposta a vida inteira a antibióticos, para todo tipo de problema, entre eles otites, amigdalites, infecções respiratórias, assim como vários episódios cirúrgicos, inclusive uma histerectomia total, a correção de uma hérnia e uma infecção abdominal. Ela disse que teve um sistema digestivo "devagar" a vida inteira. Na época da nossa consulta, ela estava sofrendo de prisão de ventre crônica e forte inchaço abdominal logo depois das refeições. Na verdade, por causa dessas queixas, ela estava tomando na ocasião antibióticos de alta dosagem, na tentativa de reduzir o número de bactérias patogênicas, produtoras de gases, no intestino delgado. Embora o médico que os prescreveu pudesse estar certo ao tentar mudar as bactérias de seu intestino, ele provavelmente não levou em conta a saúde do microbioma do intestino em sua totalidade e estava piorando as coisas ao sugerir que os antibióticos ajudariam.

Para mim, a imagem era cristalina. Ali estava uma mulher que passara por uma série avassaladora de ocorrências médicas que havia alterado radicalmente seu microbioma intestinal. A própria Margaret afirmou a certa altura: "Minha vida foi só um antibiótico atrás do outro". E, evidentemente, era o que vinha ocorrendo desde a sua infância.

No começo eu a tratei com probióticos e observei uma ligeira melhora. Ficou evidente, porém, que apenas ministrar-lhe probióticos e modificar sua dieta não ia bastar para reverter os efeitos negativos de uma vida inteira de exposição aos antibióticos. Por isso, decidimos mergulhar de cabeça, e providenciei para ela um transplante fecal, a terapia mais agressiva que se pode adotar para resetar e recolonizar um microbioma muito adoentado. (Mais uma vez, que fique registrado: eu mesmo não realizo o procedimento de transplante fecal. E a razão pela qual muitos de meus pacientes saem dos Estados Unidos para passar por esse tratamento — ou realizam esse procedimento em casa — é o fato de não ser de acesso fácil aqui, exceto no tratamento de infecções recorrentes por C. difficile, embora eu acredite que isso vá mudar muito em breve. A FDA está hoje em pleno esforço para decidir a forma de regulamentar esse procedimento, especialmente para o tratamento de outras doenças além das infecções por C. difficile. Faz sentido, uma vez que esse procedimento envolve a transferência de fluidos corporais de um indivíduo para outro e pode representar uma ameaça à saúde. É imperativo para os doadores que façam exames para coisas como HIV e hepatite, e até mesmo para parasitas perigosos. É exatamente o que fazem clínicas europeias que vêm realizando esse procedimento há décadas.)

Margaret recebeu um implante diário durante seis dias. Três meses mais tarde, o tempo que durou a recolonização de seu microbioma, suas palavras expressavam a melhora:

Pela primeira vez na vida eu vou ao banheiro regularmente, todas as manhãs, sem exceção. Não há mais inchaço nem confusão mental, dores de cabeça e depressão. Durante toda a minha vida, eu tive a impressão de que meu estômago e meu cérebro haviam sido sequestrados [...] e nenhum médico conseguia descobrir por quê. Bem, finalmente recuperei o controle e pela primeira vez na vida estou começando a caminhar com esperança e uma sensação de saúde. Isso faz uma enorme diferença para mim, porque eu já estava praticamente desistindo de tudo.

M... PARA O CÉREBRO

Hoje em dia nós nos acostumamos à ideia de substituir uma parte doente ou danificada do corpo por uma parte mais funcional de um indivíduo normal ou saudável. Quer se trate do coração, do rim, ou mesmo de um transplante de medula óssea, a ideia de um transplante é, certamente, algo que vem ganhando aceitação na medicina moderna. Mas o que dizer de pessoas com um microbioma danificado e disfuncional? O que podemos lhes oferecer além de mudanças na dieta e no estilo de vida, e talvez um tratamento agressivo com probióticos?

Se encararmos o microbioma humano como um órgão, então a noção de transplantá-lo de um indivíduo saudável para um indivíduo em que esse microbioma está danificado deve ser aceita. É claro que esse tipo de transplante, basicamente, consiste na coleta do material fecal de um indivíduo saudável e no "transplante" desse material fecal no cólon de outro indivíduo, por colonoscopia, endoscopia, sigmoidoscopia ou enema. De cara há um "fator nojento" fortemente associado à simples ideia de transplantar o cocô de alguém para outro indivíduo. Mas quando você leva em conta as consequências de um microbioma intestinal alterado para a saúde, no futuro isso pode vir a estar entre as mais poderosas intervenções médicas já inventadas. E acredito que vamos encontrar outras maneiras de realizar esse procedimento tirando dele a parte repugnante.

Na verdade, em outubro de 2014, a notícia de um transplante do gênero em forma de pílula causou um frenesi na mídia. Essa é a essência do que revelou um novo estudo, realizado por uma equipe da Faculdade de Medicina de Harvard, pelo Hospital Geral de Massachusetts e pelo Hospital Infantil de Boston e publicado na revista *JAMA*: vinte pacientes com *C. difficile* tomaram uma série de pílulas cheias de bactérias congeladas de doadores saudáveis.[2] Os pesquisadores criaram os comprimidos a partir de uma mistura de fezes com solução salina, filtraram a solução, extraíram as bactérias, transferiram-nas para as pílulas e depois as congelaram. Ao longo de dois dias, cada paciente engoliu um total de trinta comprimidos. Nada menos que 90% dos pacientes puseram fim à diarreia, a maioria em questão de dias após o tratamento. Embora não tenha sido a primeira vez em que pesquisadores tentaram colocar bactérias intestinais derivadas do cocô em uma pílula, esse foi o primeiro estudo, ainda que de pequena escala, a mostrar quão eficazes os transplantes fecais orais podem ser.

O primeiro relatório formalmente publicado de um transplante fecal para fins médicos apareceu na revista *Surgery* em 1958. O procedimento foi usado como uma tentativa heroica de tratar quatro pacientes que sofriam de uma condição potencialmente fatal chamada "colite pseudomembranosa", causada por infecção de *C. difficile* e induzida pela exposição aos antibióticos. Todos os quatro pacientes tiveram uma recuperação rápida e receberam alta hospitalar em questão de dias. Sem esse procedimento, provavelmente teriam morrido. Depois disso, começaram a aparecer na literatura científica cada vez mais citações que demonstram a eficácia do TMF no tratamento da *C. difficile*.

No entanto, a primeira descrição do TMF ocorreu muito antes de sessenta anos atrás. Na verdade, as referências ao procedimento remontam a 1700 anos e se encontram na literatura chinesa, na obra de Ge Hong, o mais famoso alquimista chinês. Ele escreveu sobre a transmissão de doenças (especialmente as relacionadas a estados febris) e era conhecido por seus ensinamentos sobre as intoxicações alimentares. Em um desses pergaminhos antigos, ele descreve a administração de uma suspensão de fezes humanas por via oral para o tratamento de diarreia grave ou intoxicação alimentar. Isso foi no século IV! No século XVI, também na China, Li Shinzen descreveu a administração de uma solução de fezes desidratadas e fermentadas de bebês em uma preparação chamada "sopa amarela" para uma série de problemas médicos, entre os quais vômitos, prisão de ventre, febre e diarreia.[3] Durante a Segunda Guerra Mundial, soldados alemães na África confirmaram a eficácia da prática beduína de consumir fezes frescas e quentes de camelo como tratamento para a disenteria bacteriana.[4] Curiosamente, em toda a documentação que temos, que remonta à China do século IV, nunca houve relato de um único efeito colateral grave a partir desse procedimento.[5]

Então o TMF não é tão novo quanto se poderia imaginar. Recentemente, tive a oportunidade de visitar uma equipe de pesquisadores de Harvard e do MIT que criaram uma empresa sem fins lucrativos chamada OpenBiome para tornar esse procedimento mais acessível. Eles estão colhendo material fecal de alunos dessas instituições, processando-o e, em seguida, enviando as amostras a mais de 150 hospitais em todo o país para uso no tratamento de C. difficile. A inspiração para esse projeto veio dos fundadores da empresa, que acompanharam o sofrimento de dezoito meses de um ente querido com C. difficile. Foram sete séries de vancomicina antes de ele finalmente se submeter a um TMF bem-sucedido que transformou sua vida.

Talvez eu pertença ao pequeno punhado de médicos no mundo atual que incentiva essa técnica para tratar de distúrbios cerebrais em determinados indivíduos, mas isso vai mudar em breve. Não tenho nenhuma dúvida de que vamos ver o TMF sendo cada vez mais utilizado para outros tipos de doenças e transtornos. Pesquisas recentes estão mostrando que o TMF é muito eficaz no tratamento da doença de Crohn. E alguns médicos afirmam ter tido grande sucesso usando o TMF para tratar a colite ulcerativa, a doença celíaca, a síndrome da fadiga crônica e muitos transtornos relacionados ao cérebro, como a esclerose múltipla e a síndrome de Tourette. Hoje, ele vem sendo estudado contra a obesidade, o diabetes e a artrite reumatoide, assim como a doença de Parkinson e outras condições neurológicas. Minha sincera esperança é que, com base na constatação de que os LPS aumentam na esclerose lateral amiotrófica, essa devastadora condição em breve seja adicionada à lista. Na minha própria experiência, testemunhei o poder do TMF em crianças com autismo — no caso de Jason, como você se lembra.

Um dos pioneiros mundiais contemporâneos no reconhecimento dos benefícios do TMF é o dr. Thomas J. Borody. Nascido na Polônia, ele se mudou para a Austrália em 1960, onde se formou em medicina, e depois tornou-se pesquisador de pós-graduação na Clínica Mayo. O dr. Borody tem realizado o TMF nos últimos 25 anos, de início constatando sua utilidade contra a *C. difficile*, mas depois rapidamente passando a distúrbios que afetam outras áreas do corpo, do intestino até o cérebro. O dr. Borody aderiu totalmente aos conhecimentos científicos sobre o papel decisivo da flora intestinal na regulação dos processos inflamatórios e da imunidade. Ele tem usado o TMF para tratar com êxito uma série de doenças que envolvem os sistemas imunológico e neurológico.[6, 7]

Embora o dr. Borody evidentemente tenha seus críticos, muitos têm visto seu trabalho com respeito, sobretudo à luz dos resultados que ele vem obtendo. Os relatos de caso que publicou são simplesmente surpreendentes. Em um deles, publicado no *American Journal of Gastroenterology*, ele revelou que as alterações da flora intestinal são constatadas na esclerose múltipla, na doença de Parkinson e na *miastenia gravis*, uma condição autoimune que costuma provocar extrema fraqueza.[8] Um de seus casos mais impressionantes é o de um homem de trinta anos com esclerose múltipla, que passou pelo TMF contra uma grave prisão de ventre. O paciente também sofria de fortes vertigens, dificuldade de concentração e fraqueza nas pernas tão severa que precisava usar cadeira de rodas. Além disso, não conseguia controlar a bexiga, razão pela qual usava um cateter urinário. Os tratamentos-padrão, que incluíam a modulação do sistema imunológico com interferona, não tinham funcionado com ele. Optando por outra abordagem, o dr. Borody realizou cinco TMFs. Eles não só resolveram a prisão de ventre de seu paciente, como também levaram a uma progressiva melhora dos sintomas da esclerose múltipla. Ele recuperou a capacidade de andar e não precisou mais do cateter. Embora tenha sido considerado "em remissão", está bem até hoje — quinze anos mais tarde.

A Organização de Pesquisa da Comunidade Científica e Industrial (Commonwealth Scientific and Industrial Research Organisation, CSIRO) é a agência nacional de ciências da Austrália e uma das maiores e mais diversificadas agências de pesquisa do mundo. Seu pesquisador chefe, o dr. David Topping, foi recentemente convidado a comentar o trabalho do dr. Borody com TMF, e disse: "A interação entre a microflora, em particular seus produtos e seu substrato, possui um potencial imenso para a gestão e a prevenção de doenças graves, câncer colo-retal, doenças inflamatórias do intestino e talvez até mesmo doenças como Alzheimer, autismo e Parkinson".[9]

Agora que você sabe como a sua flora intestinal é importante em termos de processos inflamatórios, imunidade e neurologia, pode entender por que para mim é um caminho sem volta. Quando levamos em conta que doenças neurológicas como o autismo, o Alzheimer e o Parkinson atualmente não têm qualquer cura, todas essas descobertas científicas recentes me enchem de esperança. Aprecio a formulação feita pelo dr. Robert Orenstein, da Clínica Mayo, no Arizona, em um artigo que escreveu sobre o TMF:

O microbioma do intestino não é inativo; é diversificado e desempenha vários papéis na saúde e no bem-estar que só agora estão sendo explorados. Com a biologia molecular e o sequenciamento dessas espécies, isso só pode crescer. É como o início do programa espacial.[10]

Outro exemplo extraordinário da medicina de ponta atualmente em desenvolvimento é visto no uso de ovos de parasitas para curar a doença inflamatória intestinal (IBD, na sigla em inglês).[11] Cerca de 1,4 milhão de pessoas nos Estados Unidos sofrem de IBD, que se caracteriza por uma reação imunológica adversa crônica ou recorrente e pela inflamação do trato gastrointestinal. A colite ulcerativa e a doença de Crohn são as duas doenças inflamatórias do intestino mais comuns. Os testes clínicos em seres humanos estão apenas começando, mas já sabemos muito a respeito de como os vermes podem levar a uma cura graças ao trabalho feito em macacos resos, que também podem sofrer de sua própria versão do IBD quando em cativeiro. Durante muito tempo, os veterinários não sabiam como tratar esses macacos, que muitas vezes sofriam de uma perigosa perda de peso e desidratação por causa da doença. Mas novas pesquisas nos últimos anos revelam que, depois de ministrar aos macacos ovos do parasita *Trichuris trichiura*, a maior parte deles se recuperou.[12]

Para entender as mudanças que ocorreriam nos intestinos dos macacos, os pesquisadores examinaram o revestimento dos cólons dos animais antes e depois do tratamento. Antes do tratamento com os ovos de vermes, os macacos tinham uma taxa anormalmente elevada de um tipo de bactérias aderindo ao revestimento do cólon. Isso estava supostamente acelerando de maneira desnecessária a resposta imune e causando IBD. A situação mudou após o tratamento, à medida que as comunidades bacterianas mudaram de quantidade e tipo. Essas modificações também tinham o efeito de diminuir os processos inflamatórios, ao reduzir a expressão de certos genes no DNA dos macacos.

É bem verdade que esse estudo particular, feito por uma equipe do Centro Médico Langone, da Universidade de Nova York, e da Universidade da Califórnia em San Francisco, não é o primeiro do gênero. Pequenos testes em humanos descobriram que dar às pessoas os ovos microscópicos do parasita do porco (ou *Trichuris suis*) pode diminuir os sintomas de IBD.[13] Mas durante muito tempo os cientistas não tinham ideia da razão pela qual os ovos estavam funcionando. E agora podemos explicar com segurança o mecanismo: a exposição a esses ovos restaura o equilíbrio das comunidades microbianas que estão aderindo à parede intestinal (e não, os ovos não "chocam" por dentro nem passam pelas fezes). Devo acrescentar que a IBD raramente é vista em países subdesenvolvidos onde a infecção com vermes parasitas no trato gastrointestinal é comum. Tal como acontece com a doença de Alzheimer, a doença do intestino irritável é vista principalmente em nações desenvolvidas, como os Estados Unidos e os países europeus, um fato que novamente empresta credibilidade à hipótese da higiene — que ser limpo demais pode constituir um tiro pela culatra. Talvez um dia possamos encontrar mais terapias "parasíticas" contra a IBD e outras doenças inflamatórias. Já há trabalho experimental em andamento para descobrir se ovos de vermes podem tratar colite, asma, artrite reumatoide, alergias alimentares e diabetes tipo 1.

Nas palavras da escritora científica Katherine Harmon Courage, "pense neles, talvez, como o caviar dos probióticos".[14]

ADMIRÁVEL MUNDO NOVO

No tempo que você levou para ler este livro, teremos mapeado mais organismos do microbioma humano do que o número que temos atualmente — no momento em que escrevo — nos arquivos, graças ao Projeto Microbioma Humano, iniciado em 2008 pelo Instituto Nacional de Saúde (NIH) dos Estados Unidos. Ele apoia um esforço coordenado para mapear nosso microbioma, trabalho que está sendo realizado em quatro centros de sequenciamento: o Instituto J. Craig Venter, a Faculdade de Medicina de Baylor, o Instituto Broad e a Faculdade de Medicina da Universidade de Washington. Certamente outros vão se envolver, a partir tanto de organizações privadas quanto públicas. O projeto tem como objetivo identificar as comunidades microbianas em diferentes partes do corpo, em milhares de indivíduos. Essa amostra ampla ajudará a determinar se existe um microbioma central em cada parte e ajudar os cientistas a investigar a relação entre o estado de saúde e mudanças no microbioma. Na Universidade do Colorado, está em curso o American Gut Project [Projeto Intestinal Americano]. Os pesquisadores estão examinando cerca de 7 mil amostras de fezes enviadas por doadores, juntamente com informações sobre dieta, saúde e hábitos de vida — um tesouro de dados a explorar.

Mas identificar as populações microbianas nativas em nós será apenas o começo. Temos que descobrir o que significam todos os dados em termos de saúde ou, inversamente, de doença. Temos também que investigar as conexões entre os fatores de estilo de vida e o microbioma (tais como a quantidade de álcool que bebemos e de sono que tivemos), bem como a interação complexa entre as forças da genética e a composição microbiana. Mal posso esperar para ver o que descobriremos. Enquanto escrevo este epílogo, a revista *Nature* acaba de publicar mais um artigo para soar o alarme. O título diz tudo: "A relação intestino-cérebro apaixona os neurocientistas".[15] Nele, o autor escreve que "só agora [estamos] começando a entender como as bactérias do intestino podem influenciar o cérebro" e que "hoje existem provas concretas relacionando condições como o autismo e a depressão aos residentes microbianos do intestino".

Evidências concretas, de fato. A corrida em busca de novas curas para todas essas doenças começou. Bem-vindo a uma nova era da medicina e de atendimento personalizado.

Pouco mais de uma década atrás, fiz uma estreita amizade com o dr. Amar Bose. Se o nome não lhe diz nada, sem dúvida você vai reconhecê-lo quando eu contar que o seu sistema de som talvez tenha sido projetado pela empresa dele. O dr. Bose construiu sua carreira explorando e transcendendo fronteiras, não apenas em equipamentos de áudio, mas também em muitas áreas da ciência e tecnologia. Lembro-me do dia em que ele orgulhosamente me ciceroneou em seu laboratório de pesquisa, revelando projetos baseados em ideias de desenvolvimento de produtos incrivelmente futuristas. Nós fomos de um laboratório a outro, e ficou claro o orgulho que ele sentia do trabalho de pesquisa de seus cientistas. Mas o mais memorável para mim, no dia em que fui visitá-lo, foi a frase de 1911 do belga Maurice Maeterlinck, ganhador do prêmio Nobel, estampada na parede de vidro do escritório particular de Bose. Ela resume verdadeiramente a força motivadora que levou ao grande sucesso da Bose: "Em cada encruzilhada na estrada que leva para o futuro, cada espírito progressista se opõe a milhares de homens escalados para zelar pelo passado".

É claro que existem aqueles que querem defender o passado e até mesmo o statu quo. Isso é de esperar. Acredito que é muito mais importante quebrar os grilhões dessas restrições e reconhecer o que nossas descobertas científicas mais empolgantes e respeitadas estão nos oferecendo: uma oportunidade incrível de reconquistar a saúde através da força exercida pelo microbioma — o amigo da nossa mente. Podemos aproveitar essa força interior para o nosso próprio aperfeiçoamento, agora que estamos na encruzilhada que leva ao futuro. Junte-se a essa revolução.

Agradecimentos

Um médico que se propõe a escrever um livro para o público leigo sobre um tema de saúde complexo precisa de uma ajuda mais do que especial. Sou profundamente grato às seguintes pessoas, que tornaram este livro possível:

Minha agente literária, Bonnie Solow, pela orientação e capacidade de enxergar o quadro geral e manter o bonde andando. Não sei o que mais me deixa feliz — se nosso trabalho profissional conjunto ou se nossa querida amizade. Você gerou a faísca inicial anos atrás, quando unimos forças em *A dieta da mente*. Agradeço ainda por sua minuciosa atenção aos detalhes, sua atuação como fonte suprema de conselhos editoriais e sua tutoria cheia de ideias. Assim como antes, você foi muito além de sua obrigação.

Tracy Behar, minha editora na Little, Brown, ajudou a promover esta obra desde quando ela era um esboço grosseiro, sabendo que esta mensagem pode assentar o caminho para uma revolução na saúde. Agradeço sua liderança editorial e por me ajudar a criar um livro bastante prático e sucinto sobre um tema tão complexo. Também agradeço à sua equipe fantástica, que inclui Michael Pietsch, Reagan Arthur, Nicole Dewey, Heather Fain, Miriam Parker, Cathy Gruhn, Jonathan Jacobs, Ben Allen, Genevieve Nierman e Kathryn Rogers.

Kristin Loberg, você captou de forma tão completa a minha voz. Sua capacidade sem igual de transformar meu manuscrito altamente técnico num texto que pode ser lido por tantas pessoas claramente facilitará uma transformação na área da saúde.

Obrigado, Judith Choate, por reunir de forma tão graciosa as deliciosas receitas deste livro, e por ter passado tanto tempo comigo na cozinha certificando-se de que apenas os melhores pratos passariam na peneira final.

À minha incansável equipe de TI na Digital Natives, pelo trabalho de condução de minha campanha nas mídias sociais.

À minha dedicada equipe no Perlmutter Health Center. O incrível apoio de vocês ao meu trabalho clínico me possibilitou implantar ideias que, espero, se tornarão padrão nos próximos anos.

Obrigado a James Murphy, por seu papel de líder, não apenas neste projeto, mas na condução de todos os aspectos de nossa atividade. Aprecio enormemente sua capacidade de tornar real sua visão.

Joe Miller e Andrew Luer, obrigado pelo apoio diário, enquanto avançamos na direção de um futuro que claramente será empolgante.

E por fim gostaria de agradecer minha mulher, Leize, que me proporcionou amor e aconselhamento ao longo da criação desta obra, e em todas as nossas iniciativas juntos nos últimos 29 anos.

Notas

A seguir, incluímos uma lista parcial de textos científicos, livros, artigos e sites que podem ajudá-lo a aprender mais sobre algumas das ideias e conceitos presentes neste livro. Essa não é, de modo algum, uma lista exaustiva, mas ela vai lhe mostrar uma nova perspectiva e trazer os princípios de *Amigos da mente* para sua vida. Muitas destas citações se referem a estudos brevemente ou detalhadamente mencionados no texto. Esses materiais também podem abrir portas para mais pesquisas e investigações. Se você não encontrar aqui uma referência citada no livro, por favor visite www.DrPerlmutter.com, onde você pode acessar mais estudos e uma lista de referências atualizada (em inglês).

INTRODUÇÃO: CUIDADO COM OS BICHOS: VOCÊ NÃO ESTÁ SOZINHO

1. C. Pritchard, A. Mayers e D. Baldwin, "Changing Patterns of Neurological Mortality in the 10 Major Developed Countries — 1979-2010". *Publ. Health*, v. 127, n. 4, pp. 357-68, abr. 2013. Ver também Universidade de Bournemouth, "Brain Diseases Affecting More People and Starting Earlier Than Ever Before". *ScienceDaily*, 10 maio 2013. Disponível em: <www.sciencedaily.com/releases/2013/05/130510075502.htm>. Acesso: em 8 jan. 2015.

2. Michael D. Hurd et al., "Monetary Costs of Dementia in the United States". *N. Engl. J. Med.*, v. 368, pp. 1326-34, 4 abr. 2013.

3. "Statistics". rss do nimh. Disponível em: <www.nimh.nih.gov/health/statistics/index.shtml>. Acesso em: 12 jan. 2015.

4. Ibid.

5. "Depression". Organização Mundial da Saúde, out. 2012. Disponível em: <www.who.int/mediacentre/factsheets/fs369/en/>. Acesso em: 12 jan. 2015.

6. Kate Torgovnick, "Why Do the Mentally Ill Die Younger?". *Time*, 3 dez. 2008. Disponível em: <content.time.com/time/health/article/0,8599,1863220,00.html>. Acesso em: 15 jan. 2015.

7. "Headache Disorders". Organização Mundial da Saúde, out. 2012. Disponível em: <www.who.int/mediacentre/factsheets/fs277/en/>. Acesso em: 15 jan. 2015.

8. "Do You Practice Headache Hygiene?". *HOPE Health Letter*, jul. 2014. Disponível em: <www.hopehealth.com/reports/PDF/Headache-Hygiene.pdf>. Acesso em: 15 jan. 2015.

9. "Frequently Asked Questions about Multiple Sclerosis". FAQ e glossário de esclerose múltipla. Disponível em: <www.mymsaa.org/about-ms/faq/>. Acesso em: 12 jan. 2015.

10. "Multiple Sclerosis Statistics". RSS Statistic Brain. Disponível em: <www.statisticbrain.com/multiple-sclerosis-statistics/>. Acesso em: 12 jan. 2015.

11. "Data & Statistics". Centros de Controle e Prevenção de Doenças, 24 mar. 2014. Disponível em: <www.cdc.gov/ncbddd/autism/data.html>. Acesso em: 12 jan. 2015.

12. "NIH Human Microbiome Project Defines Normal Bacterial Makeup of the Body". Biblioteca Nacional de Medicina dos Estados Unidos. Disponível em: <www.nih.gov/news/health/jun2012/nhgri-13.htm>. Acesso em: 12 jan. 2015.

13. "Human Microbiome Project DACC — Home". RSS Human Microbiome. Disponível em: <hmpdacc.org/>. Acesso em: 12 jan. 2015.

14. S. Reardon, "Gut-Brain Link Grabs Neuroscientists". *Nature*, n. 515, pp. 175-7, 13 nov. 2014.

15. É uma frase que há muito tempo tem sido atribuída a Hipócrates, mas na verdade não está em nenhum de seus escritos. Embora o elo entre as escolhas alimentares e a saúde seja conhecido e cientificamente documentado há décadas, o próprio Hipócrates concordaria que não se deve confundir o conceito de alimentação com o de medicação. Em 2013, Diana Cardenas, da Universidade Paris-Descartes, escreveu um artigo sobre essa criação literária, mostrando que, nos últimos trinta anos, revistas biomédicas citaram essa frase todos os anos. Mesmo assim, ela continua a ser um bom adágio, relevante e verdadeiro, quem quer que o tenha inventado.

PARTE I: CONHECENDO SEUS 100 TRILHÕES DE AMIGOS

1. BEM-VINDO A BORDO: SEUS AMIGOS MICROBIANOS, DO NASCIMENTO À MORTE

1. Dan Buettner, "The Island Where People Forget to Die". *New York Times Magazine*, 24 out. 2012. Disponível em: <www.nytimes.com/2012/10/28/magazine/the-island-where-people-forget-to-die.html>. Acesso em: 12 jan. 2015.

2. D. B. Panagiotakos et al., "Sociodemographic and Lifestyle Statistics of Oldest Old People, (80 Years) Living in Ikaria Island: The Ikaria Study". *Cardiol. Res. Pract.*, 24 fev. 2011.

3. "Link between Microbes and Obesity". *MicrobeWiki*, Kenyon College. Disponível em: <microbewiki.kenyon.edu/index.php/Link_Between_Microbes_and_Obesity>. Acesso em: 12 jan. 2015.

4. "NIH Human Microbiome Project Defines Normal Bacterial Makeup of the Body". Biblioteca Nacional de Medicina dos Estados Unidos. Disponível em: <www.nih.gov/news/health/jun2012/nhgri-13.htm>. Acesso em: 12 jan. 2015.

5. "How Bacteria in the Gut Help Fight Off Viruses". NPR. Disponível em: <www.npr.org/blogs/goatsandsoda/2014/11/14/363375355/how-bacteria-in-the-gut-help-fight-off-viruses>. Acesso em: 12 jan. 2015.

6. Adam Hadhazy, "Think Twice: How the Gut's 'Second Brain' Influences Mood and Well-Being". *Scientific American*, 12 fev. 2010. Disponível em: <www.scientificamerican.com/article/gut-second-brain/>. Acesso em: 12 jan. 2015.

7. Dr. Siri Carpenter, "That Gut Feeling". *Am. Psychol. Assoc.*, v. 43, n. 8, p. 50, set. 2012. Disponível em: <www.apa.org/monitor/2012/09/gut-feeling.aspx>. Acesso em: 12 jan. 2015.

8. Ibid.

9. Ivana Semova et al., "Microbiota Regulate Intestinal Absorption and Metabolism of Fatty Acids in the Zebrafish". *Cell Host & Microbe*, v. 12, n. 3, p. 277, 2012. Ver também Faculdade de Medicina da Universidade da Carolina do Norte, "Gut Microbes Help the Body Extract More Calories from Food". *ScienceDaily*, 12 set. 2012. Disponível em: <www.sciencedaily.com/releases/2012/09/120912125114.htm>. Acesso em: 8 jan. 2015.

10. N. Abdallah Ismail, "Frequency of Firmicutes and Bacteroidetes in Gut Microbiota in Obese and Normal Weight Egyptian Children and Adults". *Arch. Med. Sci.*, v. 7, n. 3, pp. 501-7, jun. 2011. Publicado eletronicamente em 11 jul. 2011.

11. H. Kumar et al., "Gut Microbiota as an Epigenetic Regulator: Pilot Study Ba-

sed on Whole-Genome Methylation Analysis". *mBio*, v. 5, n. 6, 2014. Disponível em: <mbio.asm.org/content/5/6/e02113-14.short>. Acesso em: 12 jan. 2015.

12. *"Clostridium difficile* Infection". Centros de Controle e Prevenção de Doenças, 1º mar. 2013. Disponível em: <www.cdc.gov/HAI/organisms/cdiff/Cdiff _infect.html>. Acesso em: 12 jan. 2015.

13. "For Medical Professionals: Quick, Inexpensive and a 90 Percent Cure Rate". Disponível em: <www.mayoclinic.org/medical-professionals/clinical-updates/digesti-ve-diseases/quick-inexpensive-90-percent-cure-rate>. Acesso em: 12 jan. 2015.

14. Tanya Lewis, "Go with Your Gut: How Bacteria May Affect Mental Health". *LiveScience*, 8 out. 2013. Disponível em: <www.livescience.com/40255-how-bacteria--affect-mental-health.html>. Acesso em: 12 jan. 2015.

15. K. Aagaard et al., "The Placenta Harbors a Unique Microbiome". *Sci. Transl. Med.*, v. 237, n. 6, 21 maio 2014. Disponível em: <www.ncbi.nlm.nih.gov/pub-med/24848255>. Acesso em: 12 jan. 2015.

16. Kerry Grens, "The Maternal Microbiome". *The Scientist*, 21 maio 2014. Disponível em: <www.the-scientist.com/?articles.view/articleNo/40038/title/The-Mater-nal-Microbiome/>.

17. M. G. Dominguez-Bello et al., "Delivery Mode Shapes the Acquisition and Structure of the Initial Microbiota across Multiple Body Habitats in Newborns". *Proc. Natl. Acad. Sci. USA*, v. 107, n. 26, pp. 11971-5, 29 jun. 2010. Publicado eletronicamente em 21 jun. 2010.

18. M. B. Azad et al., "Gut Microbiota of Healthy Canadian Infants: Profiles by Mode of Delivery and Infant Diet at 4 Months". *CMAJ*, v. 185, n. 5, pp. 385-94, 19 mar. 2013. Publicado eletronicamente em 11 fev. 2013.

19. Canadian Medical Association Journal, "Infant Gut Microbiota Influen-ced by Cesarean Section and Breastfeeding Practices; May Impact Long-Term Health". *ScienceDaily*, 11 fev. 2013. Disponível em: <www.sciencedaily.com/relea-ses/2013/02/130211134842.htm>. Acesso em: 8 jan. 2015.

20. Martin J. Blaser, *Missing Microbes*. Nova York: Henry Holt, 2014.

21. Ibid., p. 99.

22. H. Makino et al., "Mother-to-Infant Transmission of Intestinal Bifidobacte-rial Strains Has an Impact on the Early Development of Vaginally Delivered Infant's Microbiota". *PLoS One*, v. 11, n. 8, 14 nov. 2013. Disponível em: <journals.plos.org/plosone/article?id=10.1371/journal.pone.0078331>. Acesso em: 12 jan. 2015.

23. Sarah Glynn, "C-Section Babies 5 Times More Likely to Develop Allergies". *Medical News Today*, 27 fev. 2013. Disponível em: <www.medical newstoday.com/arti-cles/256915.php>. Acesso em: 12 jan. 2015.

24. Shahrokh Amiri et al., "Pregnancy-Related Maternal Risk Factors of Atten-tion-Deficit Hyperactivity Disorder: A Case-Control Study". *ISRN Pediat.*, 2012. Dispo-nível em: <dx.doi.org/10.5402/2012/458064>. Acesso em: 12 jan. 2015.

25. E. J. Glasson, "Perinatal Factors and the Development of Autism: A Population Study". *Arch. Gen. Psychiatry*, v. 61, n. 6, pp. 618-27, jun. 2004.

26. E. Decker et al., "Cesarean Delivery Is Associated with Celiac Disease but Not Inflammatory Bowel Disease in Children". *Pediatrics*, v. 125, n. 6, jun. 2010. Disponível em: <pediatrics.aappublications.org/content/early/2010/05/17/peds.2009-2260.full.pdf>. Acesso em: 12 jan. 2015.

27. H. A. Goldani et al., "Cesarean Delivery Is Associated with an Increased Risk of Obesity in Adulthood in a Brazilian Birth Cohort Study". *Am. J. Clin. Nutr.*, v. 93, n. 6, pp. 1344-7, jun. 2011. Publicado eletronicamente em 20 abr. 2011.

28. C. C. Patterson et al., "A Case-Control Investigation of Perinatal Risk Factors for Childhood IDDM in Northern Ireland and Scotland". *Diabetes Care*, v. 17, n. 5, pp. 376-81, maio 1994.

29. Karen Kaplan, "Diabetes Increases the Risk of Dementia and Alzheimer's Disease". *Los Angeles Times*, 20 set. 2011. Disponível em: <articles.latimes.com/2011/sep/20/news/la-heb-diabetes-dementia-alzheimers-20110920>. Acesso em: 12 jan. 2015.

30. Nell Lake, "Labor, Interrupted". *Harvard Magazine*, nov.-dez. 2012. Disponível em: <harvardmagazine.com/2012/11/labor-interrupted>. Acesso em: 12 jan. 2015. Ver também "Births — Method of Delivery". Centros de Controle e Prevenção de Doenças, 25 fev. 2014. Disponível em: <www.cdc.gov/nchs/fastats/delivery.htm>. Acesso em: 12 jan. 2015.

31. W. P. Witt et al., "Determinants of Cesarean Delivery in the US: A Lifecourse Approach". *Matern. Child Health J.*, v. 1, n. 19, pp. 84-93, jan. 2015.

32. L. J. Funkhouser e S. R. Bordenstein, "Mom Knows Best: The Universality of Maternal Microbial Transmission". *PLoS Biol.*, v. 11, n. 8, 2013. Publicado eletronicamente em 20 ago. 2013.

33. Erica Sonnenburg e Justin Sonnenburg, "Starving Our Microbial Self: The Deleterious Consequences of a Diet Deficient in Microbiota-Accessible Carbohydrates". *Cell Metab.*, v. 20, n. 5, pp. 779-86, 4 nov. 2014.

34. Emily Eakin, "The Excrement Experiment". *New Yorker*, 1º dez. 2014.

35. Semova et al., "Microbiota Regulate Intestinal Absorption and Metabolism of Fatty Acids". Ver também K. Brown et al., "Diet-Induced Dysbiosis of the Intestinal Microbiota and the Effects on Immunity and Disease". *Nutrients*, v. 8, n. 4, pp. 1095--119, ago. 2012. Publicado eletronicamente em 21 ago. 2012.

36. M. Fox et al., "Hygiene and the World Distribution of Alzheimer's Disease". *Evol. Med. Publ. Health* 2013, DOI: 10.1093/emph/eot015. Ver também Universidade de Cambridge, "Better Hygiene in Wealthy Nations May Increase Alzheimer's Risk, Study Suggests". *ScienceDaily*. Disponível em: <www.sciencedaily.com/releases/2013/09/130904105347.htm>. Acesso em: 8 jan. 2015. Os gráficos da página 54 foram criados com base nos gráficos e nos dados apresentados no estudo original por Fox e seus colegas.

37. "Who's in Control: The Human Host or the Microbiome?". *Organic Fitness*, 27 set. 2014. Disponível em: <organicfitness.com/Whos-in-control-the-human-host-or--the-microbiome/>. Acesso em: 12 jan. 2015.

2. ESTÔMAGO E CÉREBRO EM CHAMAS: AS NOVAS DESCOBERTAS SOBRE OS PROCESSOS INFLAMATÓRIOS

1. David Perlmutter, "Why We Can and Must Focus on Preventing Alzheimer's". *Daily Beast*, 22 ago. 2013. Disponível em: <www.thedailybeast.com/articles/2013/08/22/why-we-can-and-must-focus-on-preventing-alzheimer-s.html>. Acesso em: 12 jan. 2015.

2. Gina Kolata, "An Unusual Partnership to Tackle Stubborn Diseases". *New York Times*, p. A14, 5 fev. 2014.

3. R. S. Doody et al., "Phase 3 Trials of Solanezumab for Mild-to-Moderate Alzheimer's Disease". *N. Engl. J. Med.*, v. 370, n. 4, pp. 311-21, 23 jan. 2014.

4. S. Salloway et al., "Two Phase 3 Trials of Bapineuzumab in Mild-to-Moderate Alzheimer's Disease". *N. Engl. J. Med.*, v. 370, n. 4, pp. 322-33, 23 jan. 2014.

5. L. S. Schneider et al., "Lack of Evidence for the Efficacy of Memantine in Mild Alzheimer Disease". *Arch. Neurol.*, v. 68, n. 8, pp. 991-8, ago. 2011. Publicado eletronicamente em 11 abr. 2011.

6. Alzheimer's Association, *2012 Alzheimer's Disease Facts and Figures*. Disponível em: <www.alz.org/downloads/facts_figures_2012.pdf>. Acesso em: 12 jan. 2015.

7. P. Crane et al., "Glucose Levels and Risk of Dementia". *N. Engl. J. Med.*, n. 369, pp. 540-8, 8 ago. 2013.

8. E. H. Martinez-Lapiscina et al., "Mediterranean Diet Improves Cognition: The PREDIMED-NAVARRA Randomised Trial". *J. Neurol. Neurosurg. Psychiatry*, v. 84, n. 12, pp. 1318-25, dez. 2013. Publicado eletronicamente em 13 maio 2013. Ver também E. H. Martinez-Lapiscina et al., "Virgin Olive Oil Supplementation and Long-term Cognition: The PREDIMED-NAVARRA Randomized Trial". *J. Nutr. Health Aging*, v. 17, n. 6, pp. 544-52, 2013.

9. "Alzheimer's Disease and Inflammation". Overview Alzheimer's Disease and Inflammation Lab: Pritam Das. Disponível em: <www.mayo.edu/research/labs/alzheimers-disease-inflammation/overview>. Acesso em: 12 jan. 2015.

10. H. Fillit et al., "Elevated Circulating Tumor Necrosis Factor Levels in Alzheimer's Disease". *Neurosci. Lett.*, v. 129, n. 2, pp. 318-20, 19 ago. 1991. O gráfico da página 60 se baseia em dados do seguinte estudo: H. Bruunsgaard, "The Clinical Impact of Systemic Low-Level Inflammation in Elderly Populations. With Special Reference to Cardiovascular Disease, Dementia and Mortality". *Dan. Med. Bull.*, v. 53, n. 3, pp. 285-309, ago. 2006.

11. A. J. Gearing et al., "Processing of Tumour Necrosis Factor-Alpha Precursor by Metalloproteinases". *Nature*, v. 370, n. 6490, pp. 555-7, ago. 1994.

12. B. B. Aggarwal, S. C. Gupta e J. H. Kim, "Historical Perspectives on Tumor Necrosis Factor and Its Superfamily: 25 Years Later, a Golden Journey". *Blood*, v. 119, n. 3, pp. 651-65, 19 jan. 2012.

13. M. Sastre et al., "Contribution of Inflammatory Processes to Alzheimer's Disease: Molecular Mechanisms". *Int. J. Dev. Neurosci.*, v. 24, n. 2-3, pp. 167-76, abr.-maio 2006. Publicado eletronicamente em 10 fev. 2006.

14. Suzanne M. de la Monte e Jack R. Wands, "Alzheimer's Disease Is Type 3 Diabetes — Evidence Reviewed". *J. Diabetes Sci. Technol.*, v. 2, n. 6, pp. 1101-13, nov. 2008. Publicado online em nov. 2008.

15. J. Qin et al., "A Metagenome-wide Association Study of Gut Microbiota in Type 2 Diabetes". *Nature*, v. 490, n. 7418, pp. 55-60, 4 out. 2012. Publicado eletronicamente em 26 set. 2012. Ver também Frank Ervolino, "Could Gut Flora Be Linked to Diabetes?". Vitamin Research Products. Disponível em: <www.vrp.com/digestive-health/digestive-health/could-gut-flora-be-linked-to-diabetes>. Acesso em: 12 jan. 2015.

16. Yong Zhang e Heping Zhang, "Microbiota Associated with Type 2 Diabetes and Its Related Complications". *Food Sci. Human Wellness*, v. 2, n. 3-4, pp. 167-72, set.-dez. 2013. Disponível em: <www.sciencedirect.com/science/article/pii/S2213 453013000451>. Acesso em: 12 jan. 2015.

17. J. M. Hill et al., "The Gastrointestinal Tract Microbiome and Potential Link to Alzheimer's Disease". *Front. Neurol.*, n. 5, p. 43, 4 abr. 2014.

18. G. Weinstein et al., "Serum Brain-Derived Neurotrophic Factor and the Risk for Dementia: The Framingham Heart Study". *JAMA Neurol.*, v. 71, n. 1, pp. 55-61, jan. 2014.

19. Ibid.

20. American Society for Microbiology, "Intestinal Bacteria Produce Neurotransmitter, Could Play Role in Inflammation". *ScienceDaily*. Disponível em: <www.sciencedaily.com/releases/2012/06/120617142536.htm>. Acesso em: 12 jan. 2015.

21. J. R. Turner, "Intestinal Mucosal Barrier Function in Health and Disease". *Nat. Rev. Immunol.*, v. 9, n. 11, pp. 799-809, nov. 2009.

22. A. Fasano, "Zonulin and Its Regulation of Intestinal Barrier Function: The Biological Door to Inflammation, Autoimmunity e Cancer". *Physiol. Rev.*, v. 91, n. 1, pp. 151-75, jan. 2011.

23. M. M. Welling, R. J. Nabuurs e L. van der Weerd, "Potential Role of Antimicrobial Peptides in the Early Onset of Alzheimer's Disease". *Alzheimers Dement.*, v. 11, n. 1, pp. 51-7, jan. 2015. Publicado eletronicamente em 15 mar. 2014.

24. J. R. Jackson et al., "Neurologic and Psychiatric Manifestations of Celiac Disease and Gluten Sensitivity". *Psychiatr. Q.*, v. 83, n. 1, pp. 91-102, mar. 2012.

25. Marielle Suzanne Kahn, "A Potential Role for LPS-Induced Inflammation in the Induction of Alzheimer's Disease-Related Pathology and Cognitive Deficits". Dissertação de mestrado, Universidade Cristã do Texas, número da publicação: 1491006. Disponível em: <gradworks.umi.com/14/91/1491006.html>. Acesso em: 12 jan. 2015.

26. M. Kahn et al., "A Potential Role for LPS-Induced Inflammation in the Induction of Alzheimer's Disease-Related Pathology and Cognitive Deficits". Universidade Cristã do Texas. Disponível em: <www.srs.tcu.edu/previous_posters/Interdisciplinary/2011/122-Kahn-Chumley.pdf>. Acesso em: 12 jan. 2015.

27. J. W. Lee et al., "Neuro-inflammation Induced by Lipopolysaccharide Causes Cognitive Impairment through Enhancement of Beta-Amyloid Generation". *J. Neuroinflamm.*, n. 5, p. 37, 29 ago. 2008.

28. Z. Guan e J. Fang, "Peripheral Immune Activation by Lipopolysaccharide Decreases Neurotrophins in the Cortex and Hippocampus in Rats". *Brain Behav. Immun.*, v. 20, n. 1, pp. 64-71, jan. 2006.

29. R. Zhang et al., "Circulating Endotoxin and Systemic Immune Activation in Sporadic Amyotrophic Lateral Sclerosis (SALS)". *J. Neuroimmunol.*, 206, n. 1-2, pp. 121-4, 3 jan. 2009. Publicado eletronicamente em 14 nov. 2008. Os gráficos das páginas 70 e 71 se baseiam nesse estudo.

30. Ibid.

31. C. B. Forsyth et al., "Increased Intestinal Permeability Correlates with Sigmoid Mucosa Alpha-Synuclein Staining and Endotoxin Exposure Markers in Early Parkinson's Disease". *PLoS One*, v. 6, n. 12, 2011. Publicado eletronicamente em 1º dez. 2011.

32. "Manifestations of Low Vitamin B12 Levels". Centros de Controle e Prevenção de Doenças, 29 jun. 2009. Disponível em: <www.cdc.gov/ncbddd/b12/manifestations.html>. Acesso em: 12 jan. 2015.

33. H. W. Baik e R. M. Russell, "Vitamin B12 Deficiency in the Elderly". *Ann. Rev. Nutr.*, v. 19, pp. 357-77, 1999.

34. P. M. Kris-Etherton et al., "Polyunsaturated Fatty Acids in the Food Chain in the United States". *Am. J. Clin. Nutr.*, v. 71, supl. 1, pp. 179S-88S, jan. 2000.

35. M. H. Eskelinen et al., "Midlife Coffee and Tea Drinking and the Risk of Late-Life Dementia: A Population-Based CAIDE Study". *J. Alzheimers Dis.*, v. 16, n. 1, pp. 85-91, 2009.

36. Ibid.

37. Janet Raloff, "A Gut Feeling about Coffee". *ScienceNews*, 26 jul. 2007. Disponível em: <www.sciencenews.org/blog/food-thought/gut-feeling-about-coffee>. Acesso em: 12 jan. 2015.

38. M. Jaquet et al., "Impact of Coffee Consumption on the Gut Microbiota: A Human Volunteer Study". *J. Food Microbiol.*, v. 130, n. 2, pp. 117-21, 31 mar. 1999. Publicado eletronicamente em 23 jan. 2009.

39. T. E. Cowan et al., "Chronic Coffee Consumption in the Diet-Induced Obese Rat: Impact on Gut Microbiota and Serum Metabolomics". *J. Nutr. Biochem.*, v. 25, n. 4, pp. 489-95, abr. 2014. Publicado eletronicamente em 30 jan. 2014.

40. David Perlmutter e Alberto Villoldo, *Power of Your Brain*. Nova York: Hay House, 2011.

41. Nick Lane, *Power, Sex and Suicide: Mitochondria and the Meaning of Life*. Nova York: Oxford University Press, 2006, p. 207.

42. C. O'Gorman et al., "Environmental Risk Factors for Multiple Sclerosis: A Review with a Focus on Molecular Mechanisms". *Int. J. Mol. Sci.*, v. 13, n. 9, pp. 11718--52, 2012. Publicado eletronicamente em 18 set. 2012.

43. S. Conradi et al., "Breastfeeding Is Associated with Lower Risk for Multiple Sclerosis". *Mult. Scler.*, v. 19, n. 5, pp. 553-8, abr. 2013. Publicado eletronicamente em 4 set. 2012.

3. SUA BARRIGA ESTÁ DEPRESSIVA?: POR QUE UM INTESTINO IRRITADO DEIXA VOCÊ DE MAU HUMOR

1. Roni Caryn Rabin, "A Glut of Antidepressants". *New York Times*, 12 ago. 2013. Disponível em: <well.blogs.nytimes.com/2013/08/12/a-glut-of-antidepressants/>.

2. "Astounding Increase in Antidepressant Use by Americans — Harvard Health Blog". RSS Harvard Health Blog, 20 out. 2011. Disponível em: <www.health.harvard.edu/blog/astounding-increase-in-antidepressant-use-by-americans-201110203624>. Acesso em: 12 jan. 2015.

3. "Countries of the World: Gross National Product, GNP Distribution — 2005". Disponível em: <www.studentsoftheworld.info/infopays/rank/PNB2.html>. Acesso em: 12 jan. 2015.

4. Kathryn Roethel, "Antidepressants — Nation's Top Prescription". *SFGate*, 13 nov. 2012. Disponível em: <www.sfgate.com/health/article/Antidepressants-nation-s--top-prescription-4034392.php>. Acesso em: 12 jan. 2015.

5. "REPORT: Turning Attention to ADHD". Disponível em: <lab.express-scripts.com/insights/industry-updates/report-turning-attention-to-adhd>. Acesso em: 12 jan. 2015.

6. "Depression (Major Depressive Disorder): Selective Serotonin Reuptake Inhibitors (SSRIs)". Disponível em: <www.mayoclinic.org/diseases-conditions/depression/in-depth/ssris/art-20044825>. Acesso em: 12 jan. 2015.

7. L. Desbonnet et al., "The Probiotic Bifidobacteria infantis: An Assessment of Potential Antidepressant Properties in the Rat". *J. Psychiatr. Res.*, v. 43, n. 2, pp. 164-74, dez. 2008. Publicado eletronicamente em 5 maio 2008.

8. A. C. Bested et al., "Intestinal Microbiota, Probiotics and Mental Health: From Metchnikoff to Modern Advances: Part ɪɪ — Contemporary Contextual Research". *Gut Pathog.*, v. 5, n. 1, p. 3, mar. 2013. Ver também A. C. Bested et al., "Intestinal Microbiota, Probiotics and Mental Health: From Metchnikoff to Modern Advances: Part ɪɪɪ — Convergence toward Clinical Trials". *Gut Pathog.*, v. 5, n. 1, p. 4, 16 mar. 2013.

9. A. Ferrao e J. E. Kilman, "Experimental Toxic Approach to Mental Illness". *Psychiatr. Q.*, v. 7, n. 1933, pp. 115-53.

10. G. M. Khandaker et al., "Association of Serum Interleukin 6 and C-Reactive Protein in Childhood with Depression and Psychosis in Young Adult Life: A Population-Based Longitudinal Study". *JAMA Psychiatry*, v. 71, n. 10, pp. 1121-8, out. 2014.

11. Maria Almond, "Depression and Inflammation: Examining the Link". *Curr. Psychiatry*, v. 6, n. 12, pp. 24-32, 2013.

12. E. Painsipp et al., "Prolonged Depression-like Behavior Caused by Immune Challenge: Influence of Mouse Strain and Social Environment". *PLoS One*, v. 6, n. 6, p. e20719, 2011. Publicado eletronicamente em 6 jun. 2011.

13. M. Udina et al., "Interferon-Induced Depression in Chronic Hepatitis C: A Systematic Review and Meta-analysis". *J. Clin. Psychiatry*, v. 73, n. 8, pp. 1128-38, ago. 2012.

14. N. Vogelzangs et al., "Association of Depressive Disorders, Depression Characteristics and Antidepressant Medication with Inflammation". *Transl. Psychiatry*, v. 2, p. e79, 21 fev. 2012.

15. E. Lopez-Garcia et al., "Major Dietary Patterns Are Related to Plasma Concentrations of Markers of Inflammation and Endothelial Dysfunction". *Am. J. Clin. Nutr.*, v. 80, n. 4, pp. 1029-35, out. 2004.

16. S. Liu et al., "Relation between a Diet with a High Glycemic Load and Plasma Concentrations of High-Sensitivity C-Reactive Protein in Middle-Aged Women". *Am. J. Clin. Nutr.*, v. 75, n. 3, pp. 492-8, mar. 2002.

17. "Diabetes: What's the Connection between Diabetes and Depression: How Can I Cope If I Have Both?". Clínica Mayo. Disponível em: <www.mayoclinic.org/diseases-conditions/diabetes/expert-answers/diabetes-and-depression/faq-20057904>. Acesso em: 12 jan. 2015.

18. A. Pan et al., "Bidirectional Association between Depression and Type 2 Diabetes Mellitus in Women". *Arch. Intern. Med.*, v. 170, n. 21, pp. 1884-91, 22 nov. 2010.

19. F. S. Luppino et al., "Overweight, Obesity e Depression: A Systematic Review and Meta-analysis of Longitudinal Studies". *JAMA Psychiatry*, v. 67, n. 3, pp. 220-9, mar. 2010.

20. M. Maes et al., "The Gut-Brain Barrier in Major Depression: Intestinal Mucosal Dysfunction with an Increased Translocation of ʟᴘs from Gram Negative Enterobacteria (Leaky Gut) Plays a Role in the Inflammatory Pathophysiology of Depression". *Neuro. Endocrinol. Lett.*, v. 29, n. 1, pp. 117-24, fev. 2008. O gráfico da página 92 se baseia nos dados desse estudo.

21. Ibid.

22. Bested et al., "Intestinal Microbiota", parte II.

23. A. Sanchez-Villegas et al., "Association of the Mediterranean Dietary Pattern with the Incidence of Depression: The Seguimiento Universidad de Navarra/University of Navarra Follow-Up, (SUN) Cohort". *Arch. Gen. Psychiatry*, v. 66, n. 10, pp. 1090-8, out. 2009.

24. Bested et al., "Intestinal Microbiota", parte II.

25. M. E. Benros et al., "Autoimmune Diseases and Severe Infections as Risk Factors for Mood Disorders: A Nationwide Study". *JAMA Psychiatry*, v. 70, n. 8, pp. 812-20, ago. 2013.

26. Sonia Shoukat e Thomas W. Hale, "Breastfeeding in Infancy May Reduce the Risk of Major Depression in Adulthood". Centro de Ciências da Saúde da Universidade de Tecnologia do Texas, 18 set. 2012. Disponível em: <www.infantrisk.com/content/breastfeeding-infancy-may-reduce-risk-major-depression-adulthood-1>. Acesso em: 12 jan. 2015.

27. K. M. Neufeld et al., "Reduced Anxiety-like Behavior and Central Neurochemical Change in Germ-Free Mice". *Neurogastroenterol. Motil.*, v. 23, n. 3, pp. 255-64, mar. 2011. Publicado eletronicamente em 5 nov. 2010.

28. P. Bercik et al., "The Intestinal Microbiota Affect Central Levels of Brain-Derived Neurotropic Factor and Behavior in Mice". *Gastroenterology*, v. 141, n. 2, pp. 599-609, ago. 2011. Publicado eletronicamente em 30 abr. 2011.

29. Carrie Arnold, "Gut Feelings: The Future of Psychiatry May Be Inside Your Stomach". *The Verge*, 21 ago. 2013. Disponível em: <www.theverge.com/2013/8/21/4595712/gut-feelings-the-future-of-psychiatry-may-be-inside-your-stomach>. Acesso em: 12 jan. 2015.

30. K. Tillisch et al., "Consumption of Fermented Milk Product with Probiotic Modulates Brain Activity". *Gastroenterology*, v. 144, n. 7, pp. 1394-401, 1401.e1-4, jun. 2013, DOI: 10.1053/j.gastro.2013.02.043. Publicado eletronicamente em 6 mar. 2013. Ver também E. A Mayer et al., "Gut Microbes and the Brain: Paradigm Shift in Neuroscience". *J. Neurosci.*, v. 34, n. 46, pp. 15490-96, 12 nov. 2014.

31. Rachel Champeau, "Changing Gut Bacteria through Diet Affects Brain Function, UCLA Study Shows". *UCLA Newsroom*, 28 maio 2013. Disponível em: <newsroom.ucla.edu/releases/changing-gut-bacteria-through-45617>. Acesso em: 12 jan. 2015.

32. J. A. Foster e K. A. McVey, "Gut-Brain Axis: How the Microbiome Influences Anxiety and Depression". *Trends Neurosci.*, v. 36, n. 5, pp. 305-12, maio 2013. Publicado eletronicamente em 4 fev. 2013.

33. T. Vanuytsel et al., "Psychological Stress and Corticotropin-Releasing Hormone Increase Intestinal Permeability in Humans by a Mast Cell-Dependent Mechanism". *Gut*, v. 63, n. 8, pp. 1293-9, ago. 2014. Publicado eletronicamente em 23 out. 2013.

34. N. Sudo et al., "Postnatal Microbial Colonization Programs the Hypothalamic-Pituitary-Adrenal System for Stress Response in Mice". *J. Physiol.*, v. 558, parte 1, pp. 263-75, jul. 2004. Publicado eletronicamente em 7 maio 2004.

35. J. M. Kreuger e J. A. Majde, "Microbial Products and Cytokines in Sleep and Fever Regulation". *Crit. Rev. Immunol.*, v. 14, n. 3-4, pp. 355-79, 1994.

36. J. Glaus et al., "Associations between Mood, Anxiety or Substance Use Disorders and Inflammatory Markers after Adjustment for Multiple Covariates in a Population-Based Study". *J. Psychiatr. Res.*, v. 58, pp. 36-45, nov. 2014. Publicado eletronicamente em 22 jul. 2014.

37. A. E. Autry e L. M. Monteggia, "Brain-Derived Neurotrophic Factor and Neuropsychiatric Disorders". *Pharmacol. Rev.*, v. 64, n. 2, pp. 238-58, abr. 2012. Publicado eletronicamente em 8 mar. 2012.

38. J. Coplan et al., "Persistent Elevations of Cerebrospinal Fluid Concentrations of Corticotropin-Releasing Factor in Adult Nonhuman Primates Exposed to Early--Life Stressors: Implications for the Pathophysiology of Mood and Anxiety Disorders". *Proc. Natl. Acad. Sci. USA*, v. 93, pp. 1619-23, fev. 1996. Disponível em: <www.ncbi.nlm. nih.gov/pmc/articles/PMC39991/pdf/pnas01508-0266.pdf>. Acesso em: 12 jan. 2015.

39. Bested et al., "Intestinal Microbiota", parte II.

40. "Anxiety Disorders". RSS NIMH. Disponível em: <www.nimh.nih.gov/health/ publications/anxiety-disorders/index.shtml?rf=53414>. Acesso em: 12 jan. 2015.

41. J. A. Bravo et al., "Ingestion of *Lactobacillus* Strain Regulates Emotional Behavior and Central GABA Receptor Expression in a Mouse via the Vagus Nerve". *Proc. Natl. Acad. Sci. USA*, v. 108, n. 38, pp. 16050-5, 20 set. 2011. Publicado eletronicamente em 29 ago. 2011.

42. University College Cork, "Mind-Altering Microbes: Probiotic Bacteria May Lessen Anxiety and Depression". *ScienceDaily*. Disponível em: <www.sciencedaily. com/releases/2011/08/110829164601.htm>. Acesso em: 12 jan. 2015.

43. K. Schmidt et al., "Prebiotic Intake Reduces the Waking Cortisol Response and Alters Emotional Bias in Healthy Volunteers". *Psychopharmacology*, Berlim, 3 dez. 2014. Publicado eletronicamente antes de ir ao prelo.

44. Bested et al., "Intestinal Microbiota", parte II.

45. Barry Sears, "ADHD: An Inflammatory Condition". *Psychology Today*, 20 jul. 2011. Disponível em: <www.psychologytoday.com/blog/in-the-zone/201107/adhd-inflammatory-condition>. Acesso em: 12 jan. 2015.

46. Alan Schwarz, "Thousands of Toddlers Are Medicated for A.D.H.D., Report Finds, Raising Worries". *New York Times*, 16 maio 2014. Disponível em: <www.nytimes. com/2014/05/17/us/among-experts-scrutiny-of-attention-disorder-diagnoses-in-2--and-3-year-olds.html>. Acesso em: 12 jan. 2015.

47. KJ Dell'Antonia, "The New Inequality for Toddlers: Less Income; More Ritalin". *New York Times*, blog Motherlode, 16 maio 2014. Disponível em: <parenting.

blogs.nytimes.com/2014/05/16/the-new-inequality-for-toddlers-less-income-more-
-ritalin/>. Acesso em: 12 jan. 2015.

48. T. Lempo et al., "Altered Gene Expression in the Prefrontal Cortex of Young Rats Induced by the ADHD Drug Atomoxetine". *Prog. Neuropsychopharmacol. Biol. Psychiatry*, v. 40, pp. 221-8, 10 jan. 2013. Publicado eletronicamente em 30 ago. 2012.

49. J. R. Burgess et al., "Long-Chain Polyunsaturated Fatty Acids in Children with Attention-Deficit Hyperactivity Disorder". *Am. J. Clin. Nutr.*, v. 71, supl. 1, pp. 327S-30S, jan. 2000.

50. Ibid.

51. E. A. Curran et al., "Research Review: Birth by Caesarean Section and Development of Autism Spectrum Disorder and Attention-Deficit/Hyperactivity Disorder: A Systematic Review and Meta-analysis". *J. Child Psychol. Psychiatry*, 27 out. 2014. Publicado eletronicamente antes de ir ao prelo.

52. C. McKeown et al., "Association of Constipation and Fecal Incontinence with Attention-Deficit/Hyperactivity Disorder". *Pediatrics*, v. 132, n. 5, pp. e1210-5, nov. 2013. Publicado eletronicamente em 21 out. 2013.

53. H. Niederhofer, "Association of Attention-Deficit/Hyperactivity Disorder and Celiac Disease: A Brief Report". *Prim. Care Companion CNS Disord.*, v. 13, n. 3, 2011.

54. L. M. Pelsser et al., "Effects of a Restricted Elimination Diet on the Behaviour of Children with Attention-Deficit Hyperactivity Disorder, INCA Study: A Randomised Controlled Trial". *Lancet*, v. 377, n. 9764, pp. 494-503, 5 fev. 2011.

55. R. A. Edden et al., "Reduced GABA Concentration in Attention-Deficit/Hyperactivity Disorder". *Arch. Gen. Psychiatry*, v. 69, n. 7, pp. 750-53, jul. 2012.

56. E. Barrett et al., "γ-Aminobutyric Acid Production by Culturable Bacteria from the Human Intestine". *J. Appl. Microbiol.*, v. 113, n. 2, pp. 411-7, ago. 2012. Publicado eletronicamente em 15 jun. 2012.

57. J. Luo et al., "Ingestion of Lactobacillus Strain Reduces Anxiety and Improves Cognitive Function in the Hyperammonemia Rat". *Sci. China Life Sci.*, v. 57, n. 3, pp. 327-35, mar. 2014. Publicado eletronicamente em 19 fev. 2014.

58. M. Messaoudi et al., "Assessment of Psychotropic-like Properties of a Probiotic Formulation (*Lactobacillus helveticus* R0052 and *Bifidobacterium longum* R0175) in Rats and Human Subjects". *Br. J. Nutr.*, v. 105, n. 5, pp. 755-64, mar. 2011. Publicado eletronicamente em 26 out. 2010.

59. "Impulsive versus Controlled Men: Disinhibited Brains and Disinhibited Behavior". *Press Release*, Elsevier, 3 nov. 2011. Disponível em: <www.elsevier.com/about/press-releases/research-and-journals/impulsive-versus-controlled-men-disinhibited-brains-and-disinhibited-behavior>. Acesso em: 12 jan. 2015. Ver também D. J. Hayes et al., "Brain γ-Aminobutyric Acid: A Neglected Role in Impulsivity". *Eur. J. Neurosci.*, v. 39, n. 11, pp. 1921-32, jun. 2014. Publicado eletronicamente em 27 jan. 2014.

60. A. Draper et al., "Increased GABA Contributes to Enhanced Control over Motor Excitability in Tourette Syndrome". *Curr. Biol.*, v. 24, n. 19, pp. 2343-7, 6 out. 2014. Publicado eletronicamente em 25 set. 2014. Ver também A. Lerner et al., "Widespread Abnormality of the γ-Aminobutyric Acid-Ergic System in Tourette Syndrome". *Brain*, v. 135, parte 6, pp. 1926-36, jun. 2012. Publicado eletronicamente em 10 maio 2012.

61. K. L. Harding et al., "Outcome-Based Comparison of Ritalin versus Food--Supplement Treated Children with AD/HD". *Altern. Med. Rev.*, v. 8, n. 3, pp. 319-30, ago. 2003. Disponível em: <alternativementalhealth.com/articles/gant.pdf>. Acesso em: 12 jan. 2015.

62. P. M. Kidd, "Attention Deficit/Hyperactivity Disorder, ADHD in Children: Rationale for Its Integrative Management". *Altern. Med. Rev.*, v. 5, n. 5, pp. 402-28, out. 2000.

63. L. J. Stevens et al., "Dietary Sensitivies and ADHD Symptoms: Thirty-Five Years of Research". *Clin. Pediatr., Phila.*, v. 50, n. 4, pp. 279-93, abr. 2011. Publicado eletronicamente em 2 dez. 2010.

4. COMO SUA FLORA INTESTINAL ATACA SEU PESO E SUA CABEÇA: A RELAÇÃO SURPREENDENTE ENTRE SUAS BACTÉRIAS E O APETITE, A OBESIDADE E O CÉREBRO

1. "Obesity". Organização Mundial da Saúde. Disponível em: <www.Who.int/topics/obesity/en/>. Acesso em: 12 jan. 2015.

2. "An Epidemic of Obesity: U.S. Obesity Trends". The Nutrition Source. Disponível em: <www.hsph.harvard.edu/nutritionsource/an-epidemic-of-obesity/>. Acesso em: 12 jan. 2015.

3. "Obesity and Overweight". Organização Mundial da Saúde. Disponível em: <www.Who.int/mediacentre/factsheets/fs311/en/>. Acesso em: 12 jan. 2015.

4. Meryl C. Vogt et al., "Neonatal Insulin Action Impairs Hypothalamic Neurocircuit Formation in Response to Maternal High-Fat Feeding". *Cell*, v. 156, n. 3, pp. 495-509, jan. 2014. Disponível em: <dx.doi.org/10.1016/j.cell.2014.01.008>. Acesso em: 12 jan. 2015.

5. N. Ashley et al., "Maternal High-fat Diet and Obesity Compromise Fetal Hematopoiesis". *Molecular Metabolism*, 2014.

6. C. De Filippo et al., "Impact of Diet in Shaping Gut Microbiota Revealed by a Comparative Study in Children from Europe and Rural Africa". *Proc. Natl. Acad. Sci. USA*, v. 107, n. 33, pp. 14691-6, 17 ago. 2010. Publicado eletronicamente em 2 ago. 2010. Os gráficos das páginas 114 e 115 refletem os dados desse estudo.

7. Ibid. Ver também Helen Pearson, "Fat People Harbor 'Fat' Microbes". *Nature*, 20 dez. 2006. Disponível em: <www.nature.com/news/2006/061218/full/news061218-6.html>. Acesso em: 12 jan. 2015.

8. M. A. O'Malley e K. Stotz, "Intervention, Integration and Translation in Obesity Research: Genetic, Developmental and Metaorganismal Approaches". *Philos. Ethics Humanit. Med.*, v. 6, p. 2, jan. 2011.

9. H. D. Holscher et al., "Fiber Supplementation Influences Phylogenetic Structure and Functional Capacity of the Human Intestinal Microbiome: Follow-Up of a Randomized Controlled Trial". *Am. J. Clin. Nutr.*, v. 101, n. 1, pp. 55-64, jan. 2015. Publicado eletronicamente em 12 nov. 2014.

10. De Filippo et al., "Impact of Diet in Shaping Gut Microbiota". Ver também H. Tilg e A. Kaser, "Gut Microbiome, Obesity e Metabolic Dysfunction". *J. Clin. Invest.*, v. 121, n. 6, jun. 2011, pp. 2126-32. Publicado eletronicamente em 1º jun. 2011.

11. V. K. Ridaura et al., "Gut Microbiota from Twins Discordant for Obesity Modulate Metabolism in Mice". *Science*, v. 341, n. 6150, 6 set. 2013.

12. P. J. Turnbaugh et al., "An Obesity-Associated Gut Microbiome with Increased Capacity for Energy Harvest". *Nature*, v. 444, n. 7122, pp. 1027-31, 21 dez. 2006.

13. J. Gerritsen et al., "Intestinal Microbiota in Human Health and Disease: The Impact of Probiotics". *Genes Nutr.*, v. 7, n. 3, pp. 209-40, ago. 2011. Publicado eletronicamente em 27 maio 2011.

14. Claudia Wallis, "How Gut Bacteria Help Make Us Fat and Thin". *Scientific American*, v. 310, n. 6, 1º jun. 2014. Disponível em: <www.scientificamerican.com/article/how-gut-bacteria-help-make-us-fat-and-thin/>. Acesso em: 12 jan. 2015.

15. "Cleveland Clinic Research Shows Gut Bacteria Byproduct Impacts Heart Failure". Clínica Cleveland. Disponível em: <my.clevelandclinic.org/about-cleveland--clinic/newsroom/releases-videos-newsletters/cleveland-clinic-research-shows-gut--bacteria-byproduct-impacts-heart-failure>. Acesso em: 12 jan. 2015.

16. C. N. Lumeng e A. R. Saltiel, "Inflammatory Links between Obesity and Metabolic Disease". *J. Clin. Invest.*, v. 121, n. 6, pp. 2111-17, jun. 2011. Publicado eletronicamente em 1º jun. 2011.

17. H. Yang et al., "Obesity Increases the Production of Proinflammatory Mediators from Adipose Tissue T Cells and Compromises TCR Repertoire Diversity: Implications for Systemic Inflammation and Insulin Resistance". *J. Immunol.*, v. 185, n. 3, pp. 1836-45, 1 ago. 2010. Publicado eletronicamente em 25 jun. 2010.

18. W. Jagust et al., "Central Obesity and the Aging Brain". *Arch. Neurol.*, v. 62, n. 10, pp. 1545-8, out. 2005.

19. S. Debette et al., "Visceral Fat Is Associated with Lower Brain Volume in Healthy Middle-Aged Adults". *Ann. Neurol.*, v. 68, n. 2, pp. 136-44, ago. 2010.

20. R. Schmidt et al., "Early Inflammation and Dementia: A 25-Year Follow-Up of the Honolulu-Asia Aging Study". *Ann. Neurol.*, v. 52, n. 2, pp. 168-74, ago. 2002.

Ver também Joseph Rogers, "High-Sensitivity C-Reactive Protein: An Early Marker of Alzheimer's?". *N. Engl. J. Med. Journal Watch*, 11 out. 2002.

21. Estatísticas Nacionais de Diabetes, 2014. Disponível em: <www.cdc.gov/diabetes/pubs/statsreport14/national-diabetes-report-web.pdf>. Acesso em: 12 jan. 2015.

22. A.V. Hartstra et al., "Insights into the Role of the Microbiome in Obesity and Type 2 Diabetes". *Diabetes Care*, v. 38, n. 1, pp. 159-65, jan. 2015. Para uma lista dos artigos do dr. M. Nieuwdorp, consulte <www.amc.nl/web/Research/Who-is-Who-in--Research/Who-is-Who-in-Research.htm?p=1597&v=publications>. Ver também R. S. Kootte et al., "The Therapeutic Potential of Manipulating Gut Microbiota in Obesity and Type 2 Diabetes Mellitus". *Diabetes Obes. Metab.*, v. 14, n. 2, pp. 112-20, fev. 2012. Publicado eletronicamente em 22 nov. 2011.

23. Turnbaugh et al., "An Obesity-Associated Gut Microbiome".

24. V. K. Ridaura et al., "Gut Microbiota from Twins Discordant for Obesity Modulate Metabolism in Mice".

25. Wallis, "How Gut Bacteria Help Make Us Fat and Thin".

26. T. Poutahidis et al., "Microbial Reprogramming Inhibits Western Diet-Associated Obesity". *PLoS One*, v. 8, n. 7, 10 jul. 2013.

27. G. A. Bray et al., "Consumption of High-Fructose Corn Syrup in Beverages May Play a Role in the Epidemic of Obesity". *Am. J. Clin. Nutr.*, v. 79, n. 4, pp. 537-43, abr. 2004.

28. A. Abbott, "Sugar Substitutes Linked to Obesity". *Nature*, v. 513, n. 7518, p. 290, 18 set. 2014.

29. K. K. Ryan et al., "FXR Is a Molecular Target for the Effects of Vertical Sleeve Gastrectomy". *Nature*, v. 509, n. 7499, pp. 183-8, 8 maio 2014. Publicado eletronicamente em 26 mar. 2014.

30. S. F. Clarke et al., "Exercise and Associated Dietary Extremes Impact on Gut Microbial Diversity". *Gut*, v. 63, n. 12, pp. 1913-20, dez. 2014. Publicado eletronicamente em 9 jun. 2014.

31. M. C. Arrieta et al., "The Intestinal Microbiome in Early Life: Health and Disease". *Front. Immunol.*, v. 5, p. 427, 5 set. 2014.

32. "Early Antibiotic Exposure Leads to Lifelong Metabolic Disturbance in Mice". Release noticioso, Centro Médico Langone da Universidade de Nova York, 14 ago. 2014. Disponível em: <communications.med.nyu.edu/media-relations/news/early-antibiotic-exposure-leads-lifelong-meta bolic-disturbances-mice>. Acesso em: 12 jan. 2015. Ver também L. M. Cox et al., "Altering the Intestinal Microbiota during a Critical Developmental Window Has Lasting Metabolic Consequences". *Cell*, v. 158, n. 4, pp. 705-21, 14 ago. 2014.

33. Wallis, "How Gut Bacteria Help Make Us Fat and Thin".

34. Blaser Lab Group, "Lab Overview". Disponível em: <http://www.med.nyu.edu/medicine/labs/blaserlab/>. Acesso em: 15 jan. 2015.

5. O AUTISMO E O INTESTINO: NAS FRONTEIRAS DA MEDICINA NEUROLÓGICA

1. Melissa Pandika, "Autism's Gut-Brain Connection". *National Geographic*, 14 nov. 2014. Disponível em: <news.nationalgeographic.com/news/2014/11/141114-autism--gut-brain-probiotic-research-biology-medicine-bacteria/>. Acesso em: 12 jan. 2015.

2. "Autism Spectrum Disorder". Centros de Controle e Prevenção de Doenças, 2 jan. 2015. Disponível em: <www.cdc.gov/ncbddd/autism/index.html>. Acesso em: 12 jan. 2015.

3. Autism Speaks. "Largest-Ever Autism Genome Study Finds Most Siblings Have Different Autism-Risk Genes". *ScienceDaily*, 26 jan. 2015. Disponível em: <www.sciencedaily.com/releases/2015/01/150126124604.htm>. Acesso em: 12 jan. 2015.

4. Stephen W. Scherer et al., "Whole-genome Sequencing of Quartet Families with Autism Spectrum Disorder". *Nature Medicine*, 2015.

5. O gráfico da página 136, "Transtornos do espectro autista — Taxas de incidência", se baseia em dados dos Centros de Controle e Prevenção de Doenças e dos Institutos Nacionais de Saúde dos Estados Unidos. Foi elaborado por Joanne Marcinek e se encontra disponível em: <joannemarcinek.com/autism-spectrum-disorder-incidence-rates/>. Acesso em: 15 jan. 2015.

6. F. Godiee et al., "Wakefield's Article Linking MMR Vaccine and Autism Was Fraudulent". *BMJ*, v. 342, p. c7452, 5 jan. 2011.

7. Melinda Wenner Moyer, "Gut Bacteria May Play a Role in Autism". *Scientific American Mind*, v. 25, n. 5, 14 ago. 2014. Disponível em: <www.scientificamerican.com/article/gut-bacteria-may-play-a-role-in-autism/>. Acesso em: 2015.

8. H. M. Parracho et al., "Differences between the Gut Microflora of Children with Autistic Spectrum Disorders and That of Healthy Children". *J. Med. Microbiol.*, v. 54, parte 10, pp. 987-91, out. 2005.

9. Sarah Deweerdt, "New Gene Studies Suggest There Are Hundreds of Kinds of Autism". *Wired*, 25 nov. 2014. Disponível em: <www.wired.com/2014/11/autism--genetics/>. Acesso em: 12 jan. 2015.

10. "Scientists Implicate More Than 100 Genes in Causing Autism". *NPR*, 29 out. 2014. Disponível em: <npr.org/blogs/health/2014/10/29/359818102/scientists-implicate-more-than-100-genes-in-causing-autism>. Acesso em: 12 jan. 2015.

11. P. Gorrindo et al., "Gastrointestinal Dysfunction in Autism: Parental Report, Clinical Evaluation e Associated Factors". *Autism Res.*, v. 5, n. 2, pp. 101-8, abr. 2012.

12. L. de Magistris et al., "Alterations of the Intestinal Barrier in Patients with Autism Spectrum Disorders and in Their First-Degree Relatives". *J. Pediatr. Gastroenterol. Nutr.*, v. 51, n. 4, pp. 418-24, out. 2010.

13. E. Emanuele et al., "Low-Grade Endotoxemia in Patients with Severe Au-

tism". *Neurosci. Lett.*, v. 471, n. 3, pp. 162-5, 8 mar. 2010. Publicado eletronicamente em 25 jan. 2010. O gráfico da página 145 se baseia nos dados desse estudo.

14. J. F. White, "Intestinal Pathophysiology in Autism". *Exp. Biol. Med.* (Maywood), v. 228, n. 6, pp. 639-49, jun. 2003.

15. J. G. Mulle et al., "The Gut Microbiome: A New Frontier in Autism Research". *Curr. Psychiatry Rep.*, v. 15, n. 2, p. 337, fev. 2013.

16. S. M. Finegold et al., "Gastrointestinal Microflora Studies in Late-Onset Autism". *Clin. Infect. Dis.*, v. 35, supl. 1, pp. S6-S16, 1º set. 2002.

17. Parracho et al., op. cit.

18. R. H. Sandler et al., "Short-Term Benefit from Oral Vancomycin Treatment of Regressive-Onset Autism". *J. Child Neurol.*, v. 15, n. 7, pp. 429-35, jul. 2000.

19. Sydney M. Finegold, "Studies on Bacteriology of Autism". Disponível em: <bacteriaandautism.com/>. Acesso em: 29 jan. 2015.

20. Sandler et al., op. cit.

21. Finegold, op. cit.

22. Finegold et al., op. cit.

23. Derrick MacFabe, "Western Social Science, The Kilee Patchell-Evans Autism Research Group". Disponível em: <www.psychology.uwo.ca/autism/>. Acesso em: 29 jan. 2015.

24. D. F. MacFabe, "Short-Chain Fatty Acid Fermentation Products of the Gut Microbiome: Implications in Autism Spectrum Disorders". *Microb. Ecol. Health Dis.*, v. 23, 24 ago. 2012.

25. S. J. James et al., "Cellular and Mitochondrial Glutathione Redox Imbalance in Lymphoblastoid Cells Derived from Children with Autism". *FASEB J.*, v. 23, n. 8, pp. 2374-83, ago. 2009. Publicado eletronicamente em 23 mar. 2009.

26. A. M. Aldbass et al., "Protective and Therapeutic Potency of N-Acetyl-Cysteine on Propionic Acid-Induced Biochemical Autistic Features in Rats". *J. Neuroinflamm.*, v. 10, p. 42, 27 mar. 2013.

27. A. Y. Hardan et al., "A Randomized Controlled Pilot Trial of Oral N-Acetylcysteine in Children with Autism". *Biol. Psychiatry*, v. 71, n. 11, pp. 956-61, 1º jun. 2012. Publicado eletronicamente em 18 fev. 2012.

28. E. Y. Hsiao et al., "Microbiota Modulate Behavioral and Physiological Abnormalities Associated with Neurodevelopmental Disorders". *Cell*, v. 155, n. 7, pp. 1451--63, 19 dez. 2013. Publicado eletronicamente em 5 dez. 2013. Ver também E. Y. Hsiao et al., "Maternal Immune Activation Yields Offspring Displaying Mouse Versions of the Three Core Symptoms of Autism". *Brain Behav. Immun.*, v. 26, n. 4, pp. 607-16, maio 2012. Publicado eletronicamente em 30 jan. 2012.

29. R. E. Frye e D. A. Rossignol, "Mitochondrial Dysfunction Can Connect the Diverse Medical Symptoms Associated with Autism Spectrum Disorders". *Pediatr. Res.*, v. 69, n. 5, parte 2, pp. 41R-7R, maio 2011.

30. P. F. Chinnery, "Mitochondrial Disorders Overview". *GeneReviews* (internet), org. R. A. Pagon et al. Seattle: University of Washington, 1993-2015.

31. C. Giulivi et al., "Mitochondrial Dysfunction in Autism". *JAMA*, v. 304, n. 21, pp. 2389-96, 1º dez. 2010.

32. Universidade da Califórnia em Davis — Sistema de Saúde, "Children with Autism Have Mitochondrial Dysfunction, Study Finds". *ScienceDaily*. Disponível em: <www.sciencedaily.com/releases/2010/11/101130161521.htm>. Acesso em: 12 jan. 2015.

PARTE II: CRISE NA MICROBIOLÂNDIA

6. UM SOCO NO INTESTINO: A VERDADE SOBRE A FRUTOSE E O GLÚTEN

1. K. Brown et al., "Diet-Induced Dysbiosis of the Intestinal Microbiota and the Effects on Immunity and Disease". *Nutrients*, v. 4, n. 8, pp. 1095-119, ago. 2012. Publicado eletronicamente em 21 ago. 2012.

2. J. Suez et al., "Artificial Sweeteners Induce Glucose Intolerance by Altering the Gut Microbiota". *Nature*, v. 514, n. 7521, pp. 181-6, 9 out. 2014. Publicado eletronicamente em 17 set. 2014.

3. G. Fagherazzi et al., "Consumption of Artificially and Sugar-Sweetened Beverages and Incident Type 2 Diabetes in the Etude Epidemiologique aupres des Femmes de la Mutuelle Generale de l'Education Nationale-European Prospective Investigation into Cancer and Nutrition Cohort". *Am. J. Clin. Nutr.*, v. 97, n. 3, pp. 517-23, mar. 2013. Publicado eletronicamente em 30 jan. 2013. O gráfico da página 168 se baseia nos dados desse estudo.

4. K. Kavanagh et al., "Dietary Fructose Induces Endotoxemia and Hepatic Injury in Calorically Controlled Primates". *Am. J. Clin. Nutr.*, v. 98, n. 2, pp. 349-57, ago. 2013.

5. S. Drago et al., "Gliadin, Zonulin and Gut Permeability: Effects on Celiac and Non-celiac Intestinal Mucosa and Intestinal Cell Lines". *Scand. J. Gastroenterol.*, v. 41, n. 4, pp. 408-19, abr. 2006.

6. A. Alaedini et al., "Immune Cross-Reactivity in Celiac Disease: Anti-gliadin Antibodies Bind to Neuronal Synapsin I". *J. Immunol.*, v. 178, n. 10, pp. 6590-5, 15 maio 2007.

7. J. Visser et al., "Tight Junctions, Intestinal Permeability e Autoimmunity: Celiac Disease and Type 1 Diabetes Paradigms". *Ann. N. Y. Acad. Sci.*, v. 1165, pp. 195-205, maio 2009.

8. A. Fasano, "Zonulin and Its Regulation of Intestinal Barrier Function: The Biological Door to Inflammation, Autoimmunity e Cancer". *Physiol. Rev.*, v. 91, n. 1, pp. 151-75, jan. 2011.

9. M. M. Leonard e B. Vasagar, "US Perspective on Gluten-Related Diseases". *Clin. Exp. Gastroenterol.*, v. 7, pp. 25-37, 24 jan. 2014.

10. Brown et al., op. cit.

11. E. V. Marietta et al., "Low Incidence of Spontaneous Type 1 Diabetes in Non--obese Diabetic Mice Raised on Gluten-Free Diets Is Associated with Changes in the Intestinal Microbiome". *PLoS One*, v. 8, n. 11, nov. 2013.

12. D. P. Funda et al., "Prevention or Early Cure of Type 1 Diabetes by Intranasal Administration of Gliadin in NOD Mice". *PLoS One*, v. 9, n. 4, 11 abr. 2014.

13. K. Vandepoele e Y. Van de Peer, "Exploring the Plant Transcriptome through Phylogenetic Profiling". *Plant Physiol.*, v. 137, n. 1, pp. 31-42, jan. 2005.

7. GUERRA INTESTINA: OS FATORES QUE DESTROEM UM MICROBIOMA SAUDÁVEL

1. Centros de Controle e Prevenção de Doenças, "Antibiotic Resistance Threats in the United States 2013". Disponível em: <www.cdc.gov/drugresistance/threat-report-2013/pdf/ar-threats-2013-508.pdf>. Acesso em: 4 fev. 2015.

2. "Who's First Global Report on Antibiotic Resistance Reveals Serious, Worldwide Threat to Public Health". Organização Mundial da Saúde. Disponível em: <www.who.int/mediacentre/news/releases/2014/amr-report/en/>. Acesso em: 12 jan. 2015.

3. "Penicillin". Discurso do prêmio Nobel de Alexander Fleming, 11 dez. 1945. Disponível em: <www.nobelprize.org/nobel_prizes/medicine/laureates/1945/fleming--lecture.pdf>. Acesso em: 4 fev. 2015.

4. "Antibiotic/Antimicrobial Resistance". Centros de Controle e Prevenção de Doenças. Disponível em: <www.cdc.gov/drugresistance/>. Acesso em: 29 jan. 2015.

5. F. Francois et al., "The Effect of *H. pylori* Eradication on Meal-Associated Changes in Plasma Ghrelin and Leptin". *BMC Gastroenterol.*, v. 11, 14 p. 37, abr. 2011, DOI: 10.1186/1471-230X-11-37.

6. O gráfico da página 180 foi adaptado do blog Disease Prone, de James Byrne, hospedado em ScientificAmerican.com. Disponível em: <blogs.scientificamerican.com/disease-prone/files/2011/11/ABx-use-graph.png>. Acesso em: 12 jan. 2015.

7. David Kessler, "Antibiotics and Meat We Eat". *New York Times*, p. A27, 27 mar. 2013. Disponível em: <www.nytimes.com/2013/03/28/opinion/antibiotics-and-the--meat-we-eat.html>. Acesso em: 12 jan. 2015.

8. Ibid.

9. C. J. Hildreth et al., "JAMA Patient Page. Inappropriate Use of Antibiotics". *JAMA*, v. 302, n. 7, p. 816, 19 ago. 2009.

10. C. M. Velicer et al., "Antibiotic Use in Relation to the Risk of Breast Cancer". *JAMA*, v. 291, n. 7, pp. 827-35, 18 fev. 2004. O gráfico da página 183 é baseado em dados desse estudo.

11. R. F. Schwabe e C. Jobin, "The Microbiome and Cancer". *Nat. Rev. Cancer*, v. 13, n. 11, pp. 800-12, nov. 2013. Publicado eletronicamente em 17 out. 2013.

12. U.S. Food and Drug Administration, "FDA Drug Safety Communication: Azithromycin (Zithromax or Zmax) and the Risk of Potentially Fatal Heart Rhythms". Disponível em: <www.fda.gov/Drugs/DrugSafety/ucm341822.htm>. Acesso em: 12 jan. 2015.

13. Michael O'Riordan, "Cardiac Risks with Antibiotics Azithromycin, Levofloxacin Supported by VA Data". Medscape, 10 mar. 2014. Disponível em: <www.medscape.com/viewarticle/821697>. Acesso em: 12 jan. 2015.

14. T. R. Coker et al., "Diagnosis, Microbial Epidemiology e Antibiotic Treatment of Acute Otitis Media in Children: A Systematic Review". *JAMA*, v. 304, n. 19, pp. 2161-9, 17 nov. 2010.

15. E. F. Berbari et al., "Dental Procedures as Risk Factors for Prosthetic Hip or Knee Infection: A Hospital-Based Prospective Case-Control Study". *Clin. Infect. Dis.*, v. 50, n. 1, pp. 8-16, 1º jan. 2010.

16. Kathleen Doheny, "Birth Control Pills, HRT Tied to Digestive Ills". HealthDay, 21 maio 2012. Disponível em: <consumer.healthday.com/women-s-health-information-34/birth-control-news-62/birth-control-pills-hrt-tied-to-digestive-ills-664939.html>. Acesso em: 12 jan. 2015.

17. H. Khalili et al., "Oral Contraceptives, Reproductive Factors and Risk of Inflammatory Bowel Disease". *Gut*, v. 62, n. 8, pp. 1153-9, ago. 2013. Publicado eletronicamente em 22 maio 2012.

18. Kelly Brogan, "Holistic Women's Health Psychiatry". Disponível em: <www.kellybroganmd.com>. Acesso em: 29 jan. 2015.

19. K. Andersen et al., "Do Nonsteroidal Anti-inflammatory Drugs Decrease the Risk for Alzheimer's Disease? The Rotterdam Study". *Neurology*, v. 45, n. 8, pp. 1441-5, ago. 1995.

20. J. M. Natividad et al., "Host Responses to Intestinal Microbial Antigens in Gluten-Sensitive Mice". *PLoS One*, v. 4, n. 7, p. e6472, 31 jul. 2009.

21. The Environmental Working Group, "Toxic Chemicals Found in Minority Cord Blood". Release noticioso, 2 dez. 2009. Disponível em: <www.ewg.org/news/news-releases/2009/12/02/toxic-chemicals-found-minority-cord-blood>. Acesso em: 4 fev. 2015.

22. The Environmental Protection Agency. Disponível em: <www.epa.gov>. Acesso em: 12 jan. 2015.

23. The Environmental Working Group. Disponível em: <www.ewg.org>. Acesso em: 12 jan. 2015.

24. H. S. Lee et al., "Associations among Organochlorine Pesticides, Methanobacteriales e Obesity in Korean Women". *PLoS One*, v. 6, n. 11, p. e27773, 2011. Publicado eletronicamente em 17 nov. 2011.

25. *Life*, v. 20, n. 10a, outono de 1997.

26. "Global Water Soluble Fertilizers Market, by Types (Nitrogenous, Phosphatic, Potassic, Micronutrients), Applications (Fertigation, Foliar Application), Crop Types (Field, Horticultural, Turf & Ornamentals) & Geography — Trends & Forecasts to 2017". *PR Newswire*, 6 mar. 2013. Disponível em: <www.prnewswire.com/news-releases/global-water-soluble-fertilizers-market-by-types-nitrogenous-phosphatic-potassic-micro nutrients-applications-fertigation-foliar-application-crop-types-field-horticultural-turf-ornamentals-geography-trends-f-195525101.html>. Acesso em: 4 fev. 2015.

27. S. Seneff e A. Samsel, "Glyphosate, Pathways to Modern Diseases II: Celiac Sprue and Gluten Intolerance". *Interdiscip. Toxicol.*, v. 6, n. 4, pp. 159-84, dez. 2013. O gráfico da página 195 foi tirado do artigo publicado (Copyright © 2013 SETOX & IEPT, SASC.), de acesso livre, distribuído nos termos da Creative Commons Attribution License, disponível em: <creativecommons.org/licenses/by/2.0>. Acesso em: 12 jan. 2015.

28. Ibid.

29. "Where GMOs Hide in Your Food". *Consumer Reports*, out. 2014. Disponível em: <www.ConsumerReports.org/cro/gmo1014>. Acesso em: 12 jan. 2015.

PARTE III: A CLÍNICA DO CÉREBRO

8. ALIMENTO PARA O MICROBIOMA: SEIS DICAS PARA ESTIMULAR O CÉREBRO ESTIMULANDO O INTESTINO

1. "Ilya Mechnikov — Biographical". Nobelprize.org. Disponível em: <www.nobelprize.org/nobel_prizes/medicine/laureates/1908/mechnikov-bio.html>. Acesso em: 29 jan. 2015.

2. G. W. Tannock, "A Special Fondness for Lactobacilli". *Appl. Environ. Microbiol.*, v. 70, n. 6, pp. 3189-94, jun. 2004.

3. P. K. Elias et al., "Serum Cholesterol and Cognitive Performance in the Framingham Heart Study". *Psychosom. Med.*, v. 67, n. 1, pp. 24-30 jan.-fev. 2005.

4. M. Mulder et al., "Reduced Levels of Cholesterol, Phospholipids e Fatty Acids in Cerebrospinal Fluid of Alzheimer Disease Patients Are Not Related to Apolipoprotein E4". *Alzheimer Dis. Assoc. Disord.*, v. 12, n. 3, pp. 198-203, set. 1998.

5. C. B. Ebbeling et al., "Effects of Dietary Composition on Energy Expenditure during Weight-Loss Maintenance". *JAMA*, v. 307, n. 24, pp. 2627-34, 27 jun. 2012.

6. S. Moco, F. P. Martin e S. Rezzi, "Metabolomics View on Gut Microbiome Modulation by Polyphenol-Rich Foods". *J. Proteome Res.*, v. 11, n. 10, pp. 4781-90, 5 out. 2012. Publicado eletronicamente em 6 set. 2012.

7. F. Cardona et al., "Benefits of Polyphenols on Gut Microbiota and Implications in Human Health". *J. Nutr. Biochem.*, v. 24, n. 8, pp. 1415-22, ago. 2013.

8. D. C. Vodnar e C. Socaciu, "Green Tea Increases the Survival Yield of Bifidobacteria in Simulated Gastrointestinal Environment and during Refrigerated Conditions". *Chem. Cent. J.*, v. 6, n. 1, pp. 61, 22 jun. 2012.

9. G. Desideri et al., "Benefits in Cognitive Function, Blood Pressure e Insulin Resistance through Cocoa Flavanol Consumption in Elderly Subjects with Mild Cognitive Impairment: The Cocoa, Cognition e Aging (CoCoA) Study". *Hypertension*, v. 60, n. 3, pp. 794-801, set. 2012. Publicado eletronicamente em 14 ago. 2012.

10. S. T. Francis et al., "The Effect of Flavanol-Rich Cocoa on the fMRI Response to a Cognitive Task in Healthy Young People". *J. Cardiovasc. Pharmacol.* v. 47, supl. 2, pp. S215-20, 2006.

11. "Drinking Cocoa Boosts Cognition and Blood Flow in the Brain". *Tufts University Health & Nutrition Letter*, nov. 2013. Disponível em: <www.nutritionletter.tufts.edu/issues/9_11/current-articles/Drinking-Cocoa-Boosts-Cognition-and-Blood-Flow-in-the-Brain_ 1270-1.html>. Acesso em: 12 jan. 2015.

12. M. Clemente-Postigo et al., "Effect of Acute and Chronic Red Wine Consumption on Lipopolysaccharide Concentrations". *Am. J. Clin. Nutr.*, v. 97, n. 5, pp. 1053-61, maio 2013. Publicado eletronicamente em 10 abr. 2013.

13. J. Slavin, "Fiber and Prebiotics: Mechanisms and Health Benefits". *Nutrients*, v. 5, n. 4, pp. 1417-35, 22 abr. 2013.

14. Ibid.

15. R. J. Colman et al., "Caloric Restriction Delays Disease Onset and Mortality in Rhesus Monkeys". *Science*, v. 325, n. 5937, pp. 201-4, 10 jul. 2009.

16. Jessica Firger, "Calorie-Restricted Diet May Help Keep the Mind Sharp". CBS News, 18 nov. 2014. Disponível em: <www.cbsnews.com/news/calorie-restricted--diet-may-slow-aging-cognitive-mental-decline/>. Acesso em: 12 jan. 2015.

17. C. Zhang et al., "Structural Modulation of Gut Microbiota in Life-Long Calorie-Restricted Mice". *Nat. Commun.*, v. 4, p. 2163, 2013.

9. COMO UM PROFISSIONAL: O GUIA DOS SUPLEMENTOS

1. P. Ducrotte, P. Sawant e V. Jayanthi, "Clinical Trial: *Lactobacillus plantarum* 299v (DSM 9843) Improves Symptoms of Irritable Bowel Syndrome". *World J. Gastroenterol.*, v. 18, n. 30, pp. 4012-18, 14 ago. 2012.

2. Adlam, Katie, "*Lactobacillus plantarum* and Its Biological Implications". MicrobeWiki, Kenyon College. Disponível em: <microbewiki.kenyon.edu/index.php/Lactobacillus_plantarum_and_its_biological_implications>. Acesso em: 12 jan. 2015.

3. "*Lactobacillus acidophilus*". *Medical Reference Guide*, Centro Médico da Universidade de Maryland. Disponível em: <umm.edu/health/medical/altmed/supplement/lactobacillus-acidophilus>. Acesso em: 12 jan. 2015.

4. "*Lactobacillus brevis*". MicrobeWiki, Kenyon College. Disponível em: <microbewiki.kenyon.edu/index.php/Lactobacillus_brevis>. Acesso em: 12 jan. 2015.

5. E. O'Sullivan et al., "BDNF Expression in the Hippocampus of Maternally Separated Rats: Does *Bifidobacterium breve* 6330 Alter BDNF Levels?". *Benef. Microbes*, v. 2, n. 3, pp. 199-207, set. 2011.

6. "Bifidobacteria". Medline Plus. Disponível em: <www.nlm.nih.gov/medlineplus/druginfo/natural/891.html>. Acesso em: 12 jan. 2015.

7. D. Guyonnet et al., "Fermented Milk Containing *Bifidobacterium lactis* DN-173 010 Improved Self-Reported Digestive Comfort amongst a General Population of Adults: A Randomized, Open-Label, Controlled, Pilot Study". *J. Dig. Dis.*, v. 10, n. 1, pp. 61-70, fev. 2009.

8. G. Rizzardini et al., "Evaluation of the Immune Benefits of Two Probiotic Strains *Bifidobacterium animalis ssp. lactis*, BB-12® and *Lactobacillus paracasei ssp. paracasei*, *L. casei* 431® in an Influenza Vaccination Model: A Randomised, Double-Blind, Placebo-Controlled Study". *Br. J. Nutr.*, v. 107, n. 6, pp. 876-84, mar. 2012. Publicado eletronicamente em 7 set. 2011.

9. "*Bifidobacterium longum*". MicrobeWiki, Kenyon College. Disponível em: <microbewiki.kenyon.edu/index.php/Bifidobacterium_longum>. Acesso em: 12 jan. 2015.

10. F. Savino et al., "*Lactobacillus reuteri* (American Type Culture Collection Strain 55730) versus Simethicone in the Treatment of Infantile Colic: A Prospective Randomized Study". *Pediatrics*, v. 119, n. 1, pp. e124-30, jan. 2007.

11. H. Szymanski et al., "Treatment of Acute Infectious Diarrhoea in Infants and Children with a Mixture of Three *Lactobacillus rhamnosus* Strains — a Randomized, Double-Blind, Placebo-Controlled Trial". *Aliment. Pharmacol. Ther.*, v. 23, n. 2, pp. 247--53, jan. 2006.

12. M. Kalliomaki et al., "Probiotics in Primary Prevention of Atopic Disease: A Randomised Placebo-Controlled Trial". *Lancet*, v. 375, n. 9262, pp. 1076-9, 7 abr. 2001.

13. J. H. Ooi et al., "Vitamin D Regulates the Gut Microbiome and Protects Mice from Dextran Sodium Sulfate-Induced Colitis". *J. Nutr.*, v. 143, n. 10, pp. 1679-86, out. 2013. Publicado eletronicamente em 21 ago. 2013.

EPÍLOGO: O QUE O FUTURO NOS RESERVA

1. David Agus, *The End of Illness*. Nova York: Free Press, 2009.

2. I. Youngster et al., "Oral, Capsulized, Frozen Fecal Microbiota Transplantation for Relapsing *Clostridium difficile* Infection". *JAMA*, v. 312, n. 17, pp. 1772-78, 5 nov. 2014.

3. Emily Hollister, "Fresh Infusions: The Science behind Fecal Transplants". Baylor College of Medicine. Disponível em: <www.asmbranches.org/brcano/meetings/20 14SprPpts/4.3Hollister_NCASM_2014.pdf>. Acesso em: 12 jan. 2015.

4. Els van Nood et al., "Fecal Microbiota Transplantation". *Curr. Opin. Gastroenterol.*, v. 30, n. 1, pp. 34-9, 2014.

5. "What Is FMT?". The Fecal Transplant Foundation. Disponível em: <thefecal-transplant foundation.org/what-is-fecal-transplant/>. Acesso em: 12 jan. 2015.

6. T. J. Borody et al., "Fecal Microbiota Transplantation: Indications, Methods, Evidence, and Future Directions". *Curr. Gastroenterol. Rep.*, v. 15, n. 8, p. 337, ago. 2013.

7. T. J. Borody et al., "Therapeutic Faecal Microbiota Transplantation: Current Status and Future Developments". *Curr. Opin. Gastroenterol.*, v. 30, n. 1, pp. 97-105, jan. 2014.

8. T. J. Borody et al., estudos de caso n. 941, 942. *Am. J. Gastroenterol.*, v. 106, supl. 2, p. S352, out. 2011.

9. Kerry Brewster, "Doctor Tom Borody Claims Faecal Transplants Curing Incurable Diseases like Crohn's". ABC News Australia, mar. 2014. Disponível em: <www.abc.net.au/news/2014-03-18/sydney-doctor-claims-poo-transplants-curing-diseases/5329836>. Acesso em: 12 jan. 2015.

10. "For Medical Professionals: Quick, Inexpensive and a 90 Percent Cure Rate". Disponível em: <www.mayoclinic.org/medical-professionals/clinical-updates/digestive-diseases/quick-inexpensive-90-percent-cure-rate>. Acesso em: 13 jan. 2015.

11. Ferris Jabr, "For the Good of the Gut: Can Parasitic Worms Treat Autoimmune Diseases?". *Scientific American*, 1º dez. 2010. Disponível em: <www.scientificamerican.com/article/helminthic-therapy-mucus/>. Acesso em: 12 jan. 2015.

12. M. J. Broadhurst et al., "IL-22+ CD4+ T Cells Are Associated with Therapeutic *Trichuris trichiura* Infection in an Ulcerative Colitis Patient". *Sci. Transl. Med.*, v. 2, n. 60, p. 60ra88, 1º dez. 2010.

13. R. W. Summers et al., "*Trichuris suis* Therapy for Active Ulcerative Colitis: A Randomized Controlled Trial". *Gastroenterology*, v. 128, n. 4, pp. 825-32, abr. 2005.

14. Katherine Harmon Courage, "Parasitic Worm Eggs Ease Intestinal Ills by Changing Gut Macrobiota". *Scientific American Blogs*, 15 nov. 2012. Disponível em: <blogs.scientificamerican.com/observations/2012/11/15/parasitic-worm-eggs-ease-intestinal-ills-by-changing-gut-macrobiota/>. Acesso em: 12 jan. 2015.

15. S. Reardon, "Gut-Brain Link Grabs Neuroscientists". *Nature*, v. 515, pp. 175-7, 13 nov. 2014.

Índice remissivo

mente, 213-5; gorduras pobres em carboidratos, de alta qualidade, 21, 86, 208-13; instruções, 201; jejum, 222-4; prebióticos, 21-2, 104, 216, 218-20; probióticos, 21-2, 104, 201-7; substâncias químicas ambientais, 221-2; vinho, café, chá e chocolate, 215-7

ansiedade, transtornos de, 12, 87, 100, 102-4, 109-10, 187, 227

antibióticos: e autismo, 139-41, 147; e cesarianas, 47; e consultas odontológicas, 185; e flora intestinal, 50-1, 72, 85, 94, 107, 130, 178-84; e probióticos, 184, 237; e risco de câncer, 182, *183*; e teoria microbiana das doenças, 291-2; na alimentação, 178-81; nos primeiros anos de vida, 82, 103, 106, 130, 164, 173, 228, 230-1, 294; resistência a, 177-8, 181; uso eficaz de, 175-7, 181, *182*, 184; uso excessivo de, 44, 125, 130, 177, 184, 294

antidepressivos, 39, 85-8, 90, 100, 102-3, 105

anti-inflamatórios não esteroidais, 103, 188

antioxidantes, 74, 206

apetite, regulação do, 44, 112, 125, 219

apoptose, 77-9, 223

artrite, 59, 119

artrite reumatoide, 60, 66, 68

asma, 47, 59-60, 66, 116

Associação Médica Americana, 64, 95, 181

autismo: características, 133-5, 149, 153, 155; causas, 133, 135-9, 146, 149, 155; comportamentos repetitivos, 133, 141, 150-1; e ácido propiônico (PPA), 148-9, 151-2, 155; e cesariana, 48; e comunicação verbal e não verbal, 133-4, 141, 143; e flora intestinal, 18,

79, 131, 137-42, 144, 146-8, 152, 155, 157; e LPS, 68, 145; e mitocôndrias, 79, 151-6; e transtornos gastrointestinais, 135, 137, 140-1, 144, 146; estudos sobre, 135, 137-8, 141-2, 144, 146-7, 149, 151-3, 155-7; fatores ambientais, 138-9, 142, 155-6; fatores genéticos, 135, 138-9, 142, 156-7; interação social, 133-4, 141, 143, 150, 152-3; prevalência, 13, 133, 135-6; prevenção, 133, 151, 157; processos inflamatórios no, 59, 66, 68, 137, 145, 150, 152; tratamento, 135, 139-40, 144

autoimunes, transtornos, 37, 41, 51, 82, 93-5, 118-9, 130, 229-30

bactérias, 14-5, 76; *ver também* flora intestinal

Bacteroidetes, 43, 52, 74, 113, 128, 173, 179; *ver também* Firmicutes/Bacteroidetes (F/B), proporção

bebês: e *Clostridium difficile*, 44; flora intestinal de, 46-9, 106, 129, 225

Bifidobacterium, 44, 48, 64, 109, 146, 205, 216

Bifidobacterium fragilis, 152

Bifidobacterium infantis, 89, 99, 103

Bifidobacterium lactis, 232, 235

Bifidobacterium longum, 45, 232, 236

bisfenol-A (BPA), 190-1, 221

Blaser, Martin, 47, 130, 179

Borody, Thomas J., 298-9

Brogan, Kelly, 187-8

bypass gástrico, 127

café, 73-5, 94, 215, 217

calorias, ingestão de, 80, 124, 223-4

camundongos sem germes, estudos com, 45, 95, 99

câncer, 47, 75-6, 78, 118, 182, *183*

Candida albicans, 234

carboidratos, consumo, 17, 21, 80, 85-6, 93, 120, 122-3, 208-12

Centros de Controle e Prevenção de Doenças (EUA), 105, 122, 133, 145, 177, 181, 227

cérebro: barreira hematoencefálica, 67, 93, 172, 240; café como protetor do, 73-5; desenvolvimento do, 133, 135, 137-8; e apoptose, 78; e proporção cintura-quadril, 118; mitocôndrias nas células do, 77; segundo cérebro, 39; *ver também* conexão intestino--cérebro

cesariana, 46-9, 82, 106, 129, 173

chá, 215, 217

chocolate, 94, 214-5, 217

chucrute, 204, 207, 234-5, 262-4

citocinas: e consumo de glúten, 169, 171; e cortisol, 99-100; e depressão, 90-2; e obesidade, 117-8; e processos inflamatórios, 40, 59, *60,* 90, 119, 230

cloro na água, 72, 191-3, 220

clostrídios, 146, 148-9, 151, 216

Clostridium difficile, 44, 142, 146, 294, 296-8

Clostridium histolyticum, 216

cólera, 66

colesterol, 86, 209-10, 234, 236

condimentos, 207, 214

conexão intestino-cérebro: cepas da flora intestinal, 43, 45; e autismo, 137-8, 142, 144-8; e depressão, 95, 98; e fatores alimentares, 164; e opções de estilo de vida, 23; e processos inflamatórios, 69, 72, 74-6; e revestimento intestinal, 88; e sistema imunológico, 39-42, 45; nervo vago, 38-9; pesquisas sobre, 17, 22, 302

controle de natalidade, 186

correr ou lutar, 40, 98

cortisol, 43, 95, 98-9, 101-2, 230

crianças: e TDAH, 104-10; obesidade em, 107, 110, 130, 178; ocidentais comparadas às africanas, 113-6; *ver também* bebês

Crohn, doença de, 60, 64, 187-8, 298, 300

cúrcuma, 94, 217, 239-40

Cyrex Labs, 68, 172

demência: e citocinas, 119; e consumo de café, 74; e consumo de glúten, 170; e doença celíaca, 173; e glicemia, 57, 61; e níveis de BDNF, 64; e obesidade, 112, 118; fatores de risco de, 48, 138; processos inflamatórios na, 59-60, 93, 117, 119; taxa de mortalidade da, 12

depressão: e consumo de glúten, 170; e LPS, 68, 71, 92-3; e níveis de BDNF, 63, 95; e níveis de cortisol, 98; e níveis de glutamato, 65; e níveis de quinurenina, 103; e obesidade, 91, 93, 112; e síndrome de Tourette, 227; e suplementação de B12, 72; e transtornos de ansiedade, 100; prevalência da, 12, 86-7, 91; processos inflamatórios na, 59, 68, 89-92, 94, 105, 117; tratamento da, 13, 86-8

derrames, 74, 118

diabetes: e cirurgia de bypass gástrico, 128; e glicemia, 57-8, 120; e mitocôndrias, 79; e proporção Firmicutes/ Bacteroidetes, 113, 115; prevalência do, 91, 122; processos inflamatórios no, 59, 62, 66, 68, 75, 119; tipo 1, 48, 173; tipo 2, 61, 74, 120-3, 167, *168;* tipo 3, 61

diarreia, 44, 67, 135, 140, 144, 238

nutrientes, absorção de, 17, 43, 51, 65-6, 89, 113, 219, 234

obesidade: e ácidos graxos de cadeia curta, 113, 115-6; e antibióticos, 130, 180; e cesariana, 48; e depressão, 91, 93, 112; e Firmicutes, 43, 52, 113; e flora intestinal, 113, 116, 123-5, 127, 129, 131, 166, 179; e frutose, 165-6; e glicemia, 119-22; e proporção Firmicutes/Bacteroidetes, 52, 113, 116, 179; e substâncias químicas ambientais, 192; estudos sobre, 113-6, 118, 122-5, 127; obesidade infantil, 107, 110, 130, 178; prevalência, 111; processos inflamatórios na, 59, 91, 115, 117-9; tratamento da, 111-2
ocidente: dieta, 52, 91, 97, 123, 125
ômega 3, gordura, 63, 89, 91, 150
ômega 6, gordura, 72, 91
OpenBiome, 297
organelas intracelulares, 76, 79, 223
Organização Mundial da Saúde (OMS), 86, 177, 181

pâncreas, 119-20, 165, 174
parasitas, 36, 52, 54
Parkinson, doença de: e apoptose, 78; e flora intestinal, 74, 298; e LPS, 68, 70; e mitocôndrias, 76, 153; processos inflamatórios na, 59, 68, 90, 188
parto, métodos de, 46-8, 103, 106, 129, 131, 164
Pasteur, Louis, 204, 231
penicilina, 175-7, 291
peso corporal, 46; ver também obesidade
pesticidas, 191-2
Plano de 7 Dias para alimentar a mente: instruções, 243, 245-6; lanches, 249-50; refeições, 246-9

polifenóis, 74-5, 215, 217
prebióticos: amigos da mente, Plano de 7 Dias para alimentar a mente, 243; protocolo Amigos da mente, 21-2, 104, 216, 218-20; e probióticos, 233; e transtornos de ansiedade, 102; fontes na alimentação, 219-20
primeiros anos de vida: e "nível pessoal" nos processos inflamatórios, 46; e antibióticos, 82, 103, 106, 130, 164, 173, 228, 230-1, 294; e autismo, 140, 156; e transtornos de humor, 95; relação com a saúde de curto e longo prazo, 33-5, 107, 129
probióticos: protocolo Amigos da mente, 21-2, 104, 201-7; e antibióticos, 184, 237-8; e autismo, 142, 152, 157; e diabetes tipo 2, 122; e obesidade, 126; e TDAH, 110; enemas probióticos, 230-1, 233, 236-7; estudos sobre, 45, 97, 99, 102, 109; suplementos, 205, 230-8, 241
processos inflamatórios: e citocinas, 40, 59, 60, 119, 230; e consumo de café, 74-5; e estresse, 40, 98; e LPS, 68-70, 104, 171; e mitocôndrias, 76-80; e pílula anticoncepcional, 187; e probióticos, 205; e proporção Firmicutes/Bacteroidetes, 113; e síndrome de Tourette, 229; e sistema imunológico, 40, 90; e TDAH, 105-7; na demência, 59, 60, 94, 117, 119; na depressão, 59, 68, 89-92, 94, 105, 117; na doença de Alzheimer, 59-60, 66, 68-9, 75, 90, 119, 188; na doença de Parkinson, 59, 66, 68, 90, 188; na esclerose múltipla, 59, 68, 81, 90, 234; na obesidade, 59, 91, 115, 117-9; nível pessoal de, 46, 66, 72; no autismo, 59, 66, 68, 137, 145, 150, 152;

nos processos patológicos, 59-65, 80; papel da flora intestinal, 17, 19, 21, 37, 51, 55, 74-5, 79-81, 83, 89, 93, 128; sistêmicos, 101
produtos finais de glicação avançada (AGES), 61-2, 121
Projeto do Microbioma Humano, 16, 110, 130, 301
proporção cintura-quadril, 118
proteína C-reativa (CRP), 59, 91, 119, 216
proteínas, 212-3, 215, 234

radicais livres, 21, 77, 216
receitas: básicas, 251-5; bebidas, 285-90; carnes, peixes, ovos, 270-7; condimentos, 281-4; derivados de leite, 256-61; frutas, 278-80; vegetais, 262-9
receitas básicas: salmoura básica, 254; salmoura temperada, 255; soro de leite, 251-2; soro de leite de kefir, 253
receitas com frutas: limão siciliano em conserva, 278-9; mirtilo e hortelã em conserva, 279-80
receitas com vegetais: aspargos em conserva, 264-5; cebola cipollini doce, 265-7; chucrute básico, 262-4; kimchi, 267-9
receitas de bebidas: kefir de água, 287-8; kombucha, 285-6; limonada de água de coco, 289-90
receitas de carnes, peixes e ovos: carne curada, 270-1; lombo de porco curado temperado, 271-2; ovos cozidos fermentados, 276; peixe cru fermentado, 275; salmão fermentado escandinavo, 274-5; sardinhas em conserva, 273
receitas de condimentos: alho em conserva, 282-3; jicama em conserva, 281-2; molho em conserva, 283

receitas de derivados do leite: iogurte, 258-9; kefir à base de leite, 256-7; quark, 259-60; ricota, 260
resistência à insulina, 93, 117, 120-1, 165, 187
revestimento intestinal: amadurecimento do, 48; e anti-inflamatórios não esteroidais, 189; e junções de oclusão entre as células, 66, 69, 149, 171; e lipídios essenciais, 110; e pílula anticoncepcional, 187; e prebióticos, 218-9; e probióticos, 205, 232, 234; integridade da parede intestinal, 42, 62, 71-2, 75, 145, 216, 232; permeabilidade do, 65-70, 72, 75, 88, 92-3, 98, 101, 104, 128, 145, 149, 152, 170-1, 187, 230, 234

sensibilidade à insulina, 122, 212, 216, 223
serotonina, 39, 88, 90, 103, 121; inibidores seletivos de recaptação da (ISRSS), 87
Simpósio Probiótico (EUA, 2014), 130
sistema digestivo, 14, 16-7, 32, 35-8, 61, 127
sistema imunológico: desenvolvimento do, 45; e autismo, 138, 145, 151, 154, 156; e consumo de glúten, 171; e cortisol, 99; e depressão, 89; e esclerose múltipla, 81, 83; e imunoglobulinas, 65; e infecções, 94; e obesidade, 112; e prebióticos, 218; e probióticos, 235; e processos inflamatórios, 40, 90; e síndrome de Tourette, 228-9, 231; equilíbrio do, 41, 43; papel da flora intestinal no, 17, 37, 41-2, 51, 79, 82, 128
sistema nervoso central, 17, 38-9, 64, 138, 156
sistema nervoso intestinal, 38-9

TIPOGRAFIA Adriane por Marconi Lima
DIAGRAMAÇÃO acomte | Tânia Maria
PAPEL Pólen Soft, Suzano S.A.
IMPRESSÃO Gráfica Bartira, janeiro de 2022

A marca FSC® é a garantia de que a madeira utilizada na fabricação do papel deste livro provém de florestas que foram gerenciadas de maneira ambientalmente correta, socialmente justa e economicamente viável, além de outras fontes de origem controlada.